Negra espalda del tiempo

Javier Marías

Negra espalda del tiempo

ALFAGUARA

© 1998, Javier Marías
© De esta edición:
1998, Grupo Santillana de Ediciones, S. A.
Torrelaguna, 60. 28043 Madrid
Teléfono (91) 744 90 60
Telefax (91) 744 92 24

• Aguilar, Altea, Taurus, Alfaguara S. A.
Beazley 3860. 1437 Buenos Aires
• Aguilar, Altea, Taurus, Alfaguara S. A. de C. V.
Avda. Universidad, 767, Col. del Valle,
México, D.F. C. P. 03100
• Distribuidora y Editora Aguilar, Altea,
Taurus, Alfaguara, S. A.
Calle 80 nº 10-23
Santafé de Bogotá, Colombia

ISBN: 84-204-8383-4
Depósito legal: M. 14.385-1998
Impreso en España - Printed in Spain

Diseño:
Proyecto de Enric Satué

© Cubierta:
ORESTIS MAGIC BOX, a partir de una ilustración inglesa
no identificada

© Foto del autor: Peter Peitsch

*Para mi madre Lolita
que bien me ha conocido,
in memoriam;
y para mi hermano Julianín
que no llegó a conocerme,
y por tanto sin memoria*

Creo no haber confundido todavía nunca la ficción con la realidad, aunque sí las he mezclado en más de una ocasión como todo el mundo, no sólo los novelistas, no sólo los escritores sino cuantos han relatado algo desde que empezó nuestro conocido tiempo, y en ese tiempo conocido nadie ha hecho otra cosa que contar y contar, o preparar y meditar su cuento, o maquinarlo. Así, cualquiera cuenta una anécdota de lo que le ha sucedido y por el mero hecho de contarlo ya lo está deformando y tergiversando, la lengua no puede reproducir los hechos ni por lo tanto debería intentarlo, y de ahí que en algunos juicios, supongo —los de las películas, que son los que mejor conozco—, se pida a los implicados una reconstrucción material o física de lo ocurrido, se les pide que repitan los gestos, los movimientos, los pasos envenenados que dieron o cómo apuñalaron para convertirse en reos, y que simulen empuñar otra vez el arma y asestar el golpe a quien dejó de estar y ya no está por su causa, o al aire, porque no basta con que lo digan y cuenten con la mayor precisión y desapasionamiento, hay que verlo y se les solicita una imitación, una representación o puesta en escena, aunque ahora sin el puñal en la mano o sin cuerpo en el que clavarlo —saco de harina, saco de carne—, ahora en frío y sin sumar otro crimen ni añadir nueva víctima, ahora sólo como fingimiento y recuerdo, porque lo que nunca pueden reproducir es el tiempo pasado o perdido ni resucitar al muerto que ya pasó y se perdió en ese tiempo.

Eso indica una desconfianza última de la palabra, entre otras cosas porque la palabra —incluso la hablada, incluso la más tosca— es en sí misma metafórica y por ello imprecisa, y además no se concibe sin ornamento, a menudo involuntario, lo hay hasta en la exposición más árida y suele haberlo en la interjección y el insulto. Basta con que alguien introduzca un 'como si' en su relato; aún más, basta con que haga un símil o una comparación o hable figuradamente ('se puso hecho una furia' o 'se comportó como un patán', ese tipo de expresión coloquial que pertenece a la lengua más que al hablante que elige, no hace falta más) para que la ficción se deslice en la narración de lo sucedido y lo altere o falsee. En realidad la vieja aspiración de cualquier cronista o superviviente, relatar lo ocurrido, dar cuenta de lo acaecido, dejar constancia de los hechos y delitos y hazañas, es una mera ilusión o quimera, o mejor dicho, la propia frase, ese propio concepto, son ya metafóricos y forman parte de la ficción. 'Relatar lo ocurrido' es inconcebible y vano, o bien es sólo posible como invención. También la idea de testimonio es vana y no ha habido testigo que en verdad pudiera cumplir con su cometido. Y además uno olvida siempre demasiados instantes, también horas y días y meses y años, y la cicatriz de un muslo que vio y besó a diario durante largo tiempo de su tiempo conocido y perdido. Olvida uno años enteros, y no necesariamente los más insignificantes.

Y sin embargo voy a alinearme aquí con los que han pretendido hacer eso alguna vez o han simulado lograrlo, voy a relatar lo ocurrido o averiguado o tan sólo sabido —lo ocurrido en mi experiencia, o en mi fabulación, o en mi conocimiento, o es todo sólo conciencia que nunca cesa— a raíz de la escritura y divulgación de una novela, de una obra de ficción. No es seguramente gran cosa ni todavía grave ni tampoco acuciante, acaso sea entretenido para el lector curioso dispuesto a acompañarme en principio, para mí tiene la diversión del riesgo de contar sin motivo ni apenas orden y sin trazar dibujo ni buscar coherencia, como si lo hiciera con una voz antojadiza e imprevisible pero que conocemos todos, la voz del tiempo cuando aún no ha pasado ni se ha perdido y quizá por eso ni siquiera es tiempo, quizá lo sea sólo el que ha transcurrido y puede contarse o así parece, y que por eso es el único ambiguo. Creo que esa voz que oímos es siempre ficticia, tal vez lo será aquí la mía.

No soy el primero ni seré el último escritor cuya vida se enriquece o condena o solamente varía por causa de lo que imaginó o fabuló y escribió y publicó. A diferencia de lo que sucede en las verdaderas novelas de ficción, los elementos de este relato que empiezo ahora son del todo azarosos y caprichosos, meramente episódicos y acumulativos —impertinentes todos según la parvularia fórmula crítica, o ninguno necesitaría al otro—, porque en el fondo no los guía ningún autor aunque sea yo quien los cuente, no responden a ningún plan ni se rigen por ninguna brújula, la mayoría vienen de fuera y les falta intencionalidad; así, no tienen por qué formar un sentido ni constituyen un argumento o trama ni obedecen a una oculta armonía ni debe extraerse de ellos no ya una lección —tampoco de las verdaderas novelas se debería querer tal cosa, y sobre todo no deberían quererlo ellas—, sino ni siquiera una historia con su principio y su espera y su silencio final. No creo que esto sea una historia, aunque puede que me equivoque, al no conocer su fin. El principio de este relato, eso lo sé, está fuera de él, en la novela que escribí hace tiempo, o aun antes de eso y entonces es más difuso, en los dos años que pasé en la ciudad de Oxford enseñando como un impostor entretenidas materias más bien inútiles en su Universidad y asistiendo al transcurso de aquel tiempo convenido. Su final quedará también fuera, y seguramente coincidirá con el mío, dentro de algunos años, o así lo espero.

O puede que me sobreviva ese fin como nos sobrevive casi todo lo que emitimos o nos acompaña o causamos, duramos menos que nuestras intenciones. Dejamos demasiado puesto en marcha y su inercia tan débil nos sobrevive: las palabras que nos sustituyen y a veces alguien recuerda o transmite, no siempre confesando su procedencia; las alisadas cartas y las fotografías combadas y las notas dejadas en un papel amarillo a quien va a dormir sola tras los abrazos despiertos, porque nos vamos de noche como miserables en tránsito; los objetos y los muebles que estuvieron a nuestro servicio y a los que dimos entrada —una silla roja, una pluma, una escena de la India, un soldado de plomo, un peine—, los libros que escribimos pero también los que sólo compramos y una vez leímos o permanecieron cerrados hasta el final en su estante y proseguirán conformes en otro sitio su vida de espera a la espera de otros ojos más ávidos o sosegados; los vestidos que se quedarán colgados entre naftalina porque acaso alguien con sentimiento se empeñe en guardarlos —aunque ya no sé si hay naftalina, las telas clareando y languideciendo y sin aire, olvidándose más cada día de las formas que les dieron sentido, y del olor de esos volúmenes—; las canciones que se seguirán cantando cuando nosotros no las cantemos ni tararearemos ni las escuchemos, las calles que nos albergan como si fueran inacabables pasillos y estancias que no se fijan en sus inquilinos efímeros y conmutables; los pasos que no pueden reproducirse ni dejan huella sobre el asfalto y sobre la tierra se borran, o no, esos pasos no quedan sino que se van con nosotros o aun antes, con su inocuidad o su veneno; y las medicinas, nuestra apresurada letra, las fotos queridas que tenemos expuestas y ya no nos miran, la almohada y nuestra chaqueta colgada sobre un respaldo; un salacot que vino de Túnez en los años treinta a bordo del barco *Ciudad de Cádiz* y es de mi padre y aún conserva el barboquejo, y ese edecán hindú de madera pintada que acabo de traerme a casa con incertidumbre, también durará más que yo esa figura, posiblemente. Y las narraciones que inventamos, de las que se apropiarán los otros, o hablarán de nuestra pasada existencia perdida y jamás conocida convirtiéndonos así en ficticios. Hasta nuestros gestos los seguirá haciendo alguien que los heredó o los vio y sin querer fue mimético o los repite a propósito para invocarnos y crear una rara ilusión de momentánea vida vicaria nuestra; y quizá se conserve aislado en otra persona alguno de nuestros rasgos que habremos transmitido involuntariamente, con coquetería o como maldición inconsciente, pues los rasgos traen a veces ventura o desdichas, los ojos orientalizados y como pinceladas los labios —'boca de pico, boca de pico'—; o el mentón casi partido, las manos anchas y en la izquierda un cigarrillo, yo no dejaré ningún rasgo a nadie. Todo lo perdemos porque todo se queda, menos nosotros. Por eso cualquier forma de posteridad tal vez sea una afrenta, y quizá lo sea también entonces cualquier recuerdo.

Yo voy a cometer aquí varias afrentas porque hablaré, entre otras cosas, de algunos muertos reales a los que no he conocido, y así seré una forma inesperada y lejana de posteridad para ellos. O dicho de otra manera, seré memoria suya sin haberlos visto y sin que ellos pudieran preverme en su tiempo ya perdido, seré su fantasma. La mayoría ni siquiera pisó jamás mi país ni supo mi lengua, aunque sí uno de ellos de cuya muerte no tengo en cambio constancia, Hugh Oloff de Wet, quien estuvo en Madrid el año en que nací yo en Madrid y mucho antes había estado a punto de morir aquí fusilado. También aquí había matado, como en otros lugares, después y antes. Y hay otro que nació en cambio en mi propia casa, supongo que en la misma cama que yo, y yo mucho más tarde.

Siempre se dice que detrás de toda novela hay una secuencia de vida o realidad del autor, por pálida o tenue e intermitente que sea, o aunque esté transfigurada. Se dice esto como si se desconfiara de la imaginación y de la inventiva, también como si el lector o los críticos necesitaran un asidero para no ser víctimas de un extraño vértigo, el de lo absolutamente inventado o sin experiencia ni fundamento, y no quisieran sentir el horror a lo que parece existir mientras lo leemos —a veces respira y susurra y aun persuade— y sin embargo nunca ha sido, o el ridículo último de tomar en serio lo que es una figuración tan sólo, se lucha contra la agazapada conciencia de que leer novelas es algo pueril, o al menos impropio de la vida adulta que siempre nos va en aumento.

De todas mis novelas hay una que permitió a sus lectores este consuelo o coartada en mayor medida que las demás, y no sólo eso, sino que invitó a sospechar que cuanto se contaba en ella tuviera su correspondencia en mi propia vida, aunque yo no sé si ésta es a su vez parte o no de la realidad, quizá no lo sería si la contara y algo estoy ya contando. En todo caso, esa novela titulada *Todas las almas* se prestó también a la casi absoluta identificación entre su narrador sin nombre y su autor con nombre, Javier Marías, el mismo de este relato, en el que narrador y autor sí coincidimos y por tanto ya no sé si somos uno o si somos dos, al menos mientras escribo.

Todas las almas fue publicada por una editorial de cuyo nombre es mejor no acordarse en marzo o abril de 1989, hace ya ocho años (lleva fecha de marzo, pero la presentó generosamente Eduardo Mendoza en Madrid, en Chicote, el 7 de abril, día muy señalado por otros motivos), y bastaba mirar la solapa de la edición primera, con unos escuetos datos biográficos sobre el autor, para saber que yo había enseñado en la Universidad de Oxford durante dos cursos, entre 1983 y 1985, al igual que el narrador español del libro, si bien aquí no se mencionaban fechas. Y es cierto que ese narrador ocupa el mismo puesto que ocupé yo en mi propia vida o historia de la que guardo recuerdo, pero eso, como muchos otros elementos de esta y de otras novelas mías, era sólo lo que suelo llamar un préstamo del autor al personaje. Poco de lo que en el libro se cuenta coincide con lo que yo viví o supe en Oxford, o sólo lo más accesorio y que no afecta a los hechos: el ambiente amortiguado de la ciudad reservada o esquiva y sus profesores atemporales que tanto se engañan sobre su quehacer y tan poco sobre su sino (su espíritu siempre usufructuario); las oscuras y minuciosas librerías de viejo que yo visitaba con mis guantes puestos y la mirada al acecho, esperanza de los libreros que se cumplía; los mendigos abismados o torvos que pueblan las calles al atardecer y las recorren inmersos en alguna ofensa remota o imaginaria, sin tener nunca destino ni meta ni desagravio; las campanadas frenéticas de las iglesias vecinas y siempre vacías de St Giles y St Aloysius que siguen llamando impertérritas a los fieles de otros siglos más crédulos, almas que ya no existen pero que quizá para ellas no han muerto; y la derrelicta estación de Didcot en su noche amarillenta de faroles lánguidos que parecían a punto de despedirse con cada parpadeo de su conforme y agotado insomnio: allí una joven rubia con gabardina y collar de perlas fumando y llevando con sus pies ingleses de hebillas y tacones bajos el ritmo de una música memorizada que nadie más oía en aquel andén para rezagados nocturnos; y la luz del día suspendida durante horas en la primavera haciendo que se detuviera el macilento cielo, o perseverara; o una florista de aspecto gitano que se apostaba frente a mi casa los domingos por la mañana con su cazadora de cuero y sus botas altas y larga melena como de hule negro y a la que yo llamé Jane en mi libro y cuyo nombre en la vida era Anne, Anne Joseph y vivía en la cercana Reading de famosa cárcel casada con Mr Hyde, Anne Joseph Hyde a sus diecinueve años, aunque lloviera o nevara o el viento azotara sus flores modestas prendidas en papel de plata y tuviera que subirse la cremallera hasta arriba bajando el mentón, y ahora tendrá treinta y un años, si sigue allí, o en la ciudad de Reading con Hyde; o el ancianísimo y menudo portero de mirada diáfana que daba los buenos días desde su garita de la Tayloriana, donde yo trabajaba y daba mis clases, a quien llamé Will en el libro y con quien allí hablé a menudo pero jamás en la vida, en la que se llamaba Tom, nunca más allá del saludo alegre y ahora he sabido que ha muerto Tom y así han muerto los dos, Tom y Will; y es raro haber conocido más al portero Will que nunca existió o no en carne y hueso, y lamentar más su muerte figurada tan sólo con papel y tinta —pero ni siquiera está escrita, pues al final de esa novela dije precisamente: 'Vive Will, el portero anciano'— que la del verdadero Tom cuyo verdadero nombre tampoco era Tom sino Walter según veo ahora en una carta redactada por él a 5 de junio de 1984, cuando yo estaba allí y me lo encontraba a veces con sus ojos maravillados y azules

y la mano jovial levantada, en su puesto honorí-
fico de la Tayloriana que era ya sólo un préstamo:
le permitían ocupar la garita a ratos para que se
sintiera útil y no perdiera el hilo de la continuidad, para que jugara a ser todavía portero, en la ancianidad como en la niñez se es engañado y se juega,
y se nos ocultan cosas, o eso ocurre en toda edad.
Y en esa carta firma así, 'Walter Thomas', y entre
paréntesis '(Tom)', por si el profesor a quien se dirigía no lo reconocía por su nombre y apellido
reales, suelen desconocer los amos los apellidos de
quienes les sirven, o de quienes sólo están y esperan
como en el verso de Milton. Tom escribe sin comas
y con letra bastante firme y muy legible para su
edad, y dice que lleva sesenta y tres años de criado
en Oxford y que por ese motivo ha participado recientemente en tres charlas radiofónicas matinales
de una emisora local y un año antes en un programa de televisión titulado *Regreso a Oxford* ('muchos profesores se sintieron muy complacidos dijeron que estuve muy bien'). 'Ya me voy haciendo
un poco viejo 93', añade, y explica cómo tras servir durante tres años en la antigua fuerza aérea, el
Royal Flying Corps de la Primera Guerra Mundial, fue portero en Queen's College y luego en All
Souls más tiempo, justamente en All Souls o Todas las Almas (y yo no lo supe hasta ahora) en su
traducción literal e inexacta, de donde se jubiló a
los setenta. Menciona a Sir Arthur Bryant, de quien
fue criado en Queen's y que le insistía siempre para que escribiese un libro. 'Ahora ha muerto', dice
del historiador que seguramente nunca se molestó

en historiarlo a él, 'pero era un hombre para el que resultaba muy agradable trabajar', observa con la docilidad de quien siempre fue un servidor y se sintió quizá conmutable y secundario por ello, ni siquiera un testigo. 'Buena suerte profesor', así se despide Tom, a quien el destinatario de la carta hecha pública llama 'el hombre más servicial de Europa'. 'Buena suerte profesor', así se despide asimismo de mí, por tanto, el portero Will apacible y ufano que inventé o fabulé y que me asignaba diferentes nombres en su continuo viajar por el tiempo —Dr Magill y Dr Myer y Mr Brome, y Dr Ashmore-Jones y Mr Renner y Dr Nott, y Mr Trevor y también Mr Branshaw—, pues no hay nada de lo que sé ahora de Tom que contradiga o niegue a mi Will de ficción, quien pasaba cada día creyéndose en un año distinto de su demorada vida y por tanto para él todo el tiempo era presente o retorno y nada era tiempo pasado o perdido que ya no puede reproducirse. Pues él lo reproducía sin su voluntad y así tenía la suerte de que ninguno le fuera ambiguo. Quién sabe en qué año vivo de sus recorridos le pilló la muerte, en qué momento joven o maduro o viejo de su larga existencia creyó despedirse, en qué día desdichado o alegre. Tal vez ese día que detuvo su cuerpo frágil aún vivía para Will su mujer que lo precedió en el tiempo real, en el tiempo nuestro que él había abandonado, y creyó dejar viuda a aquella de quien él fue el viudo tantos años. De la muerte de Tom me contó su sobrino John, también portero de la Tayloriana por herencia sin duda, aunque esa herencia no incluyó el aspecto: un hombre corpulento y alto con el pelo partido en dos y aguerrido bigote como un boxeador primitivo, al parecer tolerante con las debilidades ajenas pero con demasiado humor dudoso, según comentaré más tarde. Hace poco lo han despedido, su tío Tom se habrá ahorrado el disgusto.

Así, sólo el escenario era real y no tanto, era un Oxford sesgado, un trasunto con mi perspectiva imaginaria o falsa, el mismo punto de vista fabulador de quien pasa una sola noche en un hotel legendario que no va a registrar su presencia insignificante y fantasiosa al lado de los personajes célebres que pernoctaron o se alojaron allí, o quizá se mataron o fueron muertos para ennoblecerlo y clausurar un cuarto que ya sólo pisarán turistas. Sólo lo accesorio he dicho, cuando es tan difícil saber qué va a resultar accesorio o fundamental una vez que estén terminados nuestro libro o nuestra historia o vida y sean tiempo conocido o pasado que ya no puede reproducirse. O acaso sí puede el libro, cada vez que es leído: pero no, cada lectura lo altera, y en cambio no lo reescribe ninguna.

Y también era real lo que a muchos lectores pareció más novelesco y ficticio, pura invención a la manera de Kipling, pura fábula mía, la historia entonces contada a tientas del desventurado y calamitoso y jovial escritor John Gawsworth, el increíble rey de Redonda que jamás vio su reino pero lo vendió varias veces y se hizo llamar Juan I, y cuyo verdadero nombre también era otro, Terence Ian Fytton Armstrong, de quien incluí y describí en la novela dos fotografías que ahora vuelvo a po-

ner aquí como recordatorio para quienes la leyeron y conocimiento inmediato de quienes no y habrán de familiarizarse con su rostro y sus varios nombres si van a seguir en contacto con estas páginas, y pasándolas. Pues de ese hombre tendré que hablar y bastante, ya que ahora, y por así decir, lo tengo en casa. O aunque muerto —y la segunda foto no es de él exactamente, sino de la máscara mortuoria que le hizo Hugh Oloff de Wet en seguida, impropio homenaje para quien dejaba el mundo convertido en mendigo—, vive en mí un poco, si eso puede decirse de alguien que murió hace ya veintiséis años sin sospechar mi existencia.

Tengo ante mi vista una copia de su certificado de defunción en 1970 y otra del certificado de su tercer y último matrimonio quince años antes, con una viuda que le llevaba cinco —él cuarenta y tres y ella cuarenta y ocho en la boda—, y ambas copias las ha puesto en mis manos la nieta de aquella mujer viuda y casada y viuda, una inglesa rubia cuyo nombre es Maria, sin acento pero el mismo nombre de mi abuela andaluza que no he conocido, María Aguilera que debió de reírse cuando se vio casada con un viudo alocado y risueño que se apellidaba Marías y pasó a ser casi una declinación, María de Marías. En el primer certificado se dice que Armstrong —sin vida ya no era Gawsworth, o no para los doctores, o quizá no lo era desde hacía tiempo— murió en el Brompton Hospital del barrio de Chelsea en Londres y se especifican las causas médicas del fallecimiento. En la casilla correspondiente a la profesión, un funcionario llamado Vinten o un informante llamado Lewis escribieron: '*A poet*', y en la siguiente, bajo el epígrafe '*Qualification*', añadieron que el cuerpo había de ser enterrado 'como consecuencia', y así debió hacerse. Y sin embargo es en mi casa de Madrid ahora donde todavía alienta el extraño y desdichado espíritu del poeta rey de Redonda o se resiste a desaparecer y al sosiego o a abandonar la farra, y donde está su letra, que es como decir su voz que habla. O hablará más tarde, pues aún no es momento de que la escuche, aunque llegará la hora según vaya escribiendo líneas y pasando yo estas páginas.

Pero no fue ninguno de estos seres reales que he mencionado quienes tuvieron inmediata noticia de mi novela, porque ninguno sabía español ni mi nombre ni que yo escribía, y quizá no leían mucho con la excepción del bibliófilo y bibliómano Gawsworth o Armstrong, pero él había muerto el 23 de septiembre de 1970, y yo por entonces acababa de cumplir diecinueve años, tres días antes, y él nunca pudo preverme. Y aunque De Wet sí sabía español, quién sabe qué fue de él, cuyo tiempo no nos es conocido y se ha perdido su rastro.

Como expliqué en un artículo de 1989 que titulé 'Quién escribe', el narrador sin nombre de *Todas las almas,* a quien si mal no recuerdo sólo se llama 'nuestro querido español' o 'el caballero español' en boca de otros personajes, a su regreso a Madrid tras sus dos años de falso exilio o emigración privilegiada en Oxford aparecía casado con una mujer llamada Luisa, y padre de un recién nacido habido con ella, lo cual es demostrable que no era mi situación ni mi caso ni me ha sucedido. Ni siquiera ha habido ninguna Luisa importante o duradera en mi vida. Ese solo detalle impedía la identificación absoluta del narrador con el autor, y por lo tanto de cualquier otro personaje con na-

die real que yo hubiera conocido o tratado durante mi estancia. El resto de lo que el narrador relataba podía haberme ocurrido a mí, o haber sido
yo testigo de ello. Yo podía declarar y asegurar, como he hecho muchas veces y vuelvo a hacer ahora,
que casi todo era inventado menos el escenario y
alguna vivencia secundaria y transfigurada en el
libro; que ningún personaje tenía su paralelo en
nadie existente o que hubiera existido, y más en concreto que ninguno era el retrato o caricatura de
ninguno de mis colegas ingleses de entonces en la
Facultad de Lenguas Modernas y Medievales, de
la que formaba parte la SubFacultad de Español
a la que yo estaba adscrito. Pero en realidad lo que
yo asegure o declare no tiene por qué ser creído,
aunque haya una confiada e injustificable tendencia a creer lo que los autores afirman respecto a
sus libros. (Y al advertirlo me doy cuenta de que
estoy poniendo involuntariamente en tela de juicio la veracidad de cuanto aquí estoy diciendo y
seguiré contando, pero debo correr ese riesgo y apelar a esa credulidad pese a todo: se me atiende o
no se me atiende, se me escucha o no se me escucha y no hay por qué hacerlo; no hay vuelta de
hoja, eso es todo.) Lo que yo no podría ni puedo
es demostrar que los hechos de la novela *no* me sucedieron a mí en mi vida, como es siempre imposible demostrar que uno *no* ha hecho algo o cometido un delito si se parte del supuesto contrario, y
esto bien lo han sabido los dictadores: en la propia
España, sin ir más lejos, esa fue la política judicial
del franquismo nada más terminar la guerra y en el

tiempo largo. Un vecino, un enemigo, un rival, un envidioso, un amigo acusaban a alguien de crímenes variados, mejor cuanto más atroces; eso bastaba para la detención y el proceso o más bien simulacro de tal, en el que al acusado se le venía a decir: 'A ver, demuestre usted que no mató o no delató o no saqueó o no violó', por ejemplo, a sabiendas de que es casi imposible demostrar negativamente. Y eso le sucedió al hijo menor de María Aguilera de Marías, mi padre, a quien se imputó, entre otras cosas imaginativas, haber sido durante la guerra 'colaborador del diario moscovita *Pravda*' y —esto para mi inconsolable envidia— 'acompañante voluntario del bandido Deán de Canterbury'. Debo reconocer que habría sobornado con buena suma o me habría sometido a alguna prestación innoble por verme acusado alguna vez en mi vida de cargo tan estrafalario y arcaico. Aún no he logrado averiguar demasiado sobre la participación en el conflicto de este 'bandido', a quien se conoció como *the Red Dean*, 'el Deán Rojo', y cuyo verdadero nombre era Dr Hewlett Johnson —como si fuera oxoniense, y de hecho se doctoró en Teología en Oxford, allá por 1904, en Wadham College que no me es del todo ajeno—; de lo poco que sé, lo más llamativo es que fue el primero en romper el bloqueo naval de Bilbao en 1937 y que al empezar la contienda tenía sesenta y dos años y a su término sesenta y cinco, edades meritorias para ir por ahí de bandolero en tierra extraña y jugarse el tipo zarpando desde Bermeo en un torpedero francés para arribar a San Juan de Luz sin contratiempo tras sortear minas y barcos de guerra franquistas, amén de otras posibles proezas o felonías con su acompañante voluntario, quien quiera que fuese, que desde luego no fue mi padre ni tampoco, a buen seguro, el Arzobispo de Canterbury, el cual no tuvo más remedio que hacer una declaración pública en 1947 para señalar que más allá de los límites catedralicios su Deán hablaba y obraba sólo a título particular y que el Arzobispo no era responsable de lo que aquél pudiera decir o hacer, 'ni está en su mano controlarlo'. El Deán Rojo de Canterbury, rusófilo bravío e impermeable, apologista de la República española, hubo de salir sin duda con bien de sus correrías peninsulares, ya que vivió hasta los noventa y dos, casi tanto como mi apacible portero Will, que también había combatido en otra guerra. Pero por su involuntaria compañía y causa yo estuve a punto de no nacer, habida cuenta de que el paredón solía ser en 1939 el más repetido y común destino de los denunciados por las amistades patrióticas y precavidas, y si mi padre no pasó de la cárcel fue por suerte y por tenacidad de mi madre —aún no sabían que se casarían— y no por falta de inquina en sus dos delatores. Y qué, si no hubiera nacido. Hay demasiados que nacen y es como si no hubiera ocurrido y no hubieran nunca existido; son tan pocos de los que se conserva memoria y hay tantos que mueren pronto como si el mundo no tuviera paciencia para asistir a sus vidas o hubiera prisa por desprenderse de ellos, el esfuerzo baldío y los pasos diminutos sin huella o sólo para el recuerdo afilado de quien enseñó a darlos y cometió el error o realizó el esfuerzo, como un lujo costoso y superfluo que se expulsa de la tierra en seguida como si fuera vaho y ni siquiera se permite poner a prueba. Y qué, si no hubiera nacido nunca nadie.

Así, lo único demostrable por vía negativa respecto al escaso grado de autobiografía en mi libro era que no tenía ni tengo una mujer llamada Luisa ni de hecho una mujer llamada de ninguna forma, y menos aún un hijo recién nacido entonces, que de haber existido y no ser baldío contaría ahora —horror— siete u ocho años, un pequeño gamberro o quizá aún peor —quién sabe—, un pequeño sabihondo digno de ser deportado. (Quizá yo no habría sido un buen padre.) Pero ni siquiera esto dejó de serme atribuido por quienes sabían de mí lo justo, y de mi vida privada nada.

Daba yo por entonces clases de Teoría de la Traducción en la Universidad Complutense de Madrid, algo accidental asimismo y que duró cuatro cursos —jamás pensé dedicarme a la sufrida docencia plagada de zancadillas e intrigas—, después de varios años errabundos no sólo en Oxford sino también cerca de Boston y en Venecia. Tanto me desagradaba el ambiente universitario español y sus mezquindades que aprovechaba el horario nocturno para no hacer ninguna vida de claustro y aparecer nada más que lo indispensable por la mohína Facultad semivacía y a media luz, tomada ya por las limpiadoras que a esas horas se sienten dueñas de los residuos y así dan órdenes o ahuyentan a los profesores y a los alumnos, como las daban a los pa-

sajeros y a los ferroviarios en la estación de Didcot
o en aquella otra de Mestre, vecina a Venecia, donde
pasé parte de alguna noche expulsado y envuelto en
la niebla. Daba mis lecciones improvisadas en el
taxi de ida y me marchaba en cuanto acababan, a las
nueve o diez de la noche según el día, de modo que
no había apenas lugar para la confraternización con
los alumnos ni el compadreo con los colegas, y casi
nadie sabía nada de mí que no fuera más o menos
público. Así que al poco de salir *Todas las almas* tuve
allí un primer aviso —o fue segundo— de que
cuanto mi narrador contaba y decía podía achacár-
seme de principio a fin. Un grupo de estudiantes
—sobre todo alumnas— me esperó una noche a la
salida del aula para hacerme unas consultas, a las
que supongo que debí responder también improvi-
sadamente, y mientras avanzaba por los pasillos con
mi impropia cartera de plástico rígido negro con asa
azul, rodeado de ellas como si fuera un político idiota entre séquito y periodistas —he notado que ca-
minar con revuelo gusta mucho a los profesores, y
me divertía imitarlos por una vez, a los verdaderos
y diurnos—, una joven me preguntó solícita y sin
que mediara transición para hacerlo:

—¿Qué tal el niño?

—¿Qué niño? —dije yo con sorpresa.

La alumna tenía desparpajo.

—Qué niño va a ser, el suyo. —O tal vez
dijo 'el tuyo', yo llamaba de usted a los estudiantes
pero ellos me tuteaban a la menor ocasión, desde
luego fuera de clase, el cambio de tratamiento podía ser cuestión de segundos, como si me quitaran

la máscara. Aunque no todos eran jóvenes, algunos mayores que yo y todos licenciados, mis cursos les servían para el doctorado que yo no tenía ni tengo. Más de una vez consideré la posibilidad de matricularme en ellos y ser alumno de mí mismo para aprovechar los créditos (habría disimulado y me habría dado sólo Notable; y me habría llamado de usted siempre).

—¿El mío? —dije ahora con alarma. Aún no caía en la cuenta.— ¿Qué niño mío? ¿Tengo un niño? Créame que es la primera noticia.

Se animaron entonces a intervenir las otras, quizá al sentirse defraudadas, quiero decir víctimas de un fraude.

—Pero si lo cuentas en tu novela, la que acaba de salir —protestaron como si exhibieran una garantía.

—Ah. —Y quedé callado un momento, me detuve en el pasillo dominado por las desganadas mujeres de la limpieza (la mano al costado durante un alto meditativo) que faenaban con sus batas mal abotonadas y sus fregonas parsimoniosas. Dudé si rectificar y dar carta de realidad a ese niño ante aquellas jóvenes, y por lo tanto también a Luisa, mi mujer novelesca. Claro que también podía haberme divorciado ya de ella, por ejemplo por celosa, o por colérica o entrometida o por demasiado habladora, o por su maternidad negligente y atormentada, un error el matrimonio, quizá me habría quedado yo con el niño. (O podía haberme abandonado ella a mí, por reconcentrado y misterioso.) Por fin dije la verdad a la vez que reanudaba el paso:— Pero ese no soy yo, es el narrador de la novela, yo no estoy casado ni tengo ningún hijo, al menos que yo sepa. Y creo saberlo.

—Pero estuviste en Oxford —objetó una de ellas.

Una sola coincidencia segura (la solapa del libro influía en el libro) bastaba para atribuirme el resto, pensé, y aquello me pareció una reacción lectora demasiado elemental para tratarse de licenciados, en su mayoría filólogos de diversas lenguas.

—Sí, y qué tiene eso que ver —contesté.

—¿Entonces no es verdad? —insistió una estudiante— Pues estábamos convencidas todas de que tenías un niño pequeño. —Recuerdo que dijo 'convencidas todas', en femenino, quizá no tanto por el gran número de mujeres en los cursos, como siempre en Letras, cuanto porque el descubrimiento se hubiera comentado sólo entre las de su género. Y en una de aquellas alumnas creí notar una expresión de contento al oír que no estaba casado. Nada de lo que presumir ni enorgullecerse, dado que todos los profesores y profesoras del mundo disfrutan de lo que puede llamarse 'el efecto tarima' y gracias a él levantan pasiones espúreas y alucinadas, hasta los más feos, los más sucios, los más odiosos, los más despóticos y los más ruines, lo sé de sobra. Yo he visto a deslumbrantes mujeres casi adolescentes flaquear y derretirse por infrahombres apestosos con una tiza en la mano, y a candorosos muchachos envilecerse (circunstancialmente) por un escote estriado y enjuto inclinado sobre un pupitre. Quienes se aprovechan de este efecto tarima suelen ser despreciables, y son muchos. Lo que no comprendí fue el contento de aquella estudiante con los colores de mi cartera (ojos azules y pelo negro), pues la que estaba casada era ella, de todas formas. Tal vez fuera satisfacción literaria, y se alegrara sólo de comprobar que era novela lo que ella había visto como novela.

'Así que hablan de mí', pensé; 'y se han molestado en comprar y leer mi libro en seguida'. A medida que avanzábamos se iban apagando más luces como si aguardaran con impaciencia a vernos la espalda para retirarse, y las limpiadoras no contaran. O acaso es que éstas pueden realizar sus faenas a oscuras y con los ojos cerrados, como si las soñaran desde otros sitios. Quizá desde Mestre o Didcot, es difícil cambiar los destinos una vez que han empezado, si no se sabe que son destinos.

√ Poco antes o poco después había tenido o tuve noticia de las primeras reacciones en la ciudad de Oxford. Mis antiguos colegas de la Sub-Facultad estaban más o menos al tanto de que yo preparaba un libro cuya acción transcurría allí, pero sin demasiada idea y sin saber si se trataba de una crónica disfrazada, una novela o unas vagas memorias. Sólo sabía con fundamento mi buen amigo Eric Southworth, de St Peter's College, con quien me carteaba y me carteo a menudo. El jefe del departamento, el profesor Ian Michael, de Exeter College, que visita Madrid con frecuencia llevado por sus pesquisas de medievalista, su debilidad por la grey taurina, sus investigaciones histórico-callejeras para las novelas policiacas que escribe con un angelical pseudónimo y su temeraria curiosidad o gusto por los bajos fondos y los aspirantes a hampones, también estaba algo al corriente, y sólo lo que ellos dos hubieran podido transmitir al resto sería del conocimiento del claustro.

O bueno, no. En una de mis visitas posteriores al término de mi contrato —debió de ser en el verano del 87, tras pasar nueve soporíferos días en un seminario de literatura en Cambridge con Ishiguro, el agradable Vikram Seth, P D James, la difunta Angela Carter, David Lodge, el antediluviano Wesker y otros, sólo despertados los días en la clausura por el crítico George Steiner—, cumplí con la costumbre de ir a ver a un viejo profesor jubilado a quien solía rendir presencia una vez al mes durante mis años de estancia y a quien algunos han querido ver retratado en el personaje de *Todas las almas* llamado Toby Rylands y al que por tanto aquí llamaré también Toby Rylands, empleando su supuesto nombre ficticio para referirme a quien no lo fue ni lo es pero quizá acabe siéndolo. Por este profesor sentí siempre gran admiración y respeto y además era divertido, un hombre inteligente y perspicaz, malicioso y docto y tan sugerente que se hacía casi enigmático. Al decir sugerente quiero decir no sólo que estimulaba la imaginación con su llamativa figura y su lentitud intensa y sus estudiadas intermitencias del habla, sino que sin cesar sugería deplorables hechos de su pasado, actividades semiclandestinas remotas, frecuentaciones inesperadas o en principio impropias de un catedrático, sin abordar del todo ningún relato. Según sus notas biográficas públicas, al alcance de cualquiera (luego no revelo nada imprudente), antes de llamarse como se llama, con el apellido de su madre, tuvo el de Wheeler; nació en 1913 en Christchurch, Nueva Zelanda, lo cual no le impedía resultar más oxoniense que ningún otro miembro de la congregación —así se dice del conjunto de profesores o *dons*— que yo conociera nunca; esos resúmenes informan con parquedad de que se alistó en 1940 y de que al final de ese año fue asignado al Intelligence Corps o Servicio de Información o Servicio Secreto, y añaden que entre 1942 y 1946 llevó a cabo 'encargos especiales en el Caribe, el África Occidental y el sudeste asiático', todo lo cual no me sirvió de nada a la hora de dibujar a alguien distinto de quien él era y es, al Toby Rylands ficticio, ya que cuando más traté al verdadero desconocía estos datos (a uno no se le ocurre consultar las notas biográficas de quien ve a menudo, si las hay), y éste, como he dicho, no llegaba a contar nunca nada completo de sus posibles días inclementes o aventureros, sólo permitía vislumbres.

—Una vez tuve que vigilar y entretener a un príncipe heredero durante semanas —murmuraba en una ocasión, por ejemplo.

Y uno esperaba a continuación un relato, sentía esa frase como el preámbulo de alguna historia divertida y extraña que valiera la pena escuchar de principio a fin. Y ante el silencio que la seguía —Rylands se quedaba callado, como si estuviera dilucidando si había hecho bien o no en avanzar lo que ya había avanzado, si quería contar o guardarse el episodio—, yo intentaba sonsacarlo:

—¿Ah, sí? ¿Cómo fue eso? No deben de tener mucho interés los príncipes.

Él se pasaba entonces la inmensa mano apacible por las mejillas leñosas como si rememorara de golpe y le bastara con ello —sincrónicamente, podría decirse— y quizá, al recordarlo todo, viera ya innecesario el relato que había estado tentado de confiarme.

—Hmm —decía, como tanta gente en Oxford, donde se musita mucho—. Hmm. —Y le centelleaban los ojos de la juventud recobrada.

Yo aún insistía:

—¿Qué príncipe era? ¿Europeo, africano, ruso?

Y entonces Rylands reía un poco, una risa como petardos sin eco, y así indicaba que prefería dejarlo y pasar a otra cosa. O despedía el asunto apenas insinuado con otra frase brevísima, o acaso dos o tres, conclusivas:

—Un príncipe, sí. Un príncipe muy gracioso. Bebía mucho, y yo tuve que acompañarlo en sus farras. Por eso aguanto tanto. Este jerez no me convence, le diré a la señora Berry que no me lo traiga más. —Y se llevaba la copa a los labios tan finos que parecían deberse a un pincel de maquillaje. Con eso daba por acabada su precaria incursión por el pasado, al menos la verbal o ante testigos. La palabra inglesa que empleó para 'farras' fue *binges*.

Al personaje Rylands yo lo hice antiguo espía del MI5, el más célebre de los servicios secretos británicos, y mencioné supuestas misiones suyas durante la guerra en La Martinica, Haití, Brasil y las islas de Tristan da Cunha, todo ello según los rumores incansables de Oxford. Eran fabulaciones mías, quizá sugeridas por sus anuncios incumplidos en nuestras conversaciones, eso era todo, yo no sabía nada de sus datos biográficos del dominio público.

Sin embargo la identificación entre ambos Rylands resultó hasta cierto punto comprensible, porque para describir al personaje tomé y adorné y recompuse algunos rasgos físicos de la persona, y eso indujo a confusión sin duda a los superficiales. En la novela se dice: 'Era un hombre muy grande, de tamaño en verdad enorme, con el pelo totalmente conservado, ondulado y blanco —una bavaroise— sobre su cabeza estatutaria, siempre bien vestido con más presunción que elegancia (corbatas de pajarita y jerseys amarillos, un poco a la americana, o como un estudiante antiguo)...' 'Lo que más impresionaba de él eran los ojos rasgados de colores distintos, color aceite el derecho y ceniza pálida el izquierdo, de tal manera que si se lo miraba desde el lado derecho se le veía una expresión aguda no falta de crueldad —un ojo de águila, o quizá de gato—, mientras que si se lo miraba desde la izquierda lo que se veía era una expresión meditativa y grave, recta, como sólo pueden ser rectas las gentes del norte —un ojo de perro, o quizá de caballo, que parecen los más rectos de los animales—; y si se lo miraba de frente, entonces uno se encontraba con dos miradas, o mejor dicho no, con los dos colores pero una sola mirada, que era cruel y recta, meditativa y aguda.' 'En cuanto a su risa, era lo más diabólico de Toby Rylands: la boca no se movía apenas, pero sí lo bastante —sólo horizontalmente— para que bajo su labio superior, morado y carnoso, aparecieran unos dientes pequeños y levemente puntiagudos, pero muy igualados, tal vez la buena imitación, debida a un dentista de pago, de los que la edad le habría perdido. Pero lo más demoniaco de aquella risa breve

y seca no era verla, sino oírla, pues no se asemeja-
ba a las onomatopeyas escritas más habituales, todas ellas fiadas a la aspiración de la consonante (sea
ja, ja, ja o *je, je, je* o *ji, ji, ji,* o en otras lenguas *ha, ha*
o incluso *ah, ah),* sino que en su caso ésta era in-
dudablemente plosiva, una clarísima *t* alveolar, como
lo es la inglesa. *Ta, ta, ta,* así era la risa escalofrian-
te del profesor Toby Rylands. *Ta, ta, ta. Ta, ta, ta.'*
Así era la inconfundible risa del verdadero
Rylands y así era él más o menos, aunque no tenía
los labios carnosos ni los ojos de dos colores, sino
ambos de un azul tan nórdico que parecían amarillentos a la luz del sol y a la eléctrica, una mirada
acechante o más aún, emboscada, ojos que parecen estar opinando hasta cuando se los ve distraí-
dos o soñolientos o ausentes, pensando por sí solos
sin intervención de la mente, juzgando. Era uno
de esos individuos que nunca piden ni reconvie-
nen pero ante los que uno se suele sentir en falta,
si no ha abandonado los reflejos de la juventud
del todo; tampoco hacen reproches ni manifiestan
su descontento, y sin embargo se tiene la sensación
de estar siempre al borde de su desaprobación silenciosa. Este efecto no se consigue fácilmente, no
depende de la actitud ni de los modales ni del dinero ni de las ínfulas, ni siquiera de las represalias
coléricas que a lo largo de mi vida he visto en algunos empresarios advenedizos y contrariados: gente ruin, gente insegura que no inspira respeto y
necesita convencerse de que es eminente y aplasta
a quien puede o al débil para renovar sin tregua su
siempre escaso convencimiento (tuve un editor así

en mis días jóvenes, lo abandoné con hastío y sin miramiento, se le enrojecía el rostro y los ojos le navegaban obtusos sin poder articular palabra sensata ni entera, tardo en el pensamiento y el habla, perplejo de que no se hiciera su voluntad explotadora —sus orígenes en el estraperlo, se contaba—; también he conocido a escritores del mismo estilo, despóticos y acomplejados, los zarandea y destroza cualquier discrepancia). En realidad no hay que hacer nada extraordinario —no se puede— para producir en el otro ese efecto que es mezcla de intimidación y deseo de reconocimiento, o de ser tolerado al menos. Toby Rylands lo conseguía sin esforzarse, aunque sí lo procuraba: con su laconismo ocasional, con su voz filosa que aprovechaba la edad para sonar afligida en algunos instantes y hacerse dramática, con sus ojos interpretativos cuando escuchaba y también cuando hablaba, era como si en las conversaciones con él no hubiera turnos y uno se estuviera exponiendo en todo momento, cuando decía y cuando callaba, cuando contaba y cuando atendía y era él quien peroraba. Además tenía fama de poco escrupuloso —de despiadado— para castigar a sus enemigos o simplemente ofensores, y para él eran castigos, no venganzas, los hombres esclarecidos no incurren en ellas. Se rumoreaba que en una ocasión, al enterarse de que una Universidad norteamericana iba a ofrecerle unos suculentos cursos a un ingrato o poco servil discípulo suyo, para impedirlo no se le ocurrió nada más definitivo que acusarlo sotto voce de coprófago, lo cual fue suficiente para que los acaudalados puritanos sureños renunciaran a la contratación nauseabunda sin preguntarse siquiera, por lo que parece, cómo Rylands podía poseer información tan certera sobre prácticas y actividades que, de existir verdaderamente (yo no lo creo, son figuraciones y manierismos literarios y cinematográficos), nadie iría por ahí contando y menos en la ciudad de Oxford, donde casi nada se ignora y lo que se ignora se crea y si no se inventa. La astucia de Toby Rylands habría sido considerable y aun mefistofélica, ya que eligió una lacra sobre la que nadie habría osado preguntar al infamado, privándolo así de toda posibilidad de negación y defensa. Qué peligrosas las voces con crédito, las autorizadas, las que nunca mienten como si aguardaran el día en que de veras valga la pena o les toque hacerlo, y entonces persuaden sin ningún esfuerzo de lo más fantástico o ponzoñoso. Puede que la mía vaya siendo una de esas, por la edad y algún escrito, aunque la mayoría sean de carácter ficticio. Pero aún no miento.

Así, sólo me preocupaban las posibles reacciones de tres personas al libro que estaba escribiendo y que aún no tenía título, y al que en mis cartas de la época a Eric Southworth o a Daniella Pittarello me refería como 'la novela de Oxford'. Lo que pudiera opinar el amigo oxoniense cuando la leyera me atrevía a adivinarlo y poca aprensión me causaba, fuera del juicio estrictamente literario; tampoco veía amenaza en la probable reacción de Ian Michael, por su espíritu humorístico y desenfadado y su nula beatería, es lo contrario de un melindroso. En cuanto a los demás colegas, más severos en su apariencia y más celosos del buen nombre de su profesión, de la Universidad y de la propia Oxford, suponía que haber dedicado buena parte de sus vidas a la enseñanza de la literatura (aunque fuera la española e hispanoamericana) les permitiría distinguir sin dificultad ni dudas una obra de ficción de unas memorias o un ensayo, y no tomarse a mal cualquier divagación impertinente o bufa exageración o fabulación mías sobre un lugar literario que sólo se correspondía a medias con el nombre de Oxford que yo le daba, o sobre unos personajes que ni los retrataban a ellos ni los caricaturizaban ni desde luego llevaban sus nombres, aunque sí ocuparan sus puestos, como mi narrador el mío.

La reacción de Toby Rylands sí me resultaba más preocupante, por cuanto acabo de contar y porque en modo alguno habría querido ganarme su desaprobación, aún menos por una cuestión personal. Así que cuando fui a verlo en aquel verano del 87 tras mi impacientado paso por Cambridge —no lo vi esta vez en su casa a solas, sino en la de Ian, que nos invitó a almorzar en su jardín a él y a Eric y a mí—, me pareció conveniente ponerlo sobre aviso, y no mala idea hacerlo ante dos testigos que podrían convertirse en aliados o cómplices, si es que ya no lo eran. Recuerdo a Toby sentado en una silla de lona que se resentía materialmente bajo su corpulencia, mirando de reojo al río y mirándonos de reojo a nosotros con los iris amarillentos por el estacionario sol de julio, soltando sus anécdotas lacerantes y breves como botonazos de esgrima o bien riendo con sus lentas carcajadas percutientes como pistones reventados —ta, ta, ta— cada vez que Ian o Eric le relataban a él alguna chusca o maliciosa. En una pausa de la conversación, y después de que Ian Michael entrara en la casa a ver cómo andaba su madre ciega con la que convivía y a ordenar a una criada que sacara el postre, hice mi comentario (el río se veía polvoriento y aletargado):

—No sé si sabe, Toby, que estoy escribiendo una novela que transcurre aquí en Oxford.

Toby Rylands se hizo de nuevas, yo estaba seguro de que algo habría oído.

—¿Ah sí? ¿Y qué clase de novela es esa? ¿Es una novela en clave sobre todos nosotros? Hmm. ¿Debemos preocuparnos? Hmm. ¿Debemos hacer memoria? No, no sabía nada en absoluto. Ni una sola palabra —dijo con exageración manifiesta, y añadió con falsa queja—: Nadie aquí me cuenta ya nada.

Puede que esto sea así ahora, cuando hasta su jubilación queda lejana y ni siquiera viaja como profesor emérito a las Universidades americanas que le pedían consejo y con reverencia lo contrataban, tendrá ya ochenta y tres años. Pero entonces, hace diez, sucedía lo contrario: todo el mundo corría a contarle cuanto pudiera divertirlo o interesarlo, hay personas a las que se cuenta sólo para congraciarse con ellas y obtener su aprecio o su condescendencia, sus teléfonos zumban siempre.

—Bueno, aún no sé exactamente qué tipo de novela será, no conozco bien mis libros hasta que no los he terminado, y aun entonces. Pero desde luego no será una novela en clave sobre ustedes, no creo que deba preocuparse nadie. Lo único es que tal vez, pese a ello, algunos colegas quieran entenderla así, o crean verse descritos. Ya sabe, el hecho de que yo haya vivido aquí será suficiente para la sospecha, se nos concede menos imaginación o arbitrariedad de la que tenemos. Y la verdad es que no me gustaría que ninguno se molestase, pienso sobre todo en Alec, en Fred, en Pring-Mill, no tanto en John ni en ustedes tres, son más frívolos, y lo digo como elogio. Tampoco me habría inquietado Philip, eso es seguro.

Alec Dewar, o así llamé en *Todas las almas* a un personaje en quien se quiso ver a la persona real que ahora llamo, como he hecho con Rylands, por su supuesto nombre ficticio y sus supuestos apodos, el Destripador, el Inquisidor, el Matarife, el Martillo: the Ripper, the Inquisitor, the Butcher, the Hammer. Alec Dewar, un hombre serio que quería pasar por severo e inconmovible, en realidad no sabía qué hacer consigo mismo en cuanto deponía su papel de ogro obligado por la cesación de las actividades —miraba con nostalgia los portones cerrados de la Tayloriana que lo expulsaban hasta la mañana— y la desaparición de los estudiantes, que lo vivificaban al irritarlo; se desconcertaba por cualquier elemento ajeno a su tenaz rutina de muchísimos años, y si uno se interesaba por él o le hacía preguntas semipersonales como si pudiera tener existencia fuera de los recintos universitarios, se sentía agradecido e incómodo y perdía en el acto toda su prosopopeya: contestaba con timidez, pero con el gesto audaz de quien ha hecho un derroche, o como si hubiera sido pillado en una falta halagadora. Le gustaba aparentar ferocidad y sarcasmo y lograba ser convincente ante los alumnos y los invitados a los seminarios que sufrían su escrutinio, no tanto ante los colegas, que percibíamos a veces sus chirriantes y remisas tentativas por resultar agradable y hasta ingenioso —una de las formas de la cordialidad en Oxford—. Su español oral era inseguro, prefería el inglés conmigo. La falta de costumbre de hablar de sí mismo y de asuntos no relacionados con el trabajo lo llevaba a soltar frases medio hechas y medio enigmáticas, que no significaban nada, al segundo o tercer intercambio: 'Así es como van las cosas hoy en día', decía sin gran sentido tras explicar, por ejemplo, que no tenía casa propia en la ciudad y que dormía en sus aposentos del *college,* no recuerdo si Trinity o Christ Church o Corpus Christi. Esas frases podían conducir la conversación a un punto muerto y trocar su hosquedad en una especie de indefensión que daba apuro.

Fred Hodcroft, un hombre encantador, altísimo y delgadísimo; con su perfil de pájaro carpintero y su aire fingido de sabio en las nubes solía tenderme trampas sintácticas y gramaticales para averiguar el grado de mis conocimientos, haciendo como que en verdad ignoraba las respuestas que me solicitaba. Se sujetaba las gafas continuamente, como si supiera que una caída les sería fatal desde su gran estatura. Era tan simpático que con él no se podía bajar nunca la guardia, tenía un español excelente. No parecía devoto de la institución, pero probablemente lo era, uno de esos hombres que pueden pasarse una vida ofendidos sin que uno se entere ni lo sospeche, son todo afabilidad hasta con quienes son objeto de su censura o les han hecho mal a ellos.

Robert Pring-Mill, rechoncho y curil y solapado, muy amigo de Ernesto Cardenal, el poeta presbítero nicaragüense revolucionario, carecía de sentido del humor o no coincidía con el suyo el mío y solía tomarse todo al fastidioso pie de la letra, era receloso y ordenancista. No lo traté mucho, no le caí bien, yo creo, demasiado indiferente con lo que él veneraba, su amistad transoceánica sería más presbiteral que revoltosa. Su español era defectuoso, tendía a evitarlo. Parecía vivir disgustado —se decía que había esperado el nombramiento que recayó en Ian Michael, sin ser éste de Oxford para mayor chasco— y quizá sólo por eso su figura resultaba huidiza y tibia.

John Rutherford, traducía por entonces *La Regenta* al inglés, aún inédita en esta lengua, hablaba español con fuerte acento gallego por causa de su mujer de esa nación y de sus veranos en Ribadeo que no perdonaba, un tipo callado y paciente y de mérito, magnífica persona quizá con un punto de resentimiento inconfesado o que ni siquiera él captaba; su vida vista desde fuera —toda la familia tocando instrumentos, hijas con las que cantaba en casa— parecía idílica. Era improbable que se enfadara por ningún motivo, pero podía haber en él cierto peligro: nunca hay nadie conforme del todo, ni siquiera con lo que elige.

Y Philip Lloyd-Bostock, muerto al poco de abandonar yo Oxford; durante mis dos años de estancia había faltado mucho debido a su enfermedad, pero no lo bastante para que no nos tratáramos y diéramos juntos algunas clases, al alimón, como en uno u otro trimestre vine a hacer con todos los demás colegas que se turnaban, clases de traducción literaria práctica, directa e inversa, Gómez de la Serna y Valle-Inclán al inglés y Woolf y Hopkins al castellano. Lloyd-Bostock daba la impresión de que su mundo era otro, de estar en Oxford sólo de paso y a regañadientes y para ganarse el salario, a diferencia de los demás, a quienes se notaba incorporados en mayor o menor medida a la ciudad y a su vida de denuedo en calma, si es que tal expresión es aceptable. Algunos quizá no tenían otra ni cuando se retiraban a sus casas o a sus aposentos al término de la jornada, ni siquiera durante las vacaciones largas del verano, que sin duda les concedían tiempo hasta para convertirse en sus contrarios o Hydes, seguro que Philip las aprovechaba. Alguno debía de aguardar con impaciencia el comienzo de cada nuevo periodo lectivo, para sentirse centrado o más aún, sostenido, armónico, justificado. Para Philip Lloyd-Bostock, en cambio, ese mundo parecía un engorro, algo del pasado a lo que todavía se debe hacer cierto caso o a lo que sin rubor se recurre si se necesita auxilio porque estará siempre de nuestra parte —en reserva, como la familia de que se procede, acaso—. Pero quizá es que lo traté cuando estaba ya muy enfermo, y puede que a los moribundos todo les empiece a resultar superfluo y a parecer del pasado, o ya perdido. Llevaba un cuidado bigote y sus ojos azules eran acuosos, manifestaba una mansedumbre seguramente engañosa —la del que está tan atormentado que no discute, o tal vez le era todo indiferente—. Algunos quisieron verlo en el personaje de mi novela que llamé Cromer-Blake, es de suponer que por el apellido compuesto y porque ese personaje moría al final del libro. Claro que también se quiso ver en él a mi amigo vivo y de apellido simple Eric Southworth, de manera que aquí se llegó al absurdo de identificar a dos con uno.

Eric Southworth, de maniática nobleza; alguien tan leal y recto que sin duda resultará un fastidio para la mayoría, no queda mucha gente así en nuestro tiempo, si acaso unas pocas mujeres. Y a la vez era flexible y con un extraordinario sentido de la gracia, uno de esos raros individuos capaces de seriedad y broma —como si dijéramos— en el mismo párrafo, y ambas sinceras. Yo lo he visto reír a carcajadas como un chico malo por alguna barrabasada —palabra antigua, palabra de abuela, pero la adecuada— y también ponerse temible y grave como un héroe de las aulas. Su español era bueno aunque un poco renacentista por libresco, le daba pereza hablarlo allí en Oxford, en sus habitaciones o en sus comedores o salas. Unos años mayor que yo, tenía el pelo ya muy gris, de lo que sacaba partido para inspirar respeto a los estudiantes, no siempre con éxito, su lado fácilmente festivo lo traicionaba. A veces, en cambio, les provocaba pánico, cuando se calaba el birrete

y los examinaba oralmente jugando a ser un malé-
volo personaje de Dickens o imitando las amonesta-
doras formas de los antiguos eclesiásticos españoles
—un índice levantado, achicados los ojos, la voz
hacia dentro—, que le divertían mucho, el catoli-
cismo visto como folklore. En una ocasión me pidió que le consiguiera un bonete de arzobispo u
obispo en la calle de Segovia, así que le mandé dos,
uno de seda con borla verde y otro de raso con
borla roja (o viceversa, no conozco los uniformes,
quizá fueran sólo de párroco). Quedó entusiasmado con el regalo, aunque para qué los quería no le
pregunté ni lo sé, imagino que los usará en privado. Con él no había cuidado respecto a la novela,
como en efecto no lo había con Ian Michael, los
dos recorridos por la agudeza y la guasa y buenos
conocedores de las ficciones. Toby Rylands participaba de todo ello, pero era más venerable y más
imprevisible, así que en realidad, al hablarle a él
del libro, estaba confiándole mis temores sobre su
reacción posible.

Se quedó mirándome una vez más de reojo
y lo que me dijo con sorna sirvió para tranquilizarme:

—No creo que debas preocuparte por eso,
Javier. Acaso por lo contrario. Probablemente los
únicos que podrán sentirse molestos u ofendidos
sean los que no se reconozcan en tu novela, los que
crean no salir en ella, ni siquiera camuflados o disfrazados. O vilipendiados, o escarnecidos. Al fin
y al cabo, es más humillante no ser motivo de inspiración que serlo, no ser digno de la ficción que

serlo, aunque sea a costa de alguna indiscreción y de mala manera, para dar vida a un personaje depravado o ridículo. Lo peor es no figurar allí donde hubo posibilidad de hacerlo. —Calló unos segundos, miró hacia el río como si lo vigilara y añadió con amable burla a la vez que tamborileaba con sus dedos rugosos sobre el brazo de su silla de lona hundida:— Además, quién sabe si no estarás escribiendo un futuro clásico. Todo nuestro trabajo, el de los estudiosos, está condenado a quedarse anticuado, inservible, a ser olvidado. Eso los que escribimos; los que no, como Eric... bueno, su saber esparcido se lo lleva el viento en cuanto él sale del aula, o antes, lo sabes, Eric, sabes eso, ¿verdad? —Sí, Eric lo sabía perfectamente, lo sabe y así lo quiere.— Tal vez nuestra sola manera de pasar a la posteridad, que irónicamente es lo único que nos ocupa, sea a través de una novela de ahora a la que no nos toca hacer el menor caso. Puedes imaginártelo, qué injusto, qué grotesco, que sarcástico, recordados por lo que desdeñamos. Así es, así es. Es improbable que una novela actual perdure, se publican demasiadas y los críticos de periódico casi nunca distinguen nada, pero al menos es posible. Lo que es seguro que no va a pervivir son nuestras investigaciones e interpretaciones que sólo interesarían a un *yo* futuro arqueológico, cómo decirlo, a un *nosotros* repetido que no va a darse; ni nuestra erudición cada vez más impersonal y superflua, con esas computadoras que lo roban y engullen y almacenan todo, y se lo sueltan luego al primer iletrado que sabe darle a una tecla. Hmm. No me gusta. —Rylands se plantó una mano en su blanco pelo amerengado sin despeinarse, como si quisiera proteger su arcaizante cerebro del futuro entrevisto que lo apenaba, en el que no habría sitio para alguien como él, y con eso estaba seguramente conforme; pero tampoco lo habría para gente como Ian, más joven, o Eric, aún más y los dos con muchos años por delante en activo, y eso debía de parecerle demasiado violento, una amputación o un sacrificio.— No me gusta. Hmm. Ni siquiera hoy en día leen muchos nuestros textos plagados de esforzadas notas y exégesis, y la mayoría de esos lectores son colegas resentidos que se acercan a ellos con malos ojos, para objetar o rebatirlos o plagiarlos si hay suerte. Para desprestigiarnos en vida, muertos no vale la pena. Así que más bien procura no dejarnos a ninguno fuera de tu novela: podrías privarnos de la inmortalidad a alguno, y eso sí sería imperdonable, ¿no te parece? Sólo debes temer, yo creo, la furia de los que vayas a dejar sin posteridad literaria. Ta, ta, ta. ¿Te imaginas? Gente como nosotros, dentro de un siglo, investigando sobre nosotros las personas. Ta, ta, ta. —Rylands reía a menudo de sus propios humorismos.

Eric e Ian rieron también, con sus risas de consonantes aspiradas. Ian Michael escribía sus novelas policiacas con un inspector llamado Bernal, pero sólo pretendía divertirse y ganar dinero en el Japón con ellas (al parecer el truco consiste en tener cinco o seis que repitan el personaje y luego el éxito y la adicción vienen solos, sobre todo en el Japón con su afición repetidora, eso cuentan), no confiaba en pasar a la historia de la literatura. Tampoco yo con las mías, no policiacas. O acaso sí, no es fácil decirlo. No, es otra cosa lo que pretendo.

—Por ese lado no me parece que haya peligro —le contesté a Toby—. Si sólo de mí depende, me temo que seguirán todos ustedes siendo mortales.

Debo hacer un inciso —este es un libro de incisos, sólo que se avanza también con ellos— para reconocer que la idea de Toby Rylands me ha servido en alguna ocasión para persuadir y mercadear con ella. Durante la propia escritura de *Todas las almas* convencí un día a Francisco Rico de lo que aquella eminencia neozelandesa había expresado con zumba en el jardín de Ian Michael mirando al río. Paco Rico era para mí entonces 'el profesor Rico, hombre de gran saber', esforzadamente displicente, presumido con descaro y simpático contra su voluntad. Un hombre ufano y al que gustaba rodearse de acólitos (luego lo hacía). En una ocasión, no obstante —quizá fue en Vitoria—, logré deprimirlo haciéndole ver cómo todo su prestigio y aspaviento profesorales, su posible nimbo de real académico —se preparaba la candidatura— y sus muchos y aclamados escritos críticos estaban destinados a durar tan sólo lo que durara él. Vendría después gente por definición más competente, con más información y métodos de trabajo perfeccionados, individuos que tal vez lograrían averiguarlo todo, por ejemplo, sobre el *Lazarillo de Tormes* o sobre el *Quijote* y que dejarían sus interpretaciones y hallazgos anticuados o incluso en ridículo, por ingenuos —todo lo pasado parece ingenuo— o ignorantes de datos nuevos fundamentales. En cambio puede afirmarse, le dije, que todos los novelistas actuales —aun el más inepto, el de Manzaneda de Torío o el de Quicena entre los españoles; no, sin duda alguna el de Las Palmas— somos en cierto sentido superiores a Cervantes, aunque sólo sea porque conocemos a Cervantes y tenemos sus enseñanzas y contamos con él, y además sabemos qué ha venido después, lo cual nos da gran ventaja en teoría; y sin embargo ninguno somos superiores a él, ni nuestra existencia ni nuestras páginas borran o anulan las suyas, que se siguen estudiando y leyendo sin que caduquen; es este un campo en el que el tiempo añadido no presta ayuda o no sirve para mejorar ni arrumbar lo que vino antes, quizá el único terreno en el que el tiempo pasado no es tiempo perdido sino en realidad ganado: no por nosotros los individuos que lo perdemos siempre, pero sí por nuestras intenciones y por la obra que hicimos, si es que dura en el tiempo. Hoy nadie hace caso a lo que escribimos, pero hay una posibilidad remota de que se lo hagan personas como el propio Rico dentro de muchos años, o como Rylands o Michael o Southworth; y eso no sucederá jamás con lo que el propio profesor Rico está dando hoy a la imprenta, aunque tenga gran valor y mayor mérito.

—Es posible —le dije— que seas más recordado por haber aparecido como personaje en una novela tan perdurable que sea rastreada hasta el infinito, que por cuanto está en tu mano lograr con tu aplicación y tu talento exegético y tus saberes acumulados.

Al principio el profesor se mostró displicente, como le correspondía, e incluso un poco picado.

—Bah —dijo con mueca altanera—, yo ya he salido en una novela, y además como protagonista absoluto, el personaje principal y dominador, el desencadenante de la acción y sobre todo de la pasión. Una novela entera escrita contra mí por una mujer para sacudirse su despecho, pobre.

—Ah sí, ya la he leído —respondí, lo cual pareció sorprenderlo y aún más halagarlo ('¿Ah sí, la has leído?', se le escapó con irrefrenable ilusión, y eso me hizo pensar que Rylands estaba en lo cierto)—. Pero no te dejaba nada bien, como por otra parte es natural si se trataba de un ajuste de cuentas. Tampoco resultabas muy reconocible, físicamente embellecido para que fuera más comprensible esa absurda pasión. Hasta creo que salías más alto. Y por lo demás, un personaje odioso y tópico, si mal no recuerdo, profesor. Cartón piedra.

El profesor tuvo todavía arrestos para defender su logro, no es hombre que se rinda con facilidad, sólo cuando se aburre de discutir.

—No seas impertinente, joven Marías. Me dejaba fatal, pero en todo caso se veía que ella había sufrido mucho por mí, y eso me hace interesante. ¿O no?

'Joven Marías', así me han llamado don Juan Benet y alguna gente amiga durante largo tiempo, para diferenciarme de mi señor padre, también escritor aunque no de ficción. Imagino que dentro de cuarenta años todavía habrá alguien que al verme entrar en un salón dirá 'Ahí llega el joven Marías', y cuando los demás se vuelvan se encontrarán con un anciano de ochenta y cinco, estoy hecho a la idea e incluso a la escena, qué se le va a hacer, tanto pueden los nombres. Ahora Rico me llama 'Javier' y yo lo llamo 'Paco' a él, pero entonces nos conocíamos menos y éramos otros, 'el joven Marías' y 'el profesor Rico, hombre de gran saber'.

—No mucho —contesté—, hacer sufrir es lo más fácil del mundo, está al alcance de cualquiera, del mayor idiota, del mayor ceporro, del hombre más prosaico y de la mujer con menos misterio. De hecho todo el mundo hace sufrir a todo el mundo, poco o mucho pero siempre algo, hasta los que nos benefician y cuidan, para eso basta el roce. Y hay que contar con el asco del otro, que aparece a veces y siempre hace sufrir, ¿no es así? Pero esa no es la cuestión, ni si te hacen más interesante o no como personaje. Lo importante es serlo de un libro inmortal, si es que se puede dar hoy tal cosa; aunque se salga pintado como un desalmado, una rata o un patán. Mejor no correr esa suerte, porque así quedará retratado uno hasta el fin de las letras, pero aún peor es no salir. Eso piensa al menos un maestro mío extranjero. Dime, ¿te parece que esa novelita tuya va a perdurar?

El profesor se quedó pensando unos pocos segundos, no porque dudara de su respuesta, sino más bien de la conveniencia de darla. Resoplaba con sus labios como de goma, que hace gesticular sin pausa.

—Francamente —dijo por fin—, estoy seguro de que ningún lector se volverá a acordar de ella en cuanto la devuelva al estante. Eso si llega al final. Me ha extrañado que te acuerdes tú.

—Me acuerdo ya poco, y sólo porque te conozco a ti, profesor. Ahí tienes —dije—. Necesitas de un autor más sólido, con más posibilidades de permanecer. No es que yo me vea muchas, pero en fin, no te vendría mal ir colocando fichas en números más promisorios. —El profesor es tan deliberadamente vanidoso que sólo se puede estar a gusto con él si se es manso como sus acólitos o se le opone otra vanidad, aunque sea forzada o falsa: él la recibe bien y se siente a sus anchas, en terreno conocido, y ve una invitación a desatar la suya, en algunas cosas tiene un espíritu infantil que se agradece sobremanera.— Yo te propongo una transacción.

Rico se subió las gafas con el dedo corazón y me miró de arriba a abajo arrugando la nariz como un contable de los de visera.

—A ver qué transacción es esa, joven Marías. Te advierto que según mi criterio aún no tienes gran cosa que ofrecer. —Lo mismo que de su vanidad puede decirse de su impertinencia, no se tomará a mal la del otro si éste le consiente a él la suya sin ponerse rígido a las primeras de cambio.

—Estoy escribiendo una novela en la que no me costaría nada hacerte salir, si reúnes los méritos suficientes.

—¿Ah sí, cómo es eso? —preguntó interesado, y en seguida rectificó para hacerse el desinteresado—¿Qué puede pintar alguien como yo en una novela tuya, vamos a ver? ¿Acaso estás escribiendo sobre sabios? ¿Sobre seductores? ¿Sobre luminarias? No me parece plausible.

El profesor me hacía gracia, me la ha hecho casi siempre con su gran saber, menos una vez por teléfono.

—Sobre sabios más que sobre seductores —contesté—. Veamos: esta novela transcurre en Oxford, y nada me sería más fácil que hacer aparecer a un elegante profesor español de visita allí, invitado a pronunciar una conferencia, por ejemplo.

—Querrás decir una lección magistral, y posiblemente inaugural. Algo extremadamente erudito y estimulante, por ejemplo, sobre la Casa del Príncipe de El Escorial o sobre el *Libro del caballero Zifar* —contribuyó con convencimiento—. Un hombre muy distinguido y de verbo deslumbrante, ¿no? Los colegas de Oxford beben cada una de sus palabras como si estuvieran pendientes de una revelación, ¿no? Y apuesto, ça va sans dire.

—Deja que el personaje y la escena los construya yo, profesor, y no seas tú también tópico. Quizá con esa novela amorosa hayas tenido lo adecuado y lo justo y todo esto sea pérdida de tiempo. Los colegas de Oxford jamás han bebido las palabras de nadie, iría contra sus principios. Las toleran tan sólo. Y además, ¿lección inaugural de qué?

—Del curso, naturalmente —contestó el profesor abriendo las manos a la altura de sus hombros para subrayar la obviedad—. La apertura del año lectivo para toda la Universidad. Nada de limitarme al departamento de español y portugués, ojo con eso, migajas no. Michaelmas se llama el primer trimestre allí, ¿no es así? Pues para la inauguración de ese Michaelmas vuestro.

Puestos a ser pedantes, le corregí la pronunciación, en este caso ese 'Michael' se pronuncia como si fuera a la vasca, 'Míkelmas'.

—Míkelmas —dije—. Profesor, no seas ambicioso y absurdo. Para eso tendrías que dar tu lección en inglés, y entonces ya no sería muy magistral, me temo que tus saberes no llegan tan lejos, ni siquiera los de tu posible personaje de ficción. Además, aún no te lo has ganado.

El profesor Rico detuvo en seco sus aspiraciones. Era indudable que la idea lo había atraído y lo tentaba, la broma de la idea al menos. Hizo un par de llamativos gestos con su boca elástica y recuperó su connatural displicencia:

—Ah, tu transacción. —Pero en seguida abandonó el disimulo y le volvió el interés, un hombre demasiado impaciente para la hipocresía y para regatear.— A ver, ¿cuánto papel tendría? —preguntó como si se tratara de una interpretación.

—Poco, de momento poco, profesor. Podríamos ponernos a prueba en esta ocasión, y si ambos quedamos satisfechos quién sabe lo que podrían traer libros futuros. Por ahora un papel pequeño, un personaje secundario, anecdótico pero lucido.

—¿Anecdótico yo? ¿Anecdótico yo?

—No, tú no, el personaje en la novela. Como comprenderás, no voy a cambiarla de cabo a rabo para convertirte en el protagonista. Yo no estoy despechado, compréndelo.

El profesor Rico masculló algo ininteligible, como si su rápida figuración lo hubiera ilusionado tanto que ahora lo contrariara mucho renunciar a parte de ella.

—Ertsz —masculló algo así.

—¿Qué? —pregunté yo.

—Nada, nada. —Y siguió mascullando, un poco como si hiciera cálculos mentales. Se ajustó las gafas, se arremangó la chaqueta un poco y por fin volvió a hablar con claridad, o aún es más, con resolución, como quien acepta una apuesta de póker y dice 'La veo', o 'Voy'.— Bueno, joven Marías, dejémonos de prolegómenos y vamos a lo nuestro. ¿Qué pides a cambio? Al grano.

Le agradecí la confianza y me sentí como un traficante de falsa inmortalidad.

No contaré lo que le pedí, sólo diré que lo juzgó razonable para una prueba, lo aceptó y no cumplió. En su momento adujo frívolamente no haber quedado del todo contento, ni del comportamiento del personaje ni del parecido ni de la extensión dedicada a él, si bien reconoció haberse visto complacido por algún detalle indumentario y dos o tres adjetivos. (Sin embargo supe por otras fuentes que sí estaba contento y hasta orgulloso, sobre todo porque sus conocidos le comentaban la breve aparición o cameo, al parecer con envidia: Toby Rylands seguía en lo cierto.) Yo no se lo tuve en cuenta, al fin y al cabo había tenido la gentileza de concederme algún crédito en una posteridad hipotética, yo me había divertido y el personaje en cuestión —anecdótico— estaba inspirado en él nada más que parcialmente, aunque fueron muchos los que en aquel profesor del Diestro quisieron ver un clavado retrato de don Francisco Rico Manrique, lo cual tampoco era el caso (él nunca visitó Oxford durante mi estancia). Lo hice aparecer en una discoteca, según reza el texto, 'el famoso profesor del Diestro, el mayor y más joven experto mundial en Cervantes según él mismo, e inevitablemente conocido en Madrid (según las antipatías) como el diestro del Diestro o el siniestro del Diestro, quien, invitado por nuestro departamento, iba a darnos una conferencia maestra y diestra a la mañana siguiente. Yo lo conocía de fotografías'. Y se añade en su presentación: 'El profesor, hombre distinguido, petulante, de cuarenta y tantos años, camisa de Ferré y una muy bien llevada calva ("Un profesor español distinguido", pensé con asombro al verlo, y me expliqué su éxito), ya besuqueaba y se dejaba besuquear por una de las chicas más gruesas'. Como puede comprobarse, lo compuse distinguido, famoso, joven, odiado, con éxito, con camisa italiana de marca, erudito y seductor. El profesor no debía haber tenido queja, pese a no permitirle yo finalmente inaugurar el curso en mal inglés ante la Universidad de Oxford en pleno, allá por Michaelmas o más bien Míkelmas.

Unos años después, cuando estaba escribiendo mi siguiente novela, que acabó llamándose *Corazón tan blanco,* hablé por teléfono una mañana con él, y al mencionarle este nuevo libro me preguntó sin ambages:

—¿Salgo yo?

Su descaro me hizo tanta gracia que no tuve inconveniente en hacerle un ofrecimiento inmediato, y además sin transacción alguna esta vez.

—¿Quieres salir? —le dije— Estaríamos a tiempo. No me falta mucho para terminar, pero he empezado un capítulo en el que hay un personaje que muy bien podría convertirse en ti, quiero decir en el profesor del Diestro. Bien mirado, se trata de una escena en la que me vendrías de perlas.

—¿Yo te vendría a ti de perlas? ¿Yo a ti? No seas engreído, yo no puedo venirle de perlas a nadie. ¿Por qué? ¿Qué escena es esa maliciosa? —Es un hombre levemente suspicaz.

—Bueno, digamos que te puedo colar sin que el libro se resienta en absoluto por ello, al contrario, podría ganar.

—Pero esta vez he de dar mi visto bueno. —Ya había tornado su petición en exigencias.— ¿Qué vas a decir de mí, a ver?

—Bueno, quizá te pueda leer ya algo. —La escena estaba parcialmente escrita, así que alcancé una página y le leí.— Veamos, por aquí se dice: 'De pronto, a los postres, cayó durante unos minutos en el mutismo, como si le hubiera sobrevenido el cansancio de tanto frenesí y enaltecimiento o se hubiera abismado en pensamientos tenebrosos, quizá era desgraciado y se había acordado repentinamente'. —Hice una pausa.— ¿Qué, te interesa?

El profesor Rico no contestó en seguida, pero luego hizo su concesión:

—No está mal, no me desagrada. Me ha gustado lo del enaltecimiento. ¿Es melancólico el personaje? Entiendo que sí, porque se ha abismado, ¿no?

—Sí, se ha abismado, profesor.

—En pensamientos tenebrosos, ¿no?

—Sí, muy tenebrosos, profesor.

—A ver, léeme más.

El profesor Rico no es muy melancólico que digamos, quizá por eso le interesaba parecerlo en la ficción.

—Está bien. Pero sólo un par de frases más: 'En todo caso aquel hombre tenía que tener talento, para pasar tan de golpe de una expresión suficiente a otra de abatimiento sin parecer simulador ni insincero. Era como si dijera: "Qué más da ya todo".' —Me interrumpí.— ¿Qué, te tienta?

—Lo del talento está bien observado —respondió—, pero podías cambiarlo por 'genio'. Ya puestos, ¿no te parece?

—El genio es más difícil de percibir, profesor Rico, y el narrador apenas si conoce a este tipo.

—No lo llames 'tipo' —me regañó—. A ver, léeme más.

—Profesor, no voy a leértelo todo ahora. Dime si quieres salir o no. Sólo hay este papel disponible, y te advierto que puedo dárselo a otro.

Paco Rico guardó silencio unos segundos. Luego quiso una confirmación.

—'Como si dijera "Qué más da ya todo".' Eso has dicho, ¿verdad?

—Sí, profesor. 'Qué más da ya todo'.

—Eso me ha gustado, bien. Eso pienso yo a veces con desaliento, bien —dijo en tono nada desalentado. Y añadió, como si el interés y la idea de sacarlo en la novela hubieran sido míos:— Adelante, te concedo la venia de momento.

Así que durante unos días proseguí mi escena con el profesor del Diestro incorporado ya con su nombre y características, trazado en consonancia con el de *Todas las almas*. Tenía más desarrollo y bastante diálogo —ya no era anecdótico, sino por lo menos episódico—, a lo largo de una cena dominada por él, pensé que Paco Rico quedaría esta vez satisfecho. Sin embargo, me acercaba ya a la conclusión del capítulo cuando recibí una nueva llamada suya desde Barcelona, donde vive.

—Óyeme una cosa, joven Marías —me dijo sin preámbulos. Aunque habían pasado unos años, aún no nos habíamos apeado los tratamientos irónicos. Lo hicimos sólo a la muerte del amigo común a través de cuyos ojos habíamos logrado vernos con simpatía el uno al otro, don Juan.— He pensado que no quiero salir en esa novelita tuya como profesor del Diestro ni zarandajas ni nada. Si salgo he de ser yo mismo.

Al principio no entendí.

—¿Tú mismo? ¿Qué quieres decir?

El profesor se impacientó.

—Yo mismo, Francisco Rico, con mi propio nombre. Que salga Francisco Rico, no un ente de ficción que se le parezca ni lo parodie.

—Pero es que Del Diestro tampoco se parece tanto, no es idéntico a ti y tendría que cambiarlo. Quizá Rico no haría ni diría cosas que él hace o dice, no todas, y el personaje y su función ya están dibujados. No voy a alterar la historia para adecuar a ti a ese individuo, supongo que te haces cargo. Y además, cómo va a aparecer una sola persona real en medio de todos los demás entes de ficción, como tú los llamas. Eso no quedaría bien.

El profesor hizo chasquear la lengua un par de veces con fastidio. Lo oí con claridad, casi me desbarató el tímpano.

—¿Y por qué no? Eso es una bobada. En tu novela aparecerán lugares o instituciones reales, ¿no? Alguna habrá, ¿no?

—Sí, aparece la ONU, y el Museo del Prado, y...

—Pues eso —dijo.

—¿Eso qué?

—Que quiero ser como el Museo del Prado.

No pude evitar reír y contestar lo que contesté:

—Profesor, nadie pone en duda tus grandes méritos y en verdad eres insigne, pero no sé si eso va a ser mucho querer, sobre todo en vida. Quizá consigas a tu muerte un busto.

—No me seas necio, joven Marías —respondió con simulada irritación—, sabes perfectamente lo que quiero decir. Al Museo del Prado lo llamarás por su nombre en tu novela, no dirás que alguien fue al Museo del Campo o al Museo del Salto, imagino.

'Por qué del Salto', me pregunté.

—No. ¿Por qué del Salto? —le pregunté.

—Qué más da, del Salto o del Brinco, qué más da. Pues lo mismo que el Prado es el Prado y no es el Salto ni el Brinco, yo he de ser el profesor Francisco Rico con mis atributos, catedrático de la Universidad de Bellaterra y académico de la Lengua —ya había entrado—, y no Del Diestro ni Del Fieltro ni ninguna otra invención o ilusión, ¿lo entiendes ya? Quiero aparecer como yo mismo, o si no nada, quítame, me retiro.

En todos estos trasiegos había algo de guasa recíproca, pero lo cierto era que el profesor, amparado en nuestra amistad, me estaba imponiendo unas condiciones vanas que nadie podría hacer nunca prevalecer. A un escritor de ficción, de hecho, nada se le puede imponer, y ni siquiera ha de pedir permiso para introducir ahí, en su ficción, a cualquier persona o episodio real que conozca, y si decide hacerlo nada ni nadie se lo podrá impedir. No somos gente de fiar y hay desalmados entre nosotros, creo que yo no lo soy. Con el profesor tenía amistad y no iba a contravenir sus deseos expresos. Traté de convencerlo, más que otra cosa por mi conveniencia y comodidad. No es fácil modificar a un personaje de novela ya imaginado y descrito, no se hace impunemente, uno siente *regret* o *rimpianto,* no hay palabra española exacta para eso, quizá seamos poco dados en estas tierras a lamentar lo ocurrido o lo no ocurrido, lo que hicimos o dejamos de hacer, sabemos más del rencor. Ni siquiera es fácil cambiarle a un personaje el nombre. (Uno no olvida nunca el primero, que quitó y nadie más conoció, como no olvida nunca la madre el que destinaba al niño nacido muerto y por el que jamás pudo llamarlo en voz alta, el niño que nadie más conoció.) El profesor de *Corazón tan blanco* era ya como era, y además yo habría de repetir a máquina el capítulo entero con su nuevo apellido, me encantan las tachaduras pero las detesto en la versión final y no poseo ni utilizo ordenador. Una lata.

—Entonces habrá de ser nada, porque lo que pides no cabe, profesor, y soy el primero en sentirlo.

Paco Rico se quedó callado, respirando silencio. Tal vez esperaba que yo fuera a ceder. Sin duda estaba contrariado, aunque por suerte a él todo le dura poco —no, no todo, le duran sus enamoramientos, según he ido viendo—, no es hombre constante ni por lo tanto enconado. No masculló.

—Pues en ese caso tampoco se podrá llamar Del Diestro —exigió, y esta segunda exigencia aún más vana me dio que pensar. No se debía tan sólo a que ahora tuviera ganas de chincharme. Del Diestro no era él, puesto que él era Rico con sus atributos y como tal quería salir, los diferenciaba. Y sin embargo consideraba que ese nombre lo señalaba, que podría entenderse que él era él sin ser él de verdad, como si el precedente de *Todas las almas* lo hubiera impregnado o contaminado y ya no fuera posible rehuir ni negar la identificación si se reiteraban el personaje y el nombre, la prueba era que se arrogaba autoridad sobre este último para prohibírmelo o permitírmelo, yo lo había inventado y no era suyo, pero lo hacía suyo, se lo apropiaba. Ya no quería ser reconocido en otro o tener un trasunto, seguía deseando figurar en una ficción pero no como ficción sino como un inserto de la realidad en ella —un intruso—. Quizá experimentaba ahora el temor a ser del todo ficticio, a revisitar y habitar para siempre un terreno en el que es todo inmutable hasta el fin de los tiempos o más bien de la imprenta. Uno puede compensar o variar o rectificar en la vida, hasta que el cuento no está acabado con la muerte que llega y cierra, y sobre todo con el relato de ambas, vida y muerte. Lo que se le atribuye en una ficción a uno tiene en cambio poco o ningún arreglo, no hay vuelta de hoja ni enmienda. Escrito está y se repite idéntico sin compasión ni esperanza —la historia es esta y estas son sus palabras—, contando o diciendo lo mismo cada vez que se lee u hojea o consulta, del mismo modo que la acción elegida y congelada de un cuadro jamás avanza ni retrocede, y en él nunca veremos el rostro de quien fue pintado de espaldas ni la nuca de quien se retrató de frente ni el lado oculto de quien ofreció el perfil. Escrito está, la amenaza inmemorial espantosa. He dicho que lo que de veras clausura no es el fin sino el relato de ese fin y del transcurso previo, el cuento de la vida y muerte, sean éstas ficticias o también reales, o si la vida es ficticia ni siquiera se necesita muerte, la escritura hace sus veces. Contar es lo que más mata y lo que más sepulta, lo que fija y dibuja y hiela nuestro rostro o el perfil o la nuca, y ser contado puede equivaler a verse inmortalizado para quien crea en eso y a ser muerto en todo caso, yo mismo me estoy enterrando con este escrito y en estas páginas, aunque nadie las lea, no sé qué es lo que estoy haciendo ni por qué lo hago. (Pues a este efecto es indiferente que alguien más las conozca, basta con que me cuente un poco, basta con mi lectura.) Tal vez el profesor Rico lo intuyó entonces, lo que podía yo hacerle al sepultarlo en mi libro.

Hube de cambiar el nombre y repetir el capítulo, y el profesor del Diestro de *Corazón tan blanco* pasó a llamarse profesor Villalobos, el apellido de una profesora gruñona de mi colegio, el *Estudio* de la calle de Miguel Ángel en su número 8, en Madrid y en los años sesenta, como Del Diestro había sido elegido por ser también el apellido de otra risueña, Carmen García del Diestro, la señorita Cuqui que se maquillaba mucho y fumaba sin cesar en clase o más bien se le consumían entre los dedos los cigarrillos manchados de rouge mientras nos leía a los clásicos con teatralidad entusiasta, hacía malabarismos con una pesada pulsera que se quitaba y ponía y a veces precipitaba al suelo abollándolos (pulsera y suelo), así como enjoyados equilibrios para mantener la ceniza en alto que por fin caía sobre su chaqueta o su blusa cuando la obra leída la obligaba a algún ademán violento y por ejemplo apuñalaba con vehemencia el aire o el hombro de algún alumno predilecto —saco de harina, saco de carne—. Qué mujer tan graciosa, tendrá cien años y me escribe con cariño y con el pitillo en la mano de tarde en tarde, sobre todo para felicitarme cuando publico un artículo defendiendo el tabaco.

Pero el personaje ya estaba compuesto con elementos del carácter y rasgos de Rico, o más bien con los del profesor del Diestro de la anterior novela. No me sentí capaz de modificarlo o renunciar a él mucho, así que quizá esté Rico por ahí pese a todo —o Rico lo ronda—, si bien al final del capítulo dije, para ahuyentar la idea de un parecido, que 'cuando se quedaba abatido y callado' el profesor Villalobos recordaba un poco al actor George Sanders, uno de mis favoritos y a quien llamé en otro sitio 'el hombre que parecía no querer nada'. Rico no guarda con Sanders la menor semejanza. No sé si para librarlo esto fue suficiente. Ahora he hablado de él aquí con su nombre, y con sus atributos. Pero esto no es una ficción, aunque sí debe de ser un cuento.

En la primera frase de este libro dije tener la creencia de no haber confundido todavía nunca —sí, todavía nunca, es deliberada la incorrección— la ficción con la realidad, lo cual no significa que a veces no me cueste, retrospectivamente, lograr evitar tal confusión. Quiero pensar que la culpa es poco mía, yo no soy responsable de que algunas personas reales empezaran a comportarse en la vida como si fueran personajes de *Todas las almas* tras su publicación, ni de que algunos eminentes lectores con supuesto conocimiento de causa dieran por bueno en la realidad lo que se había contado tan sólo en una novela llena de bromas y exageración. Es de destacar el comentario hecho a los pocos meses por la vicerrectora o vicepresidenta o vicecanciller de la Universidad de Oxford, quien en medio de un claustro solemne o ceremonioso cónclave en el que una vez más no intervinieron los ambiciosos profesores intrusos Del Diestro ni Del Fieltro ni Rico, afirmó estar leyendo en aquellos momentos 'una novela muy interesante, a fin de conocer mejor y profundizar en la psicología de la SubFacultad de Español'. Al parecer hubo murmullos de cierta alarma, ligera burla y honda y sincera estupefacción —nadie estaba enterado de las secretas y ahora presumibles habilidades de la dama con el castellano, mi texto aún no se había traducido a ninguna lengua—, hasta que mi amigo Eric Southworth se permitió tomar la palabra para sugerirle a la señora vicecanciller o vicepresidenta o vicerrectora, no sé, que si aspiraba a estudiar de cerca la psicología de los miembros del departamento a que él pertenecía tal vez fuera preferible que los frecuentara ella misma o bien los hiciera visitar por un grupo de psicólogos diplomados y cualificados y aun homologados y aun contratados, antes que fiar tan delicada pesquisa a una lectura que sin duda sería 'obligadamente oblicua', eso dijo con la ambigüedad característica del lugar. ('¿Qué quisiste decir con eso?', le pregunté cuando me lo contó. 'Oh, no lo sé, lo que quiera que ella decidiese entender', contestó.) '¿Puedo recordar con el mayor respeto a la señora vicerrectora', prosiguió en aquel pleno, 'que ha empleado una palabra del todo justa y que en modo alguno debe perder de vista? Me refiero a la palabra "novela". Y quizá sea aconsejable no olvidar, además, que esa novela la ha escrito un extranjero', añadió con chanza, ya que Eric no es precisamente de los que hacen distingos nacionalistas. Según supe, la señora vicecanciller quedó desconcertada un instante y a continuación respondió: 'Oh sí, tiene usted razón, entiendo a lo que se refiere. Un extranjero podría querer desprestigiarnos, ¿no es así?, y más aún si es del Continente'. 'Este extranjero, señora vicepresidenta, no es sólo eso', remachó Eric; 'es peninsular'. 'Ya veo', concluyó con presteza y susto la vicerrectora, como si hubiera escuchado una palabra obscena sobre la que hubiera que pasar de puntillas y de la que conviniera zafarse sin dilación. Al parecer dos o tres profesores del claustro o congregación, que se distraían furtivamente con mi novela en aquellos momentos, se apresuraron a esconder sus ejemplares bajo la toga.

Peninsular o continental o ambas cosas a la vez a ojos ingleses, por suerte fueron pocos los que en principio se tomaron a mal mi visión sesgada y a veces disparatada de la ciudad y la Universidad de Oxford. Aunque yo envié en seguida sendos volúmenes dedicados a Ian Michael, Toby Rylands, la Biblioteca Tayloriana y por supuesto Eric Southworth, algunos estudiantes que pasaron en España las vacaciones de Pascua de 1989 (la novela llevaba unas semanas en las librerías cuando Eduardo Mendoza —bien sobornado— la lanzó públicamente el 7 de abril) se adelantaron con escaso mérito al desastrado servicio de Correos de mi país y, según expresión de Ian Michael, se presentaron en Oxford 'con carretas cargadas' de libros míos, que repartieron, prestaron o revendieron a precio abusivo con inesperada e inexplicable jocosidad, por lo que durante unos días mis antiguos colegas notaron por parte de sus alumnos algunas miradas de sorna o escucharon alusiones enigmáticas —y obligadamente oblicuas— que no supieron a qué atribuir. No era esa, desde luego, mi intención.

El más rápido en leer el libro —no en vano es el más curioso y el que más se ufana de estar al tanto de cuanto ocurre en varias ciudades: Oxford, Swansea, Southampton, Madrid, Vigo— fue justamente Ian Michael, el jefe del departamento, quien me escribió una carta desde Exeter College ante la que suspiré aliviado cuando empecé a leerla y que devolví a su sobre con horror y rubor a su terminación. En ella me decía amablemente que *Todas las almas* le parecía mi 'mejor novela hasta ahora', y aseguraba no hacer tal afirmación 'por entrar yo ligeramente en ella, o por el morbo que todos aquí están experimentando al considerarla, erróneamente, un *roman à clef* (los estudiantes tales como John London y Huw Lewis regresan jadeando de Madrid con tantos ejemplares que posiblemente ellos solos han contribuido a su agotamiento)'. (Su castellano, como se ve, es excelente pero no perfecto.) Decía haberla leído 'de un tiro' hasta las cinco de la madrugada y que ahora volvía a leerla con más detenimiento; hablaba del 'entrelazado de los temas contrapuestos', entre ellos 'el falso Gawsworth: el verdadero Machen' dando a aquél por ficticio; hacía otras observaciones de carácter literario y me señalaba profesoralmente 'muy pocos solecismos, de escasa importancia: ¿son "rojizas" las calles?', discutía mi visión, '¿o color miel?' Añadía un reparo de índole arquitectónica o más bien topográfica que me divirtió por su erudición y puntillosidad: 'No me parece posible que el despacho de Clare Bayes' —el principal personaje femenino del libro— 'dé a la Radcliffe Camera directamente desde All Souls, donde las únicas ventanas enfrentadas son de la Codrington Library (¿serán las de Hertford, quizá?), puesto que Hawksmoor construyó un muro falso para completar All Souls por el lado oeste, sabiendo que Wren u otro arquitecto iba a construir algo interesante en la plaza para contrarrestar, o complementar, sus torres neogóticas. He notado también la falta completa de referencias a la flora oxoniense que no atribuyo a la (para mí) aflicción o pobreza de casi todos los escritores españoles sino a tu deseo de presentar una ciudad totalmente inhóspita'. Aquí se equivocaba o era educado, ya que, si no en otros aspectos (tantas veces me han negado los inspectores de mi país la nacionalidad sintáctica: un país muy letrado, los inspectores escriben mucho y los aplauden los aduaneros, y también viceversa), en este de la 'aflicción o pobreza' mencionadas me inscribo con laureles en la tradición española: exageradamente ciudadano y distraído como soy, no sé reconocer ni un pino. (Tampoco Oxford, yo creo, la pinté tan desabrida.) Servicialmente me indicaba un par de erratas, y luego daba algunas noticias, la más destacada —o la más aflictiva—, que padecía un eczema alérgico desde que se había mudado de casa abandonando el río Cherwell y había tenido que instalar a su madre ciega en una clínica privada de la aldea de Freeland, 'donde la madre de Toby Rylands pasó los últimos trece años de su vida', decía como si no pudiera evitar ver los paralelismos crecientes entre la trayectoria vital de su predecesor y la suya, o empezara a mirar el presente de Rylands como el vaticinio de su futuro. (Y en la carta lo llamaba así, 'Toby Rylands', por el nombre de la novela, esta vez no soy yo quien lo hace.) No esta-

ba seguro de si el eczema era un efecto psicosomá-
tico de la renuncia a la madre o al río o si se debía a
la moqueta del nuevo piso heredado de 'una radió-
loga o cobaltoterapéutica', quizá insinuaba que la
señora había irradiado malignamente tirándose por
los enmoquetados suelos durante su inquilinato.

Lo inquietante venía al final. Porque después de haber asegurado que mi libro no era un
roman à clef, lo cual le agradecí y me alegró enormemente (pues no lo era, y pocos en mejor situación que él para distinguirlo), Ian Michael pasaba
a hablarme de los colegas del departamento llamándolos a todos por los nombres de los personajes de
la novela y obligándome por tanto a mí mismo a
hacer alguna cábala respecto a quién se estaba re-
firiendo en cada caso. Y así, contaba de Rylands
que se había puesto 'muy contento con uno de
esos honores falsos' —aquí parafraseaba mi texto,
que decía 'insinceros'— 'que le llegó por correo':
un premio que llevaba aparejados cuatro millones
de pesetas y la responsabilidad de dar una conferencia en Salamanca. Más me preocupó lo que
venía a continuación: 'Tu novela lo ha enojado
—se dice— y la ha tirado al suelo antes de llegar a
la mitad'. Y seguía distribuyendo con alegría los
nombres ficticios: 'Yo mismo he visto a Alec Dewar hojear un ejemplar a escondidas que le había
traído un alumno robusto que llevaba camiseta de
jugador de rugby; más tarde, en el comedor de su
college, se jactaba de aparecer en un *roman à clef*
continental'. 'Cromer-Blake (el vivo, no el muerto) acaba de volver de un viaje de lectura y quizá

placer por Italia'. 'La reacción de Leigh-Peele no consta todavía'. Lo más grave era la conclusión, y lo que me dio más disgusto. Si había un personaje totalmente inventado en *Todas las almas* (esto es, que no pudiera identificarse con nadie real ni siquiera con mala fe o malas artes), era el principal femenino, Clare Bayes, una mujer casada, profesora asimismo, con la que el narrador español mantenía una relación clandestina durante su estancia en lo que para él fue siempre territorio de paso. Ian Michael, sin embargo, terminaba diciendo para mi mayor asombro: 'A Clare Bayes la trato bastante ahora, ya que también se ha mudado a una calle vecina a la nueva mía y me cruzo a menudo con ella, siempre va muy cargada como en la novela. Sigue bastante agradable, pero ha perdido atractivo. No se sabe que haya tomado nuevo amante'.

Creo que me sonrojé (lo sé: me vi en la pantalla de la televisión reflejado, estaba contemplando un vídeo que no interrumpí para leer la carta, *Los tres caballeros* o *Mi amor brasileño* con Ricardo Montalbán, no sé, recuerdo que sonaban inapropiadas sambas mientras descifraba la letra de mi antiguo jefe oxoniense, el único que he tenido en mi vida y como tal no actuaba, bendito sea), y desde luego me sentí algo agobiado. Aunque pensaba contestarle por escrito de todas formas y como es debido, llamé de inmediato a Ian para que me confirmara la tan inesperada y para mí deplorable furia de Toby y para sacarlo del error en seguida respecto a la aventurada y peligrosa idea de una Clare Bayes verdadera. Pero cuando lo tuve al teléfono

—era de noche— preferí no indagar sobre la identidad de la mujer que según él había perdido atractivo. 'Santo cielo', pensé mientras veía bailar ya sin sonido no sé si al seductor Montalbán o al loro verde con canotier José Carioca, 'por culpa de mi novela hay ahora una profesora en Oxford a la que se da por segura adúltera de adulterio continental y aun peninsular, pobre mujer que no lo cometió o no conmigo, y hasta el punto de que se espera que "tome" nuevo amante tras mi partida ya muy lejana, no lo habrá hecho porque no tendrá tal costumbre; y como sucede siempre en estos casos, ella será la única que no lo sepa, o quizá también su marido, al que se tendrá por cornudo con intervención extranjera propensa al desprestigio, qué situación tan desafortunada. ¿Quién será ella?' Me lo pregunté pero no se lo pregunté a Ian, aunque no pude evitar comentarle de pasada que jamás había habido Clare Bayes ninguna, ni equivalente, durante mi estancia oxoniense, en un débil intento por salvar a la desconocida de la calumnia y los chismorreos. '¿No?', se limitó a responder, y era obvio que no me creía. Lamenté mucho que aquella mujer, quien quiera que fuese, resultara objeto de cotilleo en esa ciudad tan cotilla por causa indirecta mía, y que por tanto se estuviera poniendo en tela de juicio no sólo su reputación, sino además su buen gusto. (Y quién sabía si también el mío. Reputación no tengo en ese campo.) Puedo asegurar aquí que durante mis años de Oxford viví muy castamente, o al menos en lo que se refiere a las mujeres nativas, que en modo alguno me pa-

recieron 'muy puticas', como dijo una vez Miriam
Gómez que podían ser algunas (lo dijo con su
nunca ofensiva habla cubana y delante de su marido Cabrera Infante, que guardó silencio, ambos
treinta años viviendo en Londres). También, caí
con horror en la cuenta, se estarían poniendo en
duda la altura de miras y la listeza de aquella profesora, ya que según una tradición convencional
británica dejarse seducir por un español —es un
decir— constituye el tercer devaneo más bajo y a
la vez más ingenuo en que puede incurrir una casada insular: el segundo es dejarse seducir por un
italiano y el primero por un argentino. Y lo malo
es que en Oxford hay mucha gente con ideas con-
vencionales tradicionales británicas. Cuánto per-
juicio para esa desdichada a la que no deseo ningún mal, pensé, uno debería tener más cuidado
con lo que escribe, no sólo por esto sino porque a
veces viene y se cumple. Pero si he de ser sincero
—y no tengo por qué serlo, y de eso quizá habrá
que hablar un poco más tarde—, también lamenté
no haberla conocido, pues si había perdido atractivo eso significaba que lo había tenido cuando
yo formaba transitoria parte de la ciudad y de la
congregación. ¿O acaso sí la había conocido? En
todo caso, y por lo visto, resultábamos verosími-
les como pareja furtiva, lo cual me provocó una
curiosidad indigna a la que supe resistirme. Intenté verme en la televisión de nuevo, algo difícil
si la pantalla está llena de colores vivos: imposible del todo verse un sonrojo en ella con Carioca y Montalbán, el Pato Donald y Lana Turner

por medio, así que sólo debí notarlo, en el calor del rostro y en la momentánea palpitación de un párpado.

En cuanto a Toby Rylands, el ex-jefe Michael me confirmó para mi desolación los rumores iniciales que corrían por la SubFacultad. Sin que se supiera con certeza el motivo, al parecer había arrojado con fuerza y enfado el ejemplar de mi libro a la hierba de su jardín, donde probablemente aún yacía a aquellas horas descuajaringado, empapado y abarquillado por las lluvias intermitentes y el sol flemático, y mordisqueado por algún perro —quizá por un perro con tres patas, escapado de su dueño—. Ian suponía, dijo, que a Toby lo habría irritado la mención de sus pasadas actividades en el espionaje y demás correrías antiguas —eso dijo Ian en español, 'correrías', es la clase de palabra que aprenden en seguida y gustan de usar los extranjeros cultos; yo, que les debo tanto, se la he aplicado a uno de ellos, el bandido Deán de Canterbury que estuvo a punto de dejarme en el limbo—, algo de lo que le fastidiaba que se hablara públicamente, y más en letra impresa. 'Pero el personaje no es él, aunque le haya prestado algunos de sus rasgos físicos', protesté; 'no hay en la novela una palabra dicha por Toby Rylands que le haya oído jamás decir a Toby, y yo no sé ni sabía nada de tales actividades'. '¿No?', se limitó a responder de nuevo Ian Michael, que no me creía nada de lo que le desmentía pese a haber visto claro no se trataba de un *roman à clef.* 'No', insistí, 'es la primera noticia; sólo imaginé y fabulé, eso es todo'. La carta de Ian estaba fechada el día de San Jorge de 1989, y esta conversación tenía lugar cuatro o cinco más tarde. Me quedé preocupado por Toby. Él era quien había pedido aparecer como personaje en el libro o poco menos, aunque hubiera sido medio en broma, y ahora se enojaba por un parecido complaciente y unas coincidencias involuntarias. No sólo lamentaba su ira que me desconcertaba, sino que además ya podía disponerme a temer cualquier castigo suyo a distancia si él juzgaba que mi atrevimiento o falta lo merecían, no quise ni especular con las aberraciones ignotas de que podría acusarme llegado el caso, prácticas sólo existentes en los manuales. (Aunque yo no tengo el menor interés en dar cursos en América ni en ninguna otra parte, mis días docentes ya terminaron, y si bien por entonces aún corrían, lo cierto es que sólo buscaba convencimiento y pretextos para detenerlos.)

Una semana después, sin embargo, mi disgusto desapareció en suficiente medida, asimismo gracias al incrédulo I D L Michael a quien por esas iniciales se llamaba a veces 'Ideal M', que se molestó en telefonear lleno de excitación desde Exeter College con el único y amable fin de informarme de la charla que sobre mi libro acababa de mantener por fin con Toby Rylands en la Senior Common Room de la Tayloriana o sala de profesores con cafetera eléctrica de pago. Lo que lo había soliviantado era, en efecto, lo que Ian Michael había supuesto, seguramente sin acordarse de que él jamás había llegado a contarme nada concreto de su reclutamiento por los servicios secretos ni de sus encargos especiales en lugares exóticos ni de sus demás correrías, ni siquiera me habló debidamente de su gracioso príncipe acompañado por él en las farras. El volumen había sido lanzado desde su asiento colonial de enea y había reposado en el mal podado césped durante nueve o diez noches y días, después de los cuales, todavía algo intrigado por lo que había leído antes de la interrupción colérica —atisbaba con inquietud y tentación el ejemplar desde la ventana, algo protegido por una enredadera junto a la que había caído—, lo había salvado del verde, lo había limpiado de briznas y alisado sus páginas, lo había empezado otra vez desde el principio y se lo había zampado en pocas horas. Contuve la respiración. 'Le ha gustado', me dijo Ian tras una extemporánea pausa sólo concebible para prolongar mi zozobra; 'le parece tu mejor novela hasta la fecha. Sigue sin hacerle gracia que hayas mencionado lo del espionaje y sobre todo lo de Haití, pero dice que al fin y al cabo él no debe quejarse, ya que según su criterio ha inspirado el personaje más atractivo de todos, el más profundo y memorable, el de mayor fuerza y el que dice las cosas más inteligentes. Así que ahora se lo ha apropiado, no me extrañaría que pronto lo imitase un poco. Incluso me ha repetido, como cosa original suya, una frase de tus diálogos'. Solté la respiración aliviado y contento, entre otros motivos mayores porque me vi libre de los posibles cargos de depravaciones variadas que llevaba una semana ya anticipando, balanismo, estrangurria, satiriasis, nequicia, miccionismo, piromanía; o enfiteusis, positivismo, erotesis, felo-de-se, mantecosidad tal vez, aunque no sé si algunas de estas palabras que han pasado por mis traducciones se corresponden con vicios (creo que no) y no voy a mirarlo ahora en el diccionario; pero por su sonoridad obscena o siniestra merecerían ser todas sin excepción perversiones formidables o degeneraciones irreversibles. Me habría dolido ser llamado enfiteuta.

No pude evitar la curiosidad que esta vez no juzgué indigna: '¿Ah sí? ¿Qué frase?', le pregunté al ex-jefe. 'Hablábamos de mi eczema cobáltico y de algunos achaques suyos cuando de pronto murmuró pensativo: "¿A quién pertenece la voluntad de un enfermo? ¿Al enfermo o a la enfermedad?" Bueno, algo así, no sé si cito verbatim. ¿Cito verbatim?' 'No lo sé, no me acuerdo, mi libro yo no me lo sé verbatim', contesté haciendo eco a su latinajo británico, e inquirí todavía: '¿Y qué es "lo de Haití"?' 'Ah, yo no lo sé, tú debes saberlo, que lo has sacado en la novela'. Yo no sabía nada de Haití, lo juro, en la pasada vida dispersa y oculta de Toby Rylands. Podía haber dicho Honduras como Belice, Antigua como Montserrat o Barbuda, había escrito Haití sin embargo, donde ahora resultaba que él había sufrido sus peripecias o dejado huella de sus correrías, acaso era de la isla partida aquel príncipe juerguista. Me abstuve de contarle a Ian —no fuera a comentárselo a Toby, en Oxford hay cierta incontinencia verbal de la que no debe culparse mucho a sus habitantes, está en el aire y se tiende a soltar al instante cuanta información se obtiene, todos se exponen pero todos ganan— que algunas de las reflexiones del Toby Rylands ficticio obedecían más bien al espíritu de uno de los ancianos más listos y afectuosos que he conocido, el poeta Vicente Aleixandre, que a menudo hablaba de sus enfermedades risueñamente y con chanza para aplacarlas, las llamaba 'mis lacras'; y otras reflexiones eran inventadas. Prefería que Toby se apropiara con el tiempo de todas, si lo deseaba y el vaho de la memoria le era propicio; y es más, ya son suyas si las quiere, no más mías ni más del poeta, son mucho más suyas o así yo lo veo, él también era listo, y afectuoso a su modo, aunque menos cálido y más punitivo y punzante. 'Le ha gustado cómo describes su risa', añadió Ian, 'así que yo creo que en contra de los primeros indicios lo tenemos ganado para la causa'. Me quedé callado y oí al ex-jefe canturrear una melodía sin darse cuenta, me pareció que era una conocida balada que cuenta la historia o habla de los Molly Maguires, la sociedad secreta irlandesa cuyos integrantes se disfrazaban de mujeres para dar sus golpes y causar el terror de la policía y los jueces hacia 1843, más tarde rebrotó a miles de millas entre los compatriotas emigrantes de Pennsylvania, todo esto lo sé, no se crea, más que nada porque hubo una película sobre ellos con el escocés Sean Connery. Ian Michael es galés pero el personaje de la novela que más podía asemejársele era irlandés, Aidan Kavanagh. 'La causa', pensé, y en seguida me vino a la memoria la célebre y misteriosa cita, esta sí verbatim: 'Es la causa, es la causa, alma mía, no dejéis que os la nombre, castas estrellas: es la causa, y sin embargo no derramaré su sangre, ni señalaré esa piel más blanca suya que la nieve...' Es lo que se dice Otelo justo antes de matar a Desdémona que duerme su inocente sueño pero será despertada para conocer su muerte; y cuatro siglos después de que lo dijera por primera vez no se sabe aún del todo qué causa es esa que no debe nombrarse ante las estrellas ni qué quiso decir Otelo con las enigmáticas y repetidas palabras: 'Es la causa, es la causa', ni siquiera dijo 'Esta es la causa'. Todavía pensaba en aquella mujer desconocida de Oxford a la que se creía ahora adúltera por mi causa. Yo era al mismo tiempo su Casio y su Yago, su falso amante y el que instigó las sospechas, no con mi susurro sino con mi escrito, aunque sin quererlo ni poder preverlo. 'Ojalá ella no tenga un Otelo a su lado', pensé; 'no lo tendrá, ya no quedan en estos tiempos, al menos no en Inglaterra. Y en cambio hay Yagos por todas partes'. Pero no sé si pensé la segunda de las tres cosas sólo para tranquilizarme. '... y suave, como monumental alabastro; aun así debe morir, o traicionará a más hombres. Apaga la luz, y luego apaga la luz...', sigue Otelo y yo seguí recordando. '¿Qué, cómo va la moqueta atómica?', le pregunté luego a Ian quebrando su tarareo absorto y mis pensamientos y citas. '¿Te sigue despidiendo radiactividad, o sólo te lanza rayos X para desenmascararte?'

Sí, fue Ian David Lewis Michael quien habló de 'la causa' en el sentido menos probable en que utilizara la palabra Otelo —pero no imposible—. Y así vivió mi antiguo y humorístico jefe la vida de *Todas las almas,* como una pequeña causa suya, algo conmovedor para mí y que le agradeceré siempre (se preocupó más por el libro que su propio y receloso y cazurro editor que le sacaba los beneficios, qué contraste). No sólo se convirtió en un defensor a ultranza de la novela, sino que siguió divertido y entusiasmado cada uno de sus inesperados pasos y su carrera todavía inconclusa, y recabó opiniones y reacciones por donde pudo al igual que Eric Southworth, nunca pensé que en una ciudad como Oxford, sobre la que hay tantísima literatura buena y mala desde hace siglos, la mía pudiera originar el menor revuelo, más bien esperaba indiferencia, aunque fuera indiferencia fingida. Quizá no tuve lo bastante en cuenta que es un lugar muy cerrado y que se alimenta sólo de sí mismo, a la vez señorial y docto y provinciano, como mi otra ciudad de aquellos años, a la que volaba aterrado en cuanto podía, Venecia, en un estado de expectativa febril y permanente zozobra, allí me han sucedido acaso las mejores y peores cosas de mi vida, dejando de lado entre las peores las muertes de quienes quise y murieron, en otros sitios. No hace falta puntualizar como acabo de hacer, pero a veces hay que precaverse contra los chistes, allí donde uno no los admite, y uno sabe siempre dónde. A veces hay que precaverse para no tener luego que matar por palabras.

Cierto es que indiferencia no dejaron de fingir algunos, según fui sabiendo, pero los fingidores, como Alec Dewar, deberían haber extremado las precauciones y tenido más presente que en Oxford se espía todo y a todo el mundo y además se cuenta. No sólo Ian vio a Dewar hojeando el ejemplar que le había traído el alumno fornido con imprudente camiseta para la época del año, sino que otras personas lo sorprendieron leyéndolo con minucia y un poco a hurtadillas, cuando creía que se encontraba solo en la Senior Common Room o invisible en un recodo de la biblioteca. Él, sin embargo, insistía en hacerse el despistado con los compañeros del departamento ('¿Ah sí? ¿Una novela de Javier, en Oxford? Vagamente me suena que alguien me ha comentado algo, sí. No, no la he leído, estoy muy atareado ahora con el Inca Garcilaso de la Vega'), probablemente para no tener que pronunciarse o para hacer ver que algo contemporáneo, fuera como fuese, no podía afectarlo. Un colega de su *college* me informó —y él era la primerísima mano— de que en efecto presumía en el refectorio o en las *high tables* o cenas formales, ante quien le tocase al lado, de haber pasado a ser un personaje novelesco en Europa —no 'de novela' sino 'novelesco' había dicho, subrayó mi topo—. Adusto deliberado y tímido involuntario, el buen Alec Dewar por fin disponía de un tema de conversación original y exclusivo suyo, en el que él aportaba la noticia y daba las respuestas a las obligadas preguntas de cortesía e ilustraba al interlocutor y marcaba la pauta, en vez de aguardar a que los comensales vecinos se interesaran por él y le dirigieran la palabra, cosa que no siempre hacían, temerosos de su aparentemente severo y hasta rugidor carácter. 'Ha de saber, amigo mío', le dijo con indisimulada pompa a mi informante de Trinity o de Christ Church o de Corpus Christi, 'que he sido objeto y motivo central de un *roman à clef,* ya sabe: francés para "novela en clave", uno de esos libros en que el lector no deja de preguntarse atónito si será cierto, o hasta qué increíble punto, cuanto el autor relata sobre personajes que no son, sabrá, sino una transposición o representación reconocible o semirreconocible de seres reales: reconocibles para quienes los conocen, huelga decirlo. Hay una buena palabra española para eso, usted la desconocerá, claro, y no resulta fácil de traducir ni de explicar, como todos los mejores vocablos. Una palabra muy interesante: *tra-sun-tos',* concluyó tras tomar carrerilla y aire y cambiar hasta de cara para pronunciarla, espaciando con solemnidad las sílabas y en un tono de voz tan mucho más alto —al parecer estridente— que casi causó un cataclismo en la mesa y desde luego media docena de sobresaltos (cucharas disparadas al aire) y otra media de atragantamientos. Mi topo era un químico, y en Oxford hay la tendencia a creer —no enteramente sin base— que cada profesor o *don* es una eminencia y una luminaria en su especialidad o campo y en cambio sufre la más absoluta ignorancia sobre cuanto sea ajeno a ellos, careciendo de las más elementales nociones al alcance de cualquier infante. El químico sabía lo que significaba *roman à clef* —estaba al cabo de la calle— y lo irritó que se lo explicaran; no así *trasunto,* y hube de improvisarle yo una glosa que Dewar tuvo buen cuidado de ahorrarse: probablemente, con su español huidizo y siempre mal memorizado, acababa de redescubrir la tan interesante palabra en el Inca Garcilaso o en el diccionario. ';Ah sí? ¿Y qué se cuenta de usted en esa novela extranjera, doctor Dewar? ¿Algo que no debamos saber nosotros? ¿Algo comprometido? ¿Algo pícaro?', le preguntó mi químico. Y Dewar le respondió con ufanía, o aún es más, con delectación triunfal —la piel de su cráneo más estirada que de costumbre y las gafas resbaladas—: 'Las cosas más fantásticas, se lo aseguro, las cosas más fantásticas. Y lo gracioso es que algunas son verdaderas, nadie lo imaginaría. En fin, así es como van las cosas hoy en día'. No precisó de qué se responsabilizaba y es una lástima, pues me habría gustado, al igual que con Rylands, saber en qué había yo acertado sin quererlo ni buscarlo. Pero es posible —o de desear al menos, y eso ya me justificaría mi libro— que a partir de entonces el real trasunto del Matarife o Martillo ficticio haya despertado mayor interés entre sus colegas y vecinos de mesa, o lo que sería preferible, mayor aprecio, por lo menos hasta la aparición de la novela en francés, primera lengua a que se tradujo y que todos los *dons* curiosos conocen, incluidos los químicos.

Tampoco Fred Hodcroft ni John Rutherford hicieron apenas comentarios sobre *Todas las almas,* y tal vez en su caso la indiferencia fue auténtica; de cualquier forma nadie tuvo la tentación de reconocerlos a ellos en ningún personaje ni de verles trasuntos en ninguna página, lo cual podría reforzar la anterior conjetura. Confío, sin embargo, en que Toby Rylands no llevara demasiada razón en una de sus predicciones, y que ni Hodcroft ni Rutherford, a quienes tengo gran respeto y mayor simpatía, se molestasen ni ofendieran nunca porque ni siquiera cupiese respecto a ellos el equívoco que sí cupo respecto a Ian, Toby, Eric, Philip Lloyd-Bostock, Alec Dewar, Leigh-Peele, el bebedor Lord Rymer, el portero Tom y hasta la *belle inconnue* adulterina, o tal vez *connue,* o tal vez ni siquiera *belle* ni seguramente adulterina, quién sabía. Y no sólo respecto a estas gentes relacionadas con la Universidad, sino también a algunos otros oxonienses que habían dejado de pisar aulas en su extrema juventud, hacía lustros, y a buen seguro las habían frecuentado como alumnos impacientes tan sólo. Pero de ellos hablaré más tarde. No creo que Fred ni John se consideren damnificados, o privados de una inmortalidad literaria que parece un tanto efímera o quizá ya cadavérica.

Así que al menos no recibí el castigo de la indiferencia prevista (mucha no hubo), y la novela fue, yo creo, más un motivo de diversión y bromas que de enfado o conflicto para quienes pudieron leerla en español en seguida, y de curiosidad pasiva para quienes habían de esperar a que se tradujera a su lengua o a alguna otra conocida, como Sir Ralf Dahrendorf, el prestigioso ensayista y actual *warden* de origen alemán de St Antony's College, a quien pude enviar más adelante, a petición de su secretaria (a él no lo conozco pero lo hice con gusto, yo estuve precisamente adscrito a St Antony's bajo otra regla), un ejemplar en su lengua materna, que precedió al inglés asimismo a la hora de molestarse en albergar mi texto, más para su satisfacción doméstica, yo creo, que literaria. Y no sé si para halagarme bondadosamente, tanto Eric como Ian me hicieron llegar la noticia de que en otras facultades y en los demás departamentos de la nuestra, la de Lenguas Modernas y Medievales o Institutio Tayloriana, se desplegaban ciertos movimientos de envidia y hasta de represalia por no disponer sus miembros de una novela extranjera semejante, que presuntamente los retratara o reflejara, aunque fuera discutiblemente, y de la que poder vanagloriarse ante los compañeros de mesa en las interminables y competitivas *high tables* o cenas alzadas sobre tarima (al parecer los de Eslavas eran los más mortificados, los de Francés los más chinchosos). De ser verdad esto, imagino que la envidia obedecería más a las camufladas pero bien disfrutadas risas que detectarían en mis ex-colegas cada vez que el libro les brindaba una nueva noticia o rumor jocoso, que a la existencia del libro mismo.

Y también hubo algún profesor megalómano que reivindicó su lugar en aquellas páginas,
individuos a los que no conocía o con los que no
había cruzado palabra que sin embargo dieron en
asegurar —y juraron— que habían servido de
modelo indudable para tal o cual personaje, por
anecdótico o indiferenciado que fuese. Y de la misma manera, una vez abierta la veda de las identificaciones, se llevaron a cabo unas cuantas sin el
menor fundamento, como la de la amante de ficción Clare Bayes y la misteriosa vecina actual de
Ian Michael: se sospechó, por ejemplo, que tras
el borrachuzo *warden* llamado en la novela Lord
Rymer se escondía el pobre y ya emérito profesor
insigne Raymond Carr, por haber sido él *warden*
o director de St Antony's en mi época, haberse
ocupado profusamente de España en sus premia-
dos escritos y por la indeliberada aproximación
consonántica entre el apellido del personaje y el
nombre de pila del historiador ('de pila' es un decir): Rymer, Raymond, un absurdo (hay tanto adua-
nero e inspector revirado y listillo), sobre todo porque sí hubo una leve fuente de inspiración para
aquél, un lord verdadero, enrojecido, salaz y grueso y efectivamente con debilidad por el vino (no
que Carr no sea aficionado, pero no para confun-
dirlo: es flaco, y al lord lo vi siempre tambaleán-
dose; ahora me dicen que ha muerto). También se
consideró —bueno, fue el propio Ian quien alertó
a los otros, divertido una temporada con sus pesquisas y reconstrucciones— que el matrimonio de
libreros anticuarios que aparecen en *Todas las almas*

como Mr y Mrs Alabaster tenían que corresponderse con los dueños de la librería Titles, de Turl Street, que se apellidaban Stone y a los que yo habría ennoblecido por tanto el nombre, haciéndolos pasar de la vulgar Piedra de la realidad al monumental Alabastro de la ficción ('... ni señalaré esa piel más blanca suya que la nieve, y suave...').

La megalomanía o afán de protagonismo literario se da de todas formas con extraña frecuencia y sin que el caso se preste en nada a la confusión o a la coartada, como quizá ocurría con esta novela por las coincidencias ya explicadas entre el narrador y el autor. Recuerdo que una tarde me llamó por teléfono una señora desde el Levante, a la que apenas había visto brevemente un par de veces, tras una conferencia o simulacro de tal que fui a dar a su tierra y en una cafetería madrileña a la cual acudí para firmarle un libro a insistente petición incomprensible suya, sendos ratos en los que no dio tiempo a hablar de nada personal, o en realidad de casi nada, de modo que yo lo ignoraba todo acerca de ella. Pues bien, me llamó para decirme que había leído el primer volumen de cuentos que publiqué en 1990, y que le había gustado mucho, incluido el último relato, que le parecía 'exquisito' —raro adjetivo para esa atroz historia pero sin duda predilecto suyo, se lo había oído más veces— 'pese a que ya he comprendido que se refiere a mí y trata de mí, y, la verdad, es muy duro conmigo'. Estaba bailando el hucklebuck con una amiga cuando sonó el teléfono y ella no consintió en parar ni en bajar la música (es una amiga muy bailona, una vez en movimiento cuesta frenarla, era Anna o era Julia), así que creí haber oído mal y sólo acerté a pedirle confirmación de sus estupefacientes palabras, con la lengua fuera: '¿Que trata de usted? ¿Ha dicho que ese cuento trata de usted? ¿Cómo quiere decir, que trata de usted?' Hasta aquel momento se había comportado sensata y educadamente, aunque todo le parecía exquisito siempre. '¿Ah, lo niegas?', contestó la lectora levantina a punto de enfurecerse, y añadió imperativa: 'Puedes hacer el favor de bajar ese escándalo, no oigo nada'. La gente me tutea y me da órdenes a menudo, creo que hago demasiadas bromas y no impongo ningún respeto. 'No me negarás que ese cuento va por mí, ¿verdad? No me lo negarás, Javier Marías.' Me temo que se lo negué pese a todo, y quizá de no muy buenos modos, sería lo lógico que se lo hubiese negado. Eso creo. De lo que estoy seguro es de que no quise investigar mucho al respecto. El relato en cuestión es uno de los escritos que más me ha afectado escribir. Trataba de un mayordomo vengativo con el que yo me quedaba largo rato encerrado en un ascensor detenido entre dos pisos en un rascacielos de Nueva York. El mayordomo trabajaba para el rey de los cosméticos de allí y su nueva mujer española, había también una recién nacida enferma. Fue la primera vez en que hice coincidir a narrador y autor en una pieza aparentemente de ficción, el narrador era yo. No había más personajes, así que preferí no averiguar con quién se identificaba mi interlocutora del Levante, si con la señora, el mayordomo, la recién nacida, conmigo mismo o con el ascensor. Al menos me salvó de un enloquecido y fatigoso hucklebuck casero. Poco después me envió un telegrama del que no se entendía nada, pues el texto era largo y poetizante y encima carecía de puntuación, supongo que le pareció prosaico interrumpir tanto surrealismo metafórico con algún que otro 'stop'. Lo único claro era la insólita despedida: no firmaba 'tu esclava', ni 'tu sierva', ni siquiera 'tu fámula' o 'tu mercenaria', cosas todas ellas embarazosas pero con alguna tradición retórica epistolar, sino —mucho más contemporáneamente— 'tu asistenta'. Eso me hizo pensar que seguramente se había identificado con el mayordomo.

De todas las atribuciones más bien azarosas e irresponsables producidas en Oxford, si no la más grave sí la más ominosa y de peor gusto fue la que padeció mi amigo Eric Southworth, y además en letra impresa, dos años después de la aparición de la novela. El 16 de abril de 1991 me escribió una carta en respuesta a otra mía a la que había adjuntado, para su información hispanística, una necrología del conocido crítico y estudioso español Ricardo Gullón, quien acababa de morir. A Eric, como ya mencioné, se lo quiso identificar con el personaje de la novela llamado Cromer-Blake, que tenía excelente amistad con el narrador, estaba enfermo y al final moría. Por una sola carambola, los diarios de Cromer-Blake iban a parar a las manos del español, que los citaba muy escuetamente un par de veces, me desagrada el abuso de ese recurso en las ficciones. Pero, como asimismo comenté, era esa parte adoleciente y fúnebre del personaje la que en cambio se atribuyó a Philip Lloyd-Bostock, a quien traté mucho menos pero que sí había muerto efectivamente al poco de mi partida, tras larga, indecisa y disimulada enfermedad. Era de esperar, por tanto, que Eric se viese libre al menos de malos augurios y especulaciones desagradables, pero ni eso pudo ser: me adjuntaba una fotocopia del *Boletín de la Asociación Internacional de Galdosistas,* con sede en Kingston, Ontario, en el Canadá —apasionante publicación sin duda, parece mentira que pueda existir una cosa así y además en su 'Año XI' nada menos, según constaba—, con su índice y sus correspondientes secciones. La sección séptima rezaba 'Necrología', y bajo ese epígrafe se podía leer lo siguiente: '~~Eric Southworth, St Peter's College, Oxford University~~'. Y debajo: 'Ricardo Gullón, Madrid'. Pese a la tachadura ya oficial, el nombre de Eric se veía tan claramente como aquí se ve, algo estremecedor que no quisiera volver nunca a encontrarme sin esa raya, y en todo caso de pésimo agüero. Por suerte Eric es londinense y no sevillano ni gaditano, ni madrileño con una abuela cubana como soy yo, de manera que no adoptó medidas drásticas ni urdió venganzas ni preparó conjuros (quizá se puso sus dos bonetes de arzobispo un rato y no me lo dijo, borla verde y borla roja, seda y raso). Tampoco, en la tradición anglosajona, decidió demandar al Canadá ni a Ontario ni a Kingston ni al Boletín ni tan siquiera a los Galdosistas, que lo habrían merecido por

"Romanticism, Realism and the Presence of the Word," <u>Media, Consciousness and Culture</u>. Ed. Br
Gronbeck <u>et al</u>. New York: Sage. (Versión completa "<u>Fortunata y Jacinta</u>, <u>Madame Bovary</u> and C
Trace," <u>Letras Peninsulares</u>.

"On Monstrous Birth: Leopoldo Alas and the Inchoate," <u>Naturalism in the European Novel</u>. Ed.
Nelson. Oxford: Berg, 1991.

Linda M. Willem

"A Dickensian Interlude in Galdós's <u>Rosalía</u>," <u>Bulletin of Hispanic Studies</u>.

"The Narrative Premise of Galdós's <u>Lo prohibido</u>," <u>Romance Quarterly</u>, 38 (1991).

"The Narrative Voice Presentation of Rosalía de Bringas in Two Galdosian Novels," <u>Crítica
Hispánica</u>, 12 (1990).

[6] OTRAS NOTICIAS

Stella Moreno (Central Washington University) prepara actualmente su disertación doctoral sobre el tema "Love,
Marriage and Desire in the <u>Novelas Contemporáneas</u> of Galdós."

A Diane Urey (Illinois State University) le ha sido otorgada una N.E.H. Fellowship para que prepare un libro sob
los primeros <u>Episodios Nacionales</u>.

[7] NECROLOGÍA

~~Eric Southworth, St. Peter's College, Oxford University.~~
Ricardo Gullón, Madrid.

[8] PRÓXIMO NÚMERO DEL <u>BOLETÍN</u> DE LA AIG

Se incluirán en él:

a) comunicaciones sobre las entidades y publicaciones siguientes:

La Asociación Cultural Benito Pérez Galdós. (John W. Kronik)

El Centro de Investigación "Pérez Galdós" de la Facultad de Ciencias de la Información, Universidad
Complutense, Madrid. (Mª del Pilar Palomo y Julián Avila Arrellano)

<u>El Omnibus Galdosiano</u>. (Pedro Ortiz Armengol)

El Grupo de Amigos de Galdós. (Pedro Ortiz Armengol)

"Galdós en Madrid, Madrid en Galdós." (Julio Rodríguez Puértolas)

b) resúmenes del contenido de las <u>Actas</u> siguientes:

<u>Actas del Tercer Congreso Internacional de Estudios Galdosianos</u>. Las Palmas: Cabildo Insular de Gran
Canaria, 1989. I, 316; II, 569.

<u>Galdós. Centenario de 'Fortunata y Jacinta' (1887-1987). Actas (Congreso Internacional, 23-28 de
noviembre)</u>. Madrid: Universidad Complutense, 1989. Pp. 669.

<u>Galdós, en el centenario de 'Fortunata y Jacinta'</u>. Ed. Julio Rodríguez Puértolas. Palma de Mallorca:
Prensa Universitaria, 1989. Pp. 110.

más de un motivo, sino que se tomó su efímero fallecimiento con indudable humor, como se desprende de lo que me decía en su carta: 'La necrología de Ricardo Gullón que me mandaste sirve de introducción a la curiosa necrología que yo te adjunto a mi vez, en la que, como verás, comparto precisamente con Gullón la columna de "muertes", por lo que puede decirse que no sólo estaba enterado ya de la suya, sino que, según alguna pluma impaciente o atolondrada, le habría estrechado la mano camino del más allá e incluso habríamos recorrido un trecho juntos charlando inevitablemente sobre mi favorita *El amigo Manso,* quizá hasta que él hubiera tomado la vía del Paraíso y yo —digamos— la del largo Purgatorio, donde me temo que aún debe de estar penando por sus muchos pecadillos el propio Pérez Galdós. El catedrático de Español de Strathclyde llamó por teléfono a mi amigo Maurice Hemingway para decirle cuán terrible era que yo hubiera muerto, acababa de leer la noticia en el *Boletín Internacional de Galdosistas.* Maurice se quedó atónito, tuvo la precaución de llamarme para comprobar que *sí* seguía vivo, y a continuación se puso en contacto con el responsable del Boletín, Rye, para señalarle su error. Así, a mi regreso de Italia me aguardaba un ejemplar de dicho Boletín con mi muerte adecuadamente suprimida —post publicación, tal vez sólo aplazada— y con una carta de abyectas disculpas del director. *Lo que no se saca en limpio,* sin embargo' —esa frase Eric la ponía en español— 'es cómo diablos se les pasó por la cabeza la idea de que yo había muerto, para empezar. Mi primera suposición fue que Rye se vengaba de una crítica que le hice a su más reciente libro sobre Galdós matándome en su Boletín, y además internacionalmente, pero ahora me pregunto si no deberá ser la naturaleza acusada una vez más de imitar al arte y si la muerte de Cromer-Blake en tu novela no habrá sido tomada como garantía de la mía. En la actualidad, una de las formas de valorarse a sí mismos de los profesores universitarios norteamericanos consiste en contar el número de veces que aparecen sus nombres en las publicaciones de otros profesores universitarios (el "recuento de menciones", ya puedes imaginarte los escandalosos favores mutuos y la inflación de citas injustificadas, que lo hacen todo aún más ilegible). Así que me encanta la idea de servirme de una necrología como medio para incrementar mi valoración y mi sueldo. Al fin y al cabo, no deja de ser una mención más, de mi no muy citado nombre...'

Supongo que Eric, pese a su desenfado, debió de cruzar los dedos como le he visto hacer muchas veces por londinense que sea, y desde luego yo, por si acaso, crucé los míos, toqué varias maderas, me enredé con una ristra de ajos porque nunca me acuerdo de para qué sirven exactamente ni de cómo hay que colgárselos o manejarlos o por dónde pasárselos, y, aunque no viniera a cuento ni estuviera almorzando cuando leí la carta, me eché sal contra los hombros del niki que casualmente llevaba puesto y que al siguiente lavado encogió a lo bestia sin motivo aparente. Quizá no estuvo de más todo esto, por ignorante y torpe que fuese en la ejecución de mis medidas supersticiosas falsas. Eric Southworth sigue vivo (no así su amigo Hemingway, que lo llamó hace ya seis años para comprobar justamente eso) y goza de buena salud dentro de lo que cabe en alguien que trabaja mucho y no renuncia a sus más placenteros vicios menores. Pero lo cierto es que en los años siguientes, cada vez que ha viajado al extranjero, ha sufrido algún contratiempo o accidente. Se desmayó en el aeropuerto de Orly, al parecer como consecuencia de la brutal intoxicación que le produjo un almuerzo ofrecido por el director del Instituto Cervantes parisiense, y hubo de guardar cama durante demasiados y alarmantes días, ya en Oxford; en Barajas perdió por culpa de Barajas un avión a Santiago de Compostela y, sin poder ya volver a la casa prestada cuyas llaves había devuelto, tuvo que acarrear por Madrid todo un día las maletas cargadas de libros que no hubo forma de dejar en ninguna consigna —nuestro aeropuerto tan servicial y acogedor como siempre—, con grandes quebrantos para su espalda, que se resintió en Galicia hasta el punto de obligarlo a suspender parte del recorrido previsto en automóvil; atravesando el sur de los Estados Unidos asimismo en coche, él y su compañero de viaje Nick Clapton cayeron durante doce horas en manos de una absurda secta refugiada en un valle o en un monte cerca de Tuscaloosa, Alabama, se hacían llamar *God's Trappers* o 'Tramperos de Dios', y por eso mismo se tocaban todos sin distinción de sexo con anacrónicos gorros de trampero con cola de castor imitada, como Davy Crockett y Daniel Boone: no hace falta decir que cazaron a los ingleses tendiéndoles una trampa, por fortuna no eran violentos ni muy tenaces y los soltaron al ver que no conseguían evangelizarlos, pero también podían haberlos sacrificado a su deidad trampera como si fueran un par de nutrias; y en la Toscana Eric se cayó por un terraplén una noche mal estrellada produciéndose fracturas múltiples que lo confinaron durante semanas a la sala común de un hospital italiano, como a aquel otro Hemingway de *Adiós a las armas*. Esta caída, según los médicos, podía haberle enviado sin dilación al Purgatorio y desde el sitio adecuado, con algo menos de suerte (*subito, addirittura,* lo asustaron en italiano), y uno de sus oídos quedó afectado para siempre por el tremendo golpe.

En suma, creo que todo es poco, supersticioso o no, para contrarrestar la maldición de los Galdosistas, tan internacional como su Boletín según puede advertirse. Y aunque tras pasar Eric tantas pruebas y salir con vida lo veo ya fuera de peligro por no decir invulnerable e inmortal incluso, siempre que tengo ocasión le ruego que se dedique a conocer mejor su país y que procure ausentarse lo menos posible de Gran Bretaña. Pero es un viajero fanático y no me hace caso. En cuanto al 'recuento de menciones', es una lástima que yo ya no sea profesor de nada, ni siquiera profesor farsante (nunca lo fui de veras, no en espíritu, no hacía exámenes si de mí dependía y nunca anduve por los pasillos con revuelo en torno), pues en ese caso las muchas menciones que de Eric estoy haciendo y haré en este libro lo colocarían a buen seguro, para mi gran alegría y merecimiento suyo, en lo más alto de la nada escrupulosa y bastante idiotizada jerarquía universitaria.

Las librerías de viejo o anticuarias abundan en Oxford, pocos lugares más indicados para su proliferación y prosperidad, una ciudad inmóvil en la que la mitad de sus muertos poseen magníficas bibliotecas y carecen de herederos con tanta frecuencia, tantos hombres y mujeres célibes —pero aún sobre todo hombres— que pasan sus días en préstamo rodeados de libros y sin preocupación alguna por lo que pueda venir u ocurrir tras ellos —en verdad no les concierne—, cuando sus alumnos ya adultos o viejos no miren nunca hacia atrás desde sus lejanías dispersas y así no los recuerde nadie y todo vuelva a ser como si no hubieran nacido. Yo he comprado en esas librerías ejemplares que pertenecieron a eminencias de diferentes campos, en sus páginas hay a veces la huella entintada de una admiración o un comentario, o de una discrepancia con el texto que recorrieron sus ojos hace muchos años, cuando parecía que sí hubieran nacido y caminaban por las mismas calles que hoy no ofrecen la menor constancia de su paso apresurado diario, seguramente con birrete y toga y en la cartera estos libros, sin duda con el respeto y el saludo amable de los transeúntes con que se cruzaran en el tiempo que se perdía nada más sucederse, o perdido ya cuando aún era presente, y se sucedía.

Alfred Leslie Rowse, que se ocupó de Shakespeare sin gran prestigio, hizo anotaciones en los márgenes de un volumen desconocido y muy grueso de Henry James, *William Wetmore Story and His Friends,* que pocos más habrán leído; el maravilloso helenista Gilbert Murray corrigió de su puño y letra las erratas de uno de sus mejores títulos, *Five Stages of Greek Religion,* 'Regius Professor of Greek in the University of Oxford', Murray el catedrático regio; el novelista Angus Wilson le regaló una de sus novelas al cineasta George Cukor, quizá cuando éste rodaba *My Fair Lady,* 'in the copy of my friend George Cukor', así le dijo desde su pluma rápida; alguien que estuvo en España y tal vez en el frente llevó hasta Oxford los poemas con fotos de *Viento del pueblo* de Miguel Hernández en su primera edición condenada y casi extinta ('Este libro se acabó de imprimir en Valencia en la Litografía Durá en septiembre de 1937', las Ediciones Socorro Rojo): fueron guillotinados sus ejemplares por la mano dura de piedra y tengo entendido que sólo quedan seis registrados en todo el mundo y el mío sería el séptimo, y todos ellos empiezan con el mismo verso, 'Atraviesa la muerte con herrumbrosas lanzas...', y todos contienen los otros siete buenos del poema del título que parafrasearé en estas páginas; y otro especialista en Shakespeare más venerado, John Dover Wilson, debió de echar en Edimburgo al correo sus *Fortunes of Falstaff* que están en mi mano y que destinó en su día a un tal Arthur Melville Clark of Herriotshall and Oxton, según el ex-libris de éste que nadie ha despegado a lo largo de sus ignorados viajes y no seré yo quien lo haga, su lema es 'Blaw for Blaw', forma septentrional o escocesa para decir algo que todas las lenguas conocen y a veces aplican, 'Golpe por golpe', también yo conozco eso y aún más lo conocieron mi padre o sobre todo Miguel Hernández ('... y llueve sal, y esparce calaveras'), sus golpes recibidos no metafóricos, sus cárceles, los que ellos pudieron dar sólo verbales ('El sol pudre la sangre, la cubre de asechanzas y hace brotar la sombra más sombría'); y el poeta John Gawsworth regaló un ejemplar de sus *Collected Poems* a otro poeta, el escocés George Sutherland Fraser, y el 29 de junio de 1949, esa fecha todavía tan desolada en la que sería mi casa cuando yo naciera, le escribió esto en una guarda: 'Para George, *casi* el más traicionero y *sin duda* el *más* querido de mis Duques, Neruda', ese fue el extravagante título que el rey de Redonda le otorgó aquel año a su amigo y antiguo compañero de armas en El Cairo, el inútil Sargento Mayor Fraser, convirtiéndolo así en miembro de la 'aristocracia intelectual' de su reino a la vez real y fantástico, con y sin territorio, una ínsula literaria más, pero esta sí puede hollarse y consta en algunos mapas, minúscula y erguida y deshabitada, aunque en otros no se encuentra.

Si no fuera por los libros es casi como si no hubieran existido nunca ninguno de estos nombres; si no fuera por los libreros que una y otra vez rescatan y ponen en circulación y revenden las

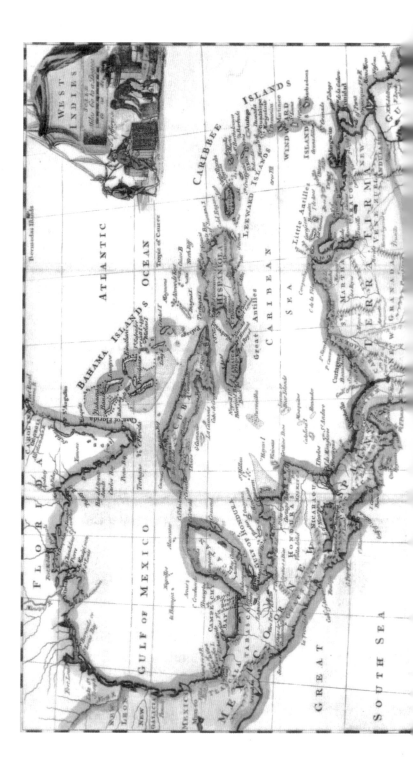

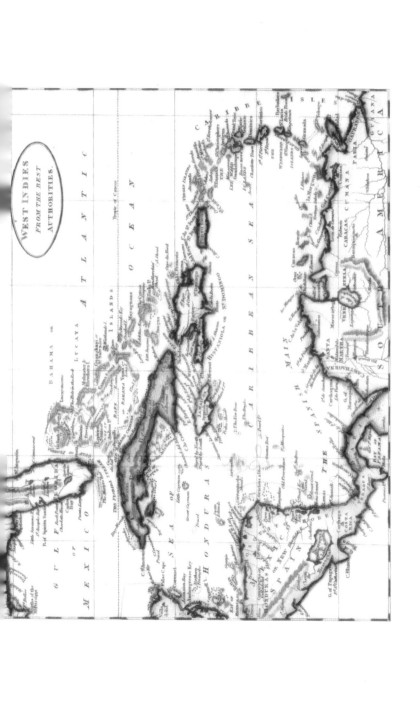

WEST INDIES
FROM THE BEST
AUTHORITIES.

silenciosas y pacientes voces que sin embargo se niegan a callar para siempre y del todo, voces infatigables porque no padecen el esfuerzo de emitir sonido y oírse, voces escritas, voces mudas y resistentes como la que ahora va llenando estas páginas un día tras otro a lo largo de las muchas horas en que nadie sabe de mí ni me ve ni me espía, y así parece que no he nacido.

Entre estos libreros de Oxford se contaban el señor y la señora Stone de la insondable y agradable librería Titles, en Turl Street, y gracias a las deducciones de Ian Michael y a su habitual incontinencia verbal más festiva que chismosa, al poco de que apareciera en inglés *Todas las almas* y por lo tanto pudieran molestarse en leerla como *All Souls,* supieron que también ellos habían salido retratados en una novela, al menos según mi ex-jefe, cuya autoridad debía de ser para sus conciudadanos mucho mayor de la que yo nunca le logré ver: el señor y la señora Alabaster, ella con un chal de lana rosa sobre los hombros y sentada a su mesa ante un libro de contabilidad gigantesco, él bien vestido de sport y sentado sobre un peldaño de la escalera de mano que el narrador le arrebataba siempre para inspeccionar las alturas: personajes que en realidad más debían a Dickens y a Conan Doyle que a ningún ser contemporáneo y vivo.

Los Stone se acordaban bien de mí, o eso me dijo Ian que les fue con el cuento y un ejemplar de la edición inglesa en la mano para tentarlos (quizá les leyó unos párrafos), y aunque esto ocurría en 1992 no era del todo extraño que no me

hubieran olvidado, ya que durante mis años en Oxford visitaba su establecimiento a menudo y lo registraba de arriba abajo —había un sótano— con
mis dedos magnéticos y los guantes puestos para
no mancharme en exceso de polvo impregnado,
ese polvo especial, pastoso, que adquieren las en-
cuadernaciones a veces. Cuando supe que los Stone
habían sido frívolamente informados de la existencia de sus presuntos trasuntos, me preocupé un
poco, ya que de la señora Alabaster, entre otras
cosas, se decía en la novela: '... era sonriente y au-
toritaria, con una de esas sonrisas inglesas que uno
ha visto derrochar en el cine a los afamados es-
tranguladores de esa nacionalidad en el momento
de elegir nueva víctima'. Y del señor Alabaster se
decía, asimismo entre otras cosas: '... era igualmente sonriente, pero su sonrisa se correspondía más
bien con la de la anónima víctima del estrangula-
dor justo antes de saber que va a serlo'. Y se me
ocurrió que esas observaciones podían no hacerles
gracia si decidían verse en efecto representados por
el monumental alabastro, aunque ambos personajes, por lo demás, estuvieran tratados con humor y
simpatía, o así lo creo, si bien nada de lo que yo
crea sobre mis propios textos tiene apenas importancia, o la tiene para mí tan sólo y a ratos.

Así que la siguiente vez que pasé por Oxford —en el verano del 93 seguramente, allí coin-
cidí con mi amiga Mercedes López-Ballesteros—
dudé un buen rato antes de atreverme a entrar en
la tienda de los Stone, temeroso de que si me re-
conocían pudieran echarme en cara aquella des-

cripción de otros seres si la habían hecho suya, o bien impedirme sin más el paso con expresiones dolidas y acusatorias. Era seguro que me reconocerían. Llevaba un ejemplar de *All Souls* para regalárselo, sería un gesto amistoso aunque ellos ya lo hubieran comprado y leído, como era muy posible tras las alegres instigaciones de Ian. Recuerdo que permanecí un rato dando vueltas y haciendo tiempo en el mercado vecino, lo cual me llevó a adquirir un racimo de uvas, se me antojaron uvas de repente. Apoyado en el mostrador de una asquerosa carnicería, hojeé una vez más el libro a la búsqueda de elementos positivos: al señor Alabaster se lo presentaba con 'un cierto aire de viejo conquistador teórico (de esos a los que la extracción social o un matrimonio temprano y férreo no han dejado probar sus encantos) al que no han abandonado la coquetería ni el olor a colonia de sus años menos hipotéticos', y se decía que era 'apuesto'. De la señora Alabaster se destacaba 'la mirada vehemente', pero también —ay— 'los dientes encapsulados', lo cual podía suceder que la señora Stone —ay— tuviera, jamás se los había mirado y me prometí hacerlo ahora. Que fueran libreros no me garantizaba su familiaridad y comprensión para con las mezclas y fabulaciones y yuxtaposiciones de la literatura, los hay curiosos y perspicaces como el señor Bernard Kaye de York o Antonio Méndez y sus Albertos de la calle Mayor de Madrid, pero conozco también a alguno que se pasa la vida entera apartando de sí lo que vende, y no hablemos de algún distribuidor que ni siquiera sabe cómo se abren esas mercancías que sirve llamadas libros, ignora que contengan hojas, y entre los editores los hay cultísimos y hasta eruditos como Gilles Barbedette o Laurens van Krevelen o MacLehose o el viejo Einaudi, pero también he tratado a uno o dos si no iletrados sí elementales en cinco lenguas, que sólo emplean para sus cháchara pijo-chabacanas internacionales (para más no les da el vocabulario). Poca gente más capacitada que los propios profesores de Oxford para entender lo que es una novela y no exigirle responsabilidades, y sin embargo dos o tres de ellos habían reaccionado como primitivos ante la mía, nada está nunca garantizado. Pensé en apoyarme sobre el mostrador de una huevería para escribirles a los Stone una dedicatoria afectuosa y de paso cascar por accidente un par de huevos con los que ponerme perdido de clara y yema y así inspirarles lástima cuando entrara en la librería hecho una pena y goteando líquido lánguido, pero en seguida descarté la idea, los alarmaría que les ensuciara el suelo o los libros y me recibirían con aún peor cara; Mercedes L-B, a la que había citado un poco más tarde en Titles, se reiría de mí con ganas, y además llevaba mis uvas en un cucurucho, la posible mezcla de jugos sería excesivo pringue. Les puse la dedicatoria sincera pero algo cobista sobre un mostrador de menos riesgo (el de una repugnante pescadería) y me encaminé con paso lento hacia mi prueba y la tienda.

Entré ocultándome un poco el rostro tras mi alto cucurucho, allí estaba la señora Stone, como siempre, con sus gafas a media nariz y escrutando la pantalla del circuito cerrado de televisión (blanco y negro) gracias al cual vigilaban a los sospechosos que bajaban a rebuscar en el sótano, en su día yo había sido uno de los más persistentes. En este dispositivo moderno sí coincidían los Stone con los Alabaster, y sin duda fue el dato principal que orientó a Ian Michael en sus intromisiones y pesquisas y conjeturas aventuradas. Al señor Stone no lo vi de momento y lo lamenté, ya que era de su falso gemelo Alabaster de quien había encontrado más comentarios halagadores en mi última y despavorida inspección del libro. La señora Stone alzó la vista al oír la campanilla, supongo que me reconoció en el acto pero no dijo nada, seguramente consideraba que era a mí a quien tocaba saludar primero. Así que lo hice inmediatamente, llamándola por su nombre. '¿Qué tal está usted, Mrs Stone? No sé si se acordará de mí'. Ella hizo como que dudaba un instante o intentaba traer mi apellido a su memoria, y con el artificioso tartamudeo característico de muchos habitantes de la ciudad me dijo:

—Oh sí, oh sí, el caballero español. —Y me señaló con la palma de la mano vuelta.— Mr Márias, Márias, ¿no es así? —Y sonrió sin malicia, lo que aproveché para fijarme en sus dientes, que me parecieron auténticos y de buena ley, y eso me proporcionó algún alivio.

Cruzamos un par de frases más antes de que yo preguntara por su marido. '¿No está el señor Stone? He traído una cosa para los dos'.

—Es usted muy amable, dígame qué es —preguntó o casi ordenó sin poder contenerse. Pero se enmendó en seguida y añadió:— Sí, Ralph está abajo, lo llamaré. ¡Ralph, querido, quieres hacer el favor de subir un momento! —le gritó, firme su voz escaleras abajo— ¡Está aquí el caballero español, el señor Márias! ¡Nos ha traído un regalo de España!

Si Ralph Stone se hallaba en el sótano —nunca había sabido su nombre de pila—, entonces su mujer lo estaba vigilando a él a través de la pantalla, o quizá contemplando o admirando tan sólo, parecían tenerse afecto, lo más difícil y deseado en los matrimonios es lograr ver al otro a veces como si fuera una novedad y no se lo conociera, acaso la televisión ayudaba a eso. Por lo menos no se comunicaban de un piso a otro por medio de un telefonillo interior o un walkie-talkie, corto y cambio, o al revés, cambio y corto.

El señor Stone apareció al instante subiendo los peldaños deportivamente, quizá demasiado rápido, como si hubiera permanecido apostado al pie de la escalera atento a lo que se conversaba arriba. Me tendió la mano derecha con una sonrisa también deportiva y abierta que hacía los rencores bastante improbables. Tras un intercambio mínimo de información superflua (todo seguía igual, por su parte), les alcancé mi novela en su edición inglesa de The Harvill Press con un estudiado gesto de vacilación. 'Bueno, mi regalo no viene exactamente de España', me sentí obligado a disculparme por ello. 'En fin, no sé si han oído hablar de esto. Les he traído un ejemplar, y me he permitido dedicárselo'.

—Oh sí, lo estamos vendiendo, y nada mal, por cierto —contestó el señor Stone adelantándose a la señora Stone, que se quedó un segundo con la boca entreabierta y yo volví a echar una ojeada a sus hermosos dientes—. Pero no tenemos nuestro propio ejemplar, así que nos viene estupendamente, es usted muy amable al haber pensado en nosotros. Gracias, gracias. Mira, Gillian, querida —le dijo a su mujer pasándoselo tras haber leído la dedicatoria o lisonja.

Tampoco había sabido nunca que ella se llamaba Gillian. No pude reprimir mi sorpresa, los Stone no vendían libros nuevos, allí jamás se encontraba nada que pudiera comprarse sin dificultad en las librerías normales.

—¿Vendiéndolo? —dije— ¿Cómo es eso? Ha salido hace sólo unos meses, y, que yo sepa, ustedes sólo aceptan género polvoriento, quiero decir ennoblecido por el lento y majestuoso polvo de los tiempos.

La señora Stone rió, y eso bastó para que el señor Stone se le adelantara de nuevo:

—Ya, desde luego, así es, así es. Pero este es un caso muy especial, verdad, tiene fundamento, tiene atractivo que lo vendamos nosotros aquí, ¿no cree? Así que adquirí unos cuantos ejemplares en Blackwell's (las editoriales no tienen costumbre de servirnos pedidos, claro, no tratamos con ellas) y ahí lo tenemos, ¿no lo ha visto en el escaparate? Hemos vendido por lo menos cuatro o cinco.

No me había fijado en el escaparate antes de entrar. Cuatro o cinco debían de parecer bastantes a quienes estaban acostumbrados a traficar con libros agotados o raros que aparecen de uno en uno con suerte y a no ofrecer casi nunca títulos repetidos o no en la misma edición en todo caso. El señor Stone tenía que estar aludiendo necesariamente a los Alabaster. 'Santo cielo', pensé, 'los Stone asumen que los Alabaster son ellos y por eso les hace gracia vender en su tienda una novela que según ellos habla de ellos y de esa tienda en la que ellos venden ahora esa novela que de ellos habla. Sin embargo los Alabaster nunca podrían haber vendido mi libro que los crea y contiene'. Pero si los Stone no disponían de su propio ejemplar quizá no la hubieran aún leído y las referencias fueran sólo a lo que Ian u otros les hubiesen contado.

—Oiga, ¿podría dejar estas uvas en algún sitio seguro? Me temo que están empezando a chorrear y no quisiera mancharles nada —dije. Quizá me las habían dado algo pasadas en la sucia frutería.

El señor y la señora Stone se llevaron las manos a la cara, los dos a la vez (un gesto contagiado acaso), no sé si con consternación o susto o bien desconcertados por la falta de lugar adecuado en la tienda para dejar un racimo pringoso. Miraron a su alrededor con las manos sobre la cara.

—Oh, ahí —dijo por fin la señora señalando el paragüero. Hacía buen tiempo y estaba vacío, allí deposité mi cucurucho con mucho cuidado para que quedara erguido.

—Cómo me alegro —dije ladeando la cabeza hacia el escaparate, refiriéndome a las espectaculares ventas—, es agradable saberlo. —Y como no me atrevía a mencionar a los Alabaster y en

cambio sólo pensaba en ellos, pasé a otra cosa:—
Bueno, voy a echar un vistazo a sus últimas adquisiciones y divinos tesoros, si no tienen inconveniente. He de esperar a una amiga.

—Todo lo contrario —contestó el señor
Stone abriendo teatralmente los brazos como en
ademán de rendirse al enemigo—. La librería es
toda suya, como en los viejos tiempos.

—Eso es, como en los viejos tiempos.

Ya eran viejos los tiempos, pensé mientras
ascendía sin convicción los peldaños de la escalera
de mano hasta lo más alto, los mejores hallazgos
suelen esperar en los sitios inalcanzables, no pre-
mian nunca a los perezosos. Ya eran viejos aquellos tiempos, 1983 y 84 y 85, había llegado a Oxford el primero de estos tres años y me había
marchado el último, y si para mí no eran tan viejos era precisamente porque había escrito ese libro
más tarde y a través de él y de su vida aún inconclusa había mantenido el vínculo con la ciudad y
con aquellos tiempos que se me hacían y hacen
aún muy presentes o no clausurados; no lo habían
mantenido en cambio los Stone ni casi nadie en
Oxford conmigo, el caballero español para ellos,
cada vez más difuso y desleído mi rostro que por
otra parte no ha permanecido quieto, se ha hecho
mayor y quizá más doliente, como si las huellas
que uno no deja en ningún sitio ni en ninguna
vida ni en ninguna persona se incorporaran y acu-
mularan todas en las propias facciones, tal vez lo
único que va registrando, visiblemente. Yo sí había mantenido mi vínculo con la ciudad y sus habi-

tantes a través de mi libro, como si me resistiera con él a convertirme en la difuminación y sombra que ya nadie ve nítida ni apenas recuerda o con gran esfuerzo ('Ah sí, solía visitarnos y buscaba rarezas, me pregunto que habrá sido de él, hace ya tanto tiempo'), dos años de mi vida habían transcurrido allí y lo normal habría sido que pasados ocho o diez no quedara ya de eso la menor constancia, de mi figura muy recta con toga o sin ella ni de mi voz en inglés que al parecer es distinta de cuando hablo mi lengua ni de mi paso apresurado diario con una cartera en la mano llena de libros por las distraídas calles que nos toleran un tiempo sin impacientarse porque saben que no habrá ninguno que transite para siempre por ellas, ninguno. Dos años es mucho, y tardan, y sin embargo se borran a veces como si no los hubiéramos atravesado nunca, nadie los conoce ni nos recuerda en ellos, nadie nos busca de aquella época o de aquel sitio ni nos echa en falta, y hasta nosotros mismos podemos llegar a olvidarnos de nosotros mismos entonces, y no buscarnos ni echarnos en falta. Yo olvidé la cicatriz enorme e injusta que vi y besé a diario no durante dos sino durante tres años, en tiempos todavía más viejos y en una ciudad distinta que tampoco era la mía, la cicatriz de un muslo. Y cuando un amigo que sabía de su existencia me la recordó hace no mucho tiempo al hablar de la mujer que la llevaba en su muslo, me costó tanto recomponer el recuerdo y la imagen que hasta llegué a ver una cicatriz que no hubo nunca en su pecho antes de lograr enfocar y ver por fin otra vez, al cabo de veinte años, aquel cráter quemado y suave que formaba parte indisoluble y conspicua de la persona que yo quería. Cómo puede ser que haya perdido esto, pensé cuando ese amigo me obligó involuntariamente a recuperarlo, cómo puede ser que durante años haya desaparecido de mis atesoradas visiones esa cicatriz que me fue familiar e hice mía, y de la que me advirtió su dueña antes de que fuera a verla por vez primera en la habitación de un hotel barato de Viena, con tanta consideración y tanto tacto, como diciéndome: 'Escucha, ven, mira, en mí hay esto y quizá prefieras no llegar a verlo. Aún estás a tiempo de no verlo, y si no lo ves no lo habrás visto nunca'. Pero hay cosas que uno no puede dejar de ver una vez que le anuncian que existen, menos aún si lo que quiere es ver todo, todo de quien las anuncia y guarda. Lo vi, y lo vi luego a diario hasta que sin duda dejé de verlo cuando pasaba la vista por ello porque mis ojos lo pasaban por alto aunque allí siguiera suave y quemado, y si lo besaba era ya sin darme cuenta y sin mérito —si es que eso puede tenerlo—, y acaso llegué a olvidarlo de modo tan increíble no sólo porque hubiera un tiempo de luto o duelo en que me dolía mucho el recuerdo, sino porque se rompió por su lado el vínculo desde el principio del adiós o desde mi pérdida, y cuando por fin se rompió también por el mío tras largos años de estéril y ensimismado esfuerzo y de soliloquios o despedidas sobrantes que no contestaba nadie —como si me hubiera quedado prendido en su tela de araña que ella ya no tejía—, entonces cuanto había sucedido y habido se hizo de pronto remoto y ajeno como ocurre con el pasado cuando no languidece ni remolonea ni se le permite asomarse una sola vez al presente, ni siquiera en sus formas más aplacadas e inofensivas, o reconfortantes. 'Ah sí', pensará tal vez ella de tarde en tarde, 'vivió aquí conmigo una vez un joven, era madrileño, me pregunto qué habrá sido de él, hace ya tanto tiempo'.

Subí a lo más alto de la escalera y me quedé parado un instante, mirando desde arriba como si fueran súbditos al señor y a la señora Stone que no habían regresado a sus quehaceres sino que me observaban con expectación como si no estar pendientes de mis movimientos y pasos les pareciera desatenderme, hacerme un feo durante mi visita de los tiempos nuevos, y hubieran decidido presenciar o acompañarme con la mirada en mis búsquedas. Pasé mis ojos y mis dedos raudos por el estante superior y en seguida encontré un volumen que llevaba tiempo buscando para regalarlo a mi amigo Manolo Rodríguez Rivero, que no se lo merecía en modo alguno por sus muchas correrías pero me lo había envidiado más de una vez al verlo en mi casa, lo tengo a menudo a mano porque se va leyendo muy poco a poco y por episodios: *A General History of the Pyrates,* de Daniel Defoe, en su infrecuente versión completa, un tomo inmenso de más de setecientas páginas. Así que sostenía casualmente la *Historia general de los piratas* cuando la señora Stone me habló de la película que por entonces proyectaba sobre mi novela el imponente empresario Elías Querejeta a fin de que la realizara su hija —como es natural también Querejeta pero no Elías—.

—El señor Roger Dobson nos ha contado que se va a hacer una película basada en *All Souls* —dijo para mi gran sorpresa y adelantándose esta vez al marido—. ¿Es eso cierto? ¿Se rodará aquí en Oxford, en escenarios naturales? ¿Han hecho ya las localizaciones? ¿Han elegido el reparto?

Yo estaba poco informado de ese proyecto, aún muy incipiente en aquellos momentos, aunque no podía imaginar que la grosería y desconsideración de Querejeta y Querejeta iban a llegar al punto de no informarme de casi nada cuando estuvo ya avanzado, en contra de lo que establecía el contrato, y de no querer enseñarme la cinta una vez terminada, esto es, de ocultármela mientras pudieron y mientras la iban en cambio viendo en pases privados, según me contaron otros, todos sus críticos y amistades y acólitos. Había tenido mis dudas respecto a dar el permiso y ceder los derechos cinematográficos, entre otras razones porque no veía que pudiera extraerse con facilidad y acierto una película de mi novela, ni de esa ni de ninguna otra a excepción de la primera, de mis diecinueve años, quizá la mejor todavía. También me había escamado que en un almuerzo previo al acuerdo Querejeta y Querejeta se hubieran mostrado alegre y patéticamente convencidos de que los personajes de Toby Rylands y Cromer-Blake habían sido amantes, tan sólo porque del segundo se decía que era homosexual en el libro y del primero que no se sabía bien lo que era, sexualmente. 'Y qué', había contestado yo. 'No hay el menor atisbo, la menor insinuación de eso. Se trata de una relación de maestro y discípulo, de mayor y menor, paterno-filial a lo sumo, en modo alguno son amantes o ex-amantes, qué disparate'. Pensar semejante trivialidad suponía, de hecho, no haber entendido una palabra: una lectura obtusa o quizá de una cabeza mercantilista pura que además cree no serlo. El impositivo empresario aún insistió en su empeño, con una pregunta en verdad genialoide y que daba idea de su inconmensurable respeto por los escritores y su no menor agudeza. '¿Estás seguro?', me dijo con mirada intensa, como para convencerme de mi error con ella. Dado que él iba a redactar el guión con la otra Querejeta, debería haberme parado a pensar más. Pude ser sarcástico pero me abstuve, al fin y al cabo estaban siendo amables entonces al interesarse por mi novela y muy zalameros para persuadirme de que aceptara. Así que me limité a responder lo obvio: '¿Cómo no voy a estar seguro, si esto es una novela y la he escrito yo y además no pertenezco al género de escritor intuitivo?' E, ingenuo, respiré con alivio creyendo haber atajado a tiempo un grave malentendido. No hace falta decir que en la película que por fin se rodó y estrenó en 1996, cuatro años más tarde, los pobres Rylands y Cromer-Blake aparecían convertidos en dos inverosímiles y más bien antipáticos y gritones ex-amantes universitarios, supuestamente apasionados según se nos comunicaba sin cesar en los diálogos pero jamás veíamos en las imágenes, y que nada tenían que ver con los de la novela aparte de los apellidos y la enfermedad del segundo: de hecho 'Robert Rylands' —ya no llevaba su nombre propio de la clase alta inglesa porque según confesó en un escrito la directora Querejeta había tenido una vez un perro llamado Toby, razón artística de peso— era para mí un sujeto insoportable y odioso, lo que se llama un plasta, como para salir huyendo nada más verlo. Nunca había habido malentendido sino otra cosa, o si lo hubo al principio poco importó a aquel dúo familiar que el autor se lo deshiciera desde el primer instante, el autor es despreciable. Pero cuando la señora Stone me preguntó al respecto en el verano del 93 aún no había guión ni apenas proyecto y yo todavía mantenía mi ingenuidad y mi buena fe tanto hacia Querejeta como hacia Querejeta, aunque siempre más hacia Querejeta, a quien creo que atendí bastante cuando me requería y de quien me sentí luego muy decepcionado por tanto.

—No, creo que aún no se han hecho localizaciones ni se ha pensado en el reparto —contesté desde mi atalaya con la *Historia general de los piratas* casualmente en la mano. Estaba mirando el precio, £40, un poco caro, me preguntaba si a Manolo R R lo quería tanto—. Pero sí es cierto que se va a rodar una película, y sé que el propósito es rodarla en Oxford.

El señor Stone se llevó una sola mano a la mejilla y vi cómo se le encendían los ojos al elevarlos más, hacia el techo, con un brillo evocativo.

—¿Y será muy fiel a la novela —siguió la señora Stone—, o sólo tomarán los episodios más, más sentimentales?

—¿Quiere decir más sexuales? —respondí yo: hablar desde las alturas confiere osadía y sensación de impunidad, de ahí que lo hayan procurado siempre los déspotas, los banqueros, los empresarios, los jueces y los tiranos. Así que los Stone habían leído la novela, en algún ejemplar ajeno, quizá el del propio Roger Dobson.— No, espero que no, no creo, pero dudo que vayan a ser muy fieles, y desde luego habrá partes del libro que por lo visto quedarán totalmente fuera. Ya sabe, el cine es muy rico en unos aspectos, en otros muy limitado.

El señor Stone intervino entonces, en un tono que era mezcla de ansiedad y disculpa:

—Gillian lo pregunta, Mr Márias —ambos acentuaban mal mi apellido, lo pronunciaban como la palabra 'varias'—, porque en el caso de que necesitaran actores para interpretar a esos libreros de la novela, ya sabe, esa pareja Alabaster, bueno, nosotros podríamos hacerlo muy gustosos, creo que daríamos bien el tipo, ¿no le parece? —Se interrumpió un momento, hablaba a la vez con timidez y vehemencia, como si en verdad le fuera mucho en lo que estaba diciendo.— ¿Sabe? Yo he tenido bastante experiencia teatral en mi juventud, y recientemente he vuelto a ello, interpreté un pequeño papel en una producción dramática independiente, así las llaman, en el pasado Festival de Edimburgo, mi hijo estaba en el montaje y me pidió que colaborara. Gran diversión. También pertenecemos a la OSCA —'a la *O, S, C, A*', dijo cada letra por separado— y hemos salido en algunas películas rodadas aquí, *La locura del Rey Jorge* —ejem— ha sido la última, Roger Dobson y Rupert Cook también son miembros. Actuar es estupendo. En fin, si le consultan a usted para el reparto no nos olvide, nos encantaría participar. Aunque ya escribimos al productor español, algo así como Elijah... oh bueno, no soy capaz de pronunciarlo, algo con Q y con la palabra *reject* dentro, ¿no es así, querida? —verificó con su mujer, que asintió—, lo cual no es muy prometedor, cierto, para esperar que no nos rechacen —el sustantivo *reject* significa 'persona o cosa rechazada', 'desecho'; Elijah es la forma inglesa del nombre bíblico—. Quiero decir ofreciéndonos a interpretar esos papeles tan adecuados para nosotros. Pero no nos han contestado nada, y eso que utilizamos una hoja con membrete de la OSCA, si mal no recuerdo. ¿Es normal no contestar a las cartas en España?

De nuevo aquellas siglas.

—¿La OSCA?

—La Oxford Society of Crowd Artistes —explicó la señora Stone. Literalmente la Asociación Oxoniense de Artistas de Muchedumbre, o quizá Artistas de Comparsa, aunque en inglés la palabra *artiste,* a la francesa, tiene un matiz más modesto y jocoso que *artist,* se reserva para cantantes, cocineros, bailarines, modistos, actores, sombrereros. La señora Stone me alcanzó una de aquellas hojas con membrete, bajé un peldaño para recogerla. 'La Oxford Society of Crowd Artistes (OSCA)', decía, 'es una cooperativa de extras de cine y televisión, asentada en Oxford y con más de un centenar de miembros cuya experiencia cubre dramas de época y judiciales, la serie del Inspector Morse y numerosas películas de importancia, tanto en exteriores como en estudio'. Me quedé con el papel, en Inglaterra hay asociaciones de todo tipo.

—¿Escribieron ustedes a los Querejeta? ¿Cómo supieron sus señas?

—Oh, eso fue fácil, las encontramos en la guía anual mundial de compañías cinematográficas. El señor Dobson nos dijo el nombre. ¿Cree que habrá alguna posibilidad? ¿Cree que nos contestarán? ¿Que nos tendrán en cuenta para los Alabaster?

Subí de nuevo el peldaño y miré el volumen que tenía ya en casa e iba a comprarle ahora a Manolo R R, muy instructivo y muy divertido, sobre todo porque no ha de tratar uno a los piratas, sólo leer acerca de ellos. Había ilusión y zozobra en los ojos de Ralph Stone, un poco de pena en los de Gillian Stone, que aguardaba con las manos cruzadas sobre el regazo.

—No lo sé —pero más que duda expresé pesimismo—. Me temo que no sean muy sensibles a los deseos y ofrecimientos de las personas que no conocen. —Iba a decir 'sin influencia', pero por fortuna me abstuve.

No daba crédito. Los Stone no sólo asumían ser el modelo de los Alabaster, sino que querían encarnarlos, prestarles su presencia y su físico si estos personajes salían del libro y adquirían corporeidad y semblante en una película, un extraño viaje de ida y vuelta en el supuesto de que su creencia y su apropiación o identificación hubieran sido acertadas, no lo eran del todo. Y si tal encarnación se producía, entonces los Alabaster ficticios se convertirían a su vez en modelo para los Stone reales, que los estudiarían e imitarían, aunque sólo para los Stone haciendo de los Alabaster ante una cámara, o quién sabía si la cosa habría ido más lejos. Lástima que toda esa dimensión o zona de la novela, como tantas otras desde el principio y todas de hecho a la postre, no interesaran en absoluto ni a Elijah ni a la hija, que todavía no sé a estas alturas qué vieron en *Todas las almas,* para cortejarla primero y apartarse de ella como del diablo luego, en cuanto la creyeron tan sólo suya.

Me pareció que la señora Stone se entristecía como se entristecen las madres cuando sus hijos son rechazados o fracasan en algo, suelen quererlos inútilmente más por eso, hace querer la pena, no sé por qué a tantos molesta inspirarla. Tal vez su matrimonio —tal vez temprano y férreo— había abortado una vocación de actor que el marido Ralph trataba de recuperar ahora antes de la vejez o su sombra, y ella debía de ser la mayor entusiasta de cualquier proyecto relacionado con esa compensación dificultosa y tardía o quimérica, quizá sentía que le tocaba compensar a ella, muchas mujeres se sienten fácilmente en deuda, pocos hombres. Seguro que había redactado y enviado ella la carta a los Querejeta, seguro que había sido idea suya. Esa carta habría ido a la papelera al instante, con su membrete de Artistas de Muchedumbre y todo; ni siquiera fueron los cineastas sensibles a los deseos de quien había sido su fuente de inspiración confesada y, aunque sin influencia, sí conocían, o uno de ellos quiso conocer al menos. Me refiero a quien había inventado la historia y la atmósfera y los personajes.

Fue entonces cuando llegó Mercedes López-Ballesteros con su puntualidad acostumbrada, 'la nieta de Freud', ya era hora del almuerzo. No había podido rebuscar en la librería apenas, mi único botín *La historia general de los piratas,* escaso en comparación con los viejos tiempos, y ni siquiera para mi biblioteca. Mercedes venía de buen humor y muy decidida, traía paraguas porque no se fiaba del tiempo británico soleado, lo hincó con alegría en el paragüero y todos oímos cómo pinchaba el racimo allí depositado y cómo reventaban asquerosamente unas cuantas uvas blandas. No me había comido más que una, nada más comprarlas. Por suerte los Stone se lo tomaron con deportividad, no torcieron el gesto ni me lo reprocharon. No se había manchado ningún libro.

Íbamos ya a salir con el Defoe de Rodríguez Rivero envuelto en papel crudo y áspero cuando me pidieron que dedicara un ejemplar de *All Souls* a Rupert Cook, aquel otro *crowd artiste,* que se lo había prestado a ellos para leerlo, hacía ya tiempo. 'Así le compensaremos la tardanza, se lo devolveremos con un valor añadido', dijo generosamente la señora Stone tras sacarlo del cajón de su mesa. Ellos vendían a veces libros firmados o dedicados por sus autores, son los más caros y los mayores tesoros de un librero anticuario, pero una dedicatoria mía poco puede valer, soy contemporáneo y ni siquiera estoy todavía muerto. También me entregó una fotocopia con ademán dubitativo.

—Es una entrevista que nos han hecho recientemente, acaba de salir. Quizá le guste verla, contamos anécdotas. Y hablamos de usted y de su novela.

—¿De veras? —Y la cogí con curiosidad, para leerla luego. —Gracias, la leeré más tarde, seguro que va a interesarme.

Venía ilustrada por una foto de los dos, se apreciaba mal en la copia, él sonriente con un infolio a doble columna entre las manos abierto, ella más seria mirándolo de reojo o quizá observando el valioso infolio, con pendientes y un collar llamativos, tal vez se habían arreglado para la ocasión, aunque él no llevaba corbata, deportivo siempre. Era de una publicación especializada, seguramente del gremio de libreros de segunda mano, puede que no tan restringida como el Boletín de los Galdosistas cenizos pero casi. Se llamaba *Bookseller* y era del 12 de agosto de 1993, muy reciente en efecto, era curioso que tuvieran una fotocopia ya hecha cuando no podían saber que yo estaba en Oxford e iba a visitarlos: a entrar en su tienda como un autor distinguido y a salir un rato después de ella como un literal pinchaúvas, aunque fuera por persona interpuesta que no paraba de reírse de su gran hazaña. La fotocopia, así pues, no me estaba destinada en principio.

En la entrevista los Stone relataban la historia de su negocio y se repartían equitativamente la voz cantante. Habían tenido tiendas en Devon y en Shipton-under-Wychwood antes de instalarse en Oxford (ese nombre, Wychwood Forest, un lugar entre el río Windrush y el río Evenlode, 'un bosque que ya no existe, sólo sus restos, fue talado y arrasado el pasado siglo, pero es muy difícil renunciar a su nombre, dicen mucho los nombres'). Un título que no les faltaba nunca en la librería era los *Siete pilares de la sabiduría* de T E Lawrence o bien Lawrence de Arabia, en alguna edición valiosa, contaban. Al hablar de los dolores de espalda que traía consigo el oficio, por el permanente acarreo de libros, la señora Stone sugería que la PBFA (sería una Federación, aquí nadie me explicó las siglas) contratara los servicios de un 'quiropráctico': tal cual, *chiropractor,* podría haber hecho buena pareja con aquella 'cobaltoterapéutica' forjadora de la desventura eczémica del profesor Ian Michael. Pero lo más chocante para mí era otra cosa, exactamente la mención que me dedicaban al comentar sobre los clientes señalados. 'Incluso aparecemos en una novela española de Xavier Marias' (así me llamaba coherentemente Ralph Stone, sin el acento correcto del apellido pero también, más extraño, con mi original y casi olvidado nombre, yo renuncié a ese nombre pero lo recuerdo, es el mío), 'un agradable joven que estuvo en All Souls hace unos años y que venía a la tienda con regularidad. Adquirió una costumbre que tienen algunos *dons,* de no ver a las mujeres, así que él podía hacerme una pregunta, y yo podía remitirme a Gillian, quien podía suministrar la respuesta. La pregunta *suplementaria* vuelve

Gillian and Ralph Stone

the experience we gained all over the country through them. It was all a hectic programme and we didn't have a holiday for the first five years and the entire family was dressed from charity shops.

Very early on Gillian started doing catalogues. Our first catalogue was of horse books and we methodically mailed it out to every stud and every hunt secretary in the South West counties. We did not get one single order. Then she catalogued some of the books we had bought at Pulborough, including a Paris *Ulysses* and quite a lot of topography. This did much better. We did catalogues of Books on the Environment years before the subject caught on. And as a result of an American customer who farmed in North Devon we started specialising in Agriculture. David Low became friendly and was extremely helpful to us. We always did a Christmas catalogue and was extremely *Wisdom* before Christmas in Devon. Years later when we moved to Shipton-under-Wychwood we still had a lot of the horse books and they all sold within six months.

Shipton was lovely with the shop on the village green — The Old Post Bookshop — the oldest Post Office in England according to the *Guinness Book of Records*. But in 1981 we got the lease of our present shop in Oxford, and though we ran the two shops for a couple of weeks we soon realised that it was so we decided to concentrate on Turl Street. It is in such a wonderful position — just round the corner from the Bodleian and so many of the colleges.

I very much enjoy working in the shop and dealing with the customers although there are some we can happily do without. Over the years we have collected quite a few sayings (or *Bookworm Droppings*, that marvellous anthology of extraordinary remarks overhead in bookshops. The other day someone came in and asked Sheila Fairfield, our colleague in the shop, 'Can you direct me to a secondhand bookshop?'

We always try to keep certain books in stock. For example *Seven Pillars of Wisdom* is always in demand. When Gillian first started bookselling the first trade edition sold for £5 or £6 and nowadays it goes for anything between

in Japan) *The Rubaiyat of Omar Khayyam* always sells, and secondhand Galsworthy never does. Our all time best seller in the Turl is a slim pamphlet by Professor May-Harting, one of the few Penguin Specials, called *What to do in the Penwith Peninsula in less than Clement Weather*. It sells at 99p.

One thing about running a general secondhand bookshop is that you're going to make 90% of your sales from 10% of your stock and you're never quite sure which 10% it is going to be. Bankers and accountants rarely grasp the importance of 'mix'. They tend to interpret the appreciation on certain items as an indication of huge profits. Then they say, 'By God, that's a return. Can't we get in on this?' They don't realise the matrix behind all the special items. They also don't realise you can be a long time waiting for the right customer.

Far from running a narrow specialism in Oxford — there is a huge diversity of customers from dons to tourists, people from all the counties around, students who want presents (Christmas is good in Oxford), summer students, members of the conferences held in the colleges in vacations or even in term time, so we try to have something for everyone. For our younger members of the university come back for Gaucy Nights and visitors of all sorts come to Oxford and 'do' the bookshops. We even appear in a Spanish novel by Xavier Marias, a nice young man who was at All Souls a few years ago and came into the shop regularly. He picked up on something which we probably are not seeing women, so that one might ask me a question, and I might refer to Gillian who might supply the answer. The *supplementary* question then comes back to me. This may go on two or three times. The book is called *All Souls* and we feature as Mr and Mrs Alabaster.

• • •

The shop is open Monday to Saturday, but Ralph and I always try to give ourselves Monday off. In practice this doesn't work, and although we may not actually come in, I still think we work about twenty Mondays a year. There is so much to be done and we always seem to have to subsidise the actual working capital. Looking back I think we might have made a mistake in not borrowing more money when we opened at Shipton-under-Wychwood. That might have been

stock. As it is we tend to concentrate on the £50-£500 bracket for stock, though we do attend major auctions and deal in multi-figure books on commission. In the last few years we did have the pleasure of buying books for a tycoon who wanted to recreate a marvellous country house library. We bought some superb books mainly in the field of natural history. It was a very exciting time. Checking and buying so much of such quality over the period we were bound to gain greatly in knowledge and experience. So much concentrated hands-on experience certainly helped when I was writing the natural history article in the new Scolar *Antiquarian Bookseller's Guide*.

We haven't done so many catalogues in recent years as in the Devon days, but we do occasional lists. At the moment we have stock banked up waiting for time to get at the computer. I've got the books last one was very successful. And an agriculture catalogue, one of books on, by or about women, and I want to do one on the history of environmental thought. Nowadays the best books tend to go very quickly in the shop, so catalogues are secondary to shop trade. We also do quite a lot of buying in the shop. In general there's a lot of competition for buying in Oxford. Academic libraries do come up, but we haven't really got into the habit of don-watching. Anyway there's a lot of playing one bookseller against another. In some ways I prefer to buy at fairs or from other booksellers and at auction. In theory we are both approaching it differently but we expect we will get it sorted, but I expect we shall — working till we drop. One thing I have said to Ralph, let's put by *small* books. They'll be easier to handle in our old age! Over the years Ralph, and to some extent, I, must have shifted many many tons of books.

Actually I hurt my back playing rugger and I've often thought it wouldn't be a bad idea for the PBFA to engage a resident chiropractor. But that would be against the private health and many members would be absolutely against that. There was a terrible outcry some years ago when we suggested a group subscription to BUPA. I suppose you have to remember that the PBFA is an incredible amalgam of all points of view. Basically you've got 600 mavericks —

entonces a mí. Esto puede ocurrir dos o tres veces seguidas. El libro se titula *All Souls* y figuramos como el señor y la señora Alabaster'.

El párrafo es algo confuso y en inglés no resulta mucho más claro, sobre todo para quien ignore a qué hace referencia y yo al principio lo ignoraba. ¿Qué demonios están diciendo?, me pregunté al leerlo mientras Mercedes L-B continuaba riendo y miraba satisfecha la punta vitícola de su paraguas. ¿Cómo 'la costumbre de no ver a las mujeres'? Es casi lo único que realmente he visto y aún veo siempre, tanto en las calles como en los interiores, y además sé si las admiro o no a la primera ojeada: no entendía una palabra. Lo leí y lo releí en el restaurante, se lo enseñé a Mercedes a ver si ella comprendía mejor y dejaba de ufanarse, negó con la cabeza; hasta que caí en la cuenta. Al hacer la descripción de los Alabaster el narrador de la novela decía: 'Pero a pesar de que él estaba también allí invariablemente, no recuerdo que contestara una sola vez a mis preguntas ni a mis consultas. Sonreía y daba los buenos días como un hombre enérgico y espiritoso (toda su actitud era intrépida), pero delegaba cualquier asunto o respuesta, por nimios que fueran, en el mayor saber y autoridad de su esposa. Se volvía hacia ella y repetía con vivacidad —apropiándosela, como si él fuera el interesado en saber— la pregunta que se le acababa de hacer, exacta ("¿Nos ha llegado algo de Vernon Lee, querida?"), limitándose a añadir al final la palabra *darling*'. Y un poco más adelante el narrador insistía: 'La alegría y mundanidad con que el señor Alabaster saludaba a cualquier cliente que entrase indicaba que, en su pasividad subalterna, la mera aparición de alguien por la puerta de la tienda debía de ser el acontecimiento del día, y su efusivo saludo a ese alguien el momento más glorioso y sociable de su jornada. Porque lo cierto es que luego, como ya he dicho, era incapaz de contestar a una sencilla pregunta o de señalar con el dedo ("¿Tenemos una sección de viajes, querida?") el estante adecuado para lo que el comprador buscara'.

Todo esto, era evidente, al señor Stone no le había hecho demasiada gracia —no era muy halagador, lo admito, eso de la 'pasividad subalterna'—, aunque me lo había hecho saber de la manera más delicada y discreta, entregándome a través de su mujer —por cierto— la fotocopia en la que se defendía o más bien defendía a Alabaster, de quien ya era seguro que se había adueñado o a quien había prohijado. Lo extraordinario de la situación era que en aquella entrevista los Stone discutían indirectamente con una novela, o bien le rebatían a un narrador ficticio lo que éste había observado sobre unos libreros asimismo ficticios, por mucho que hubieran tomado en préstamo algunos detalles o rasgos del matrimonio Stone de la realidad. Y para desmentir que él, Stone, no contestara jamás las preguntas y se las transmitiese a su esposa enteras nada más recibirlas —pero yo lo había dicho del señor Alabaster—, no habían encontrado mejor explicación que atribuirme a mí —no al narrador sin nombre, sino a Xavier Marias con nombre— la adquisición de un extravagante y vicioso hábito de los *dons* de Oxford del que nunca tuve noticia, consistente en no ver a las mujeres, no registrarlas, borrarlas, pasar la vista por encima de ellas como si fueran invisibles o no existieran; lo cual me habría llevado —y a mi narrador por tanto— a dirigirme a Stone invariablemente y es de suponer que a Alabaster, dos o tres veces seguidas en cada ocasión y en numerosas ocasiones, pese a saber de sobra que la señora Stone y es de suponer que la señora Alabaster —a las que por lo demás no veía, para mí transparentes— eran quienes podían 'suministrar' las respuestas. Tal vez eso explicaba que en mi visita con uva el marido Ralph, sobre todo al principio, hubiera procurado adelantarse a la mujer Gillian a la hora de responder o informar, para que yo comprobara con mis propios ojos y oídos que él era capaz de suministrar cualquier dato, solicitado o no, sin tener que consultar antes con ella. La idea me parecía tan atractiva que lamenté que no fuera cierta: yo habría entrado regularmente en la tienda, según todo eso, sin ver jamás a la señora Stone a causa de mi dichosa costumbre contagiada por los *dons* tan misóginos y crueles, mis colegas; le habría preguntado por tanto al señor Stone —a quién si no— si habían recibido algo de Vernon Lee, por ejemplo; y entonces el señor Stone se habría vuelto hacia nadie, como un loco, y le habría preguntado a su vez a ese nadie: '¿Nos ha llegado algo de Vernon Lee, querida?'; ante esta excéntrica actitud —según mi punto de vista que sólo veía aire— yo no habría pestañeado, como otro loco, ni habría inquirido respecto a su interlocutora etérea; me habría limitado a esperar los segundos de rigor y, tras no oír respuesta alguna puesto que a nadie veía que pudiera suministrarla, habría escuchado muy flemático y con gran naturalidad, y además regularmente, la contestación final del señor Stone tras su consulta a quien para mí, a lo sumo y con suerte, habría sido un fantasma que sólo a él se aparecía: 'No, no nos ha llegado nada de Vernon Lee últimamente, Mr Márias'.

Por lo demás, y en contra de su creencia expresada sin vacilaciones en la entrevista, no sólo yo no había estado adscrito a All Souls durante mis años de Oxford, sino que por entonces jamás había pisado tan estricto y exclusivo *college,* ni lo pisé, de hecho, hasta el pasado verano del 96, invitado por la amable musicóloga Meg Bent a raíz de su lectura de mi novela. Imagino que el título se había anticipado o impuesto a su conocimiento, me refiero al del señor y la señora Stone. Pero al menos habían dicho que yo era un joven agradable, y eso es muy de agradecer, aunque sea retrospectivamente. Al pasar por delante de la librería aquel día más tarde y verlos a través de los escaparates en sus habituales puestos de escalera y mesa, los saludé con la mano sin detenerme y deseé que ni el señor ni la señora Stone corrieran jamás el riesgo de tener que consultarle al fantasma o al aire en el silencio de su tienda de la realidad; esto es, deseé que cuando le toque morir a uno, los dos se mueran juntos.

Y es muy de agradecer, aunque sea retrospectivamente. Eso he dicho sin mucha intención al decirlo, es ahora cuando reparo en ello. Aún puedo ser agradable (sé que puedo serlo pero no siempre quiero, y nunca quiero serlo con la mucha gente de mi país que es desagradable y venenosa y malpensada siempre: demasiados calumniadores durante demasiado tiempo en este territorio de saña que la muerte atraviesa con herrumbrosas lenguas haciendo brotar las sombras más sombrías sin apenas tregua); pero ya no soy joven y quizá no lo era tampoco entonces, en aquellos viejos tiempos en que tenía ya treinta y dos y treinta y tres años, lejanos los veintiuno de la mayoría de edad que me tocó en mi época en suerte y pasados los veintisiete tan decisivos que Joseph Conrad definió como 'la línea de sombra' (pero quizá eran decisivos tan sólo en su época); también dejados atrás los treinta y ya alcanzada cuando me marché a Oxford la edad simbólica más allá de la cual, por ejemplo, morir joven es casi imposible desde el punto de vista clásico, desde el moderno se es más complaciente, se muere joven a los sesenta y cinco, y se dice: 'Cuánto le quedaba por hacer todavía', como si el hacer fuera lo que justifica las existencias o lo que se echa en falta del muerto y no su presencia y sus gestos y su relato desinteresado o aún más su escucha y atención a los nuestros. Se hacen viejos los tiempos demasiado fácilmente y se los descarta, y los que los preceden se vuelven entonces antediluvianos, y sin embargo se fueron solapando todos de manera engañosa, pensamos a veces que no hay fronteras ni paradas súbitas ni brutales cortes, que los finales y los principios no están nunca trazados con la raya divisoria que en cambio otras veces creemos ver retrospectivamente, y esa creencia es también engañosa porque no hay lo uno ni lo otro apenas o como enorme excepción tan sólo, no el tajo certero y limpio —siempre saltan astillas— ni la yuxtaposición o magma de los días confusos e indistinguibles —siempre hay olvidos y periodos borrados y yo los conozco, que ayudan a ver los ilusorios límites—. Todo es más misterioso, es más bien una prolongación artificial, atenuadora e inerte de lo que ya ha cesado y una resistencia protocolaria a ceder el paso o a señalar el inicio de lo que llega, como esas farolas que permanecen encendidas todavía un rato cuando ya ha amanecido en las grandes ciudades y en las aldeas y en las estaciones de trenes y en los apeaderos vacíos, y aún se mantienen parpadeantes y erguidas ante la luz natural que avanza y las convierte en superfluas. En esa hora a la que sólo asisten los muy madrugadores o los muy noctámbulos o los muy insomnes se produce durante breves momentos la manifestación visible —esto es, la metáfora— de cómo se conduce y en qué consiste el respetuoso tiempo, en él hay siempre civilidad y cortesía y hasta fingimiento, se ve qué es a esa hora, más se ve que en el gastado crepúsculo. Esas luces eléctricas fingen que todavía es de noche y que su concurso es aún necesario, hacen como que no se enteran del término de su reinado, y a su vez la luz diurna finge no verlas y las tolera, sabedora de que esas lumbres palidecientes no son ya una amenaza, y hasta parece frenarse un poco en su propio despliegue como si les concediera un tiempo para acostumbrarse a su inutilidad llegada y a la idea de su acabamiento ('Apaga la luz, y luego apaga la luz', dos veces hubo de decírselo Otelo para asimilarlo, aunque ya estuviera decidido a hacerlo), y así no las obligara a huir nada más asomar ella blanca por el horizonte, sino tan sólo a retirarse sin derrota y en orden, como los ejércitos antiguos consentían en detener el combate y hacer un alto para que el enemigo recogiera y recontara a sus muertos y pudiera así acostumbrarse a la extraña idea de su acabamiento.

Yo las veo a veces desde mi casa, aquí son faroles que cuelgan del edificio noble que tengo enfrente, con su tejado de pizarra por el que este invierno resbaló la nieve más rápidamente que por las tejas vecinas, donde cuajaba pronto, y en cambio la pizarra la hacía insistir y esforzarse, resbalaba la nieve y caía hecha agua sobre la plaza —más blanca que la piel la nieve—, hasta que logró asentarse. Yo las veo y los veo a veces desde mis balcones en mañanas de insomnio o de despertar traicionero o de arriesgada y vencida farra, faroles

decimonónicos enclavados en el muro con sus bom-
billas ya inútiles, pasan junto a ellos hombres y
mujeres con apresurados tacones que dejaron hace
rato sus camas y tal vez han viajado en trenes desde
las afueras hasta mi centro, y en esas luces prendidas ven todavía la reminiscencia de las sábanas o
quizá del cuerpo que abandonaron sin ganas, el recordatorio de que para muchos otros sigue siendo
de noche aunque ya ha amanecido y la luz se ex-
pande, mientras ellos caminan o esperan un autobús levantando un pie y luego otro sobre el mismo
punto como si fueran zancudas cansadas —en sus
ojos aún pintada la noche oscura—, pensando a
medias en lo que dejaron atrás en casa y en lo que
los aguarda en la inacabable jornada, y entonces
no será ya la casa la misma casa, cuando la jornada
acabe y regresen a ella y quizá el cuerpo querido
del que se desprendieron los habrá traicionado.
Mira la mujer los faroles y se acuerda del hombre
cuyo olor aún lleva y que quedó en su cama, egoís-
ta y dormido. Es una mujer arreglada que está a
punto de dejar de ser joven, lo sigue siendo con
un poco de esfuerzo y esmero en las ocasiones se-
ñaladas, lo fue anoche seguro, con su escote que se
guardó la tiniebla y ya olvidado esta mañana, un
espectro, el vestido sobre una silla arrugado, ahora
viste sobriamente y va bien tapada, no volverá a
ver al joven que le arrancó ese vestido sin ningún
cuidado más por ser joven que por desear quitár-
selo, se irá cuando se despierte sin dejar una nota
y hasta es posible que le robe algo, cuenta con
ello, no importa, quedará su olor ácido entre las

sábanas, el autobús no llega. Mira el hombre los faroles y piensa en la mujer que se levanta más tarde y siguió soñando o fingiéndolo impacientada mientras él se preparaba para salir al mundo y se preparaba el café en medio del amanecer oscuro, ella en él no estará pensando. Es un hombre aseado de mediana edad con grandes entradas, en su mano no está retenerla o sólo a través de la economía o de su mano llena y el dinero es conmutable, sustituible, lo tienen muchos, no es sólo él quien lo tiene y le cuesta ganarlo con su cartera a cuestas temprano y tarde, nada posee que nadie más tenga y ella puede encontrar otro sustento futuro durante el día, los días, los demasiados días para ir llamando con pretexto a otras puertas, y el misterio de este hoy de ella que aún no ha empezado lo esperará a su regreso, añadido y ajeno, demasiados ayeres desconocidos sumados y ningún mañana, el autobús no llega y ambos, mujer y hombre que no se ven ni conocen, miran las incongruentes luces todavía encendidas bajo el sol que avanza y las hace patéticas e insignificantes, y sin embargo son el testimonio respetuoso y benigno de que existió lo que ya ha cesado: hasta que la soñolienta mano de algún funcionario repara en el despilfarro y apaga la luz, y luego la apaga.

No disfrutan de ese testimonio todas las cosas ni las personas que cesan, aunque sí la mayoría, en realidad son muy pocas las que no reciben ninguna advertencia ni tienen la menor oportunidad de presentirlo o pensarlo: no están entre ellas las personas que montan en coches o barcos o aviones, pues aunque no paren en ello saben que se están arriesgando, ni los soldados ni los médicos ni los albañiles ni los políticos ni los que viven solos, casi todo el mundo cuenta más o menos con su cesación posible cuando está a punto de producirse, son raros los casos en que el tiempo no actúa civilizadamente y ejecuta limpiamente su tajo sin astillas ni previo aviso. Pero los hay, y algunos enumeré al comienzo de otra novela, *Mañana en la batalla piensa en mí,* al hablar de las muertes ridículas. Al mencionar una de ellas pensaba en alguien real que existió; otra de la que supe a raíz de *Todas las almas* y de John Gawsworth me abstuve en cambio de mencionarla porque en una novela ficticia habría parecido demasiado improbable y rebuscada aun como ejemplo, todavía más que la del escritor austriaco de origen húngaro Ödön von Horváth, a quien sí aludí ('un rayo que parte un árbol en una gran avenida y ese árbol que al caer aplasta o siega la cabeza de un transeúnte, quizá un extranjero') y al que aplastó un árbol arrancado de cuajo por una tormenta en los Campos Elíseos de París frente al Teatro Marigny, mientras esperaba a su amigo el cineasta alemán Robert Siodmak con quien planeaba escapar a los Estados Unidos tras haber huido ambos de la Alemania nazi. Su luz se apagó de golpe en el sitio menos pensado —sin luego y sin testimonio— el 1 de enero de 1938, Horváth sólo tenía treinta y seis años; era un extranjero, no estaba en su tierra, no tuvo aviso, y debió de llorarlo doble y supersticiosamente su novia, una actriz alemana cuyo padre había muerto en las mismas excepcionales circunstancias —abatido por otro árbol que eligió otro rayo— y que perteneció a la familia de Mercedes López-Ballesteros, no en balde es 'la nieta de Freud' ella misma. No fue sin embargo mi amiga pinchaúvas quien me contó el episodio de la muerte de Horváth, que yo conocía desde mucho antes de conocerla a ella, sí en cambio me habló de la desdichada novia que vio repetirse una historia improbable en una sola vida, la suya. De él sólo tengo un libro, una obra de teatro, *Don Juan vuelve de la guerra*. Robert Siodmak, a quien podía haber caído ese árbol de haber sido puntual (o quizá ya habrían estado los dos sentados en sus butacas y no habría caído sobre Horváth tampoco), sí volvió a América, de donde había salido con el crack del 29, y allí dirigió unas cuantas películas hasta que hubo de salir de nuevo en los años cincuenta, hostigado por el Comité de Actividades Antinorteamericanas del antiartístico senador Joseph McCarthy. Entre esas películas está la titulada *The Killers* y en España *Forajidos,* inspirada en el célebre cuento de Hemingway del que también han salido otras cintas posteriores de Siegel y de Tarantino y que trata, precisa y contrariamente, de un hombre no sólo avisado de su asesinato inminente o futuro único, sino que aguarda la hora sin querer huir más ni ponerle remedio, recordando sobre el camastro de un hotel de carretera. A Siodmak le estoy especialmente agradecido por *El temible burlón* o *The Crimson Pirate,* que nada tenía que ver con la *Historia general de los piratas* de Defoe y que vi con gran regocijo innumerables veces durante mi infancia, así que por egoísmo retrospectivo me alegro de que no segara su cabeza aquel árbol parisiense señalado por la tormenta el día de Año Nuevo de 1938.

Más misteriosa y con todavía menos testimonio y aviso que la de Ödön von Horváth fue la muerte del escritor inglés Wilfrid Ewart quince años y un día antes, la noche de Año Viejo de 1922, 'en la sofocante oscuridad de la ciudad de México', cuando él contaba tan sólo treinta. Pero antes de hablar de Ewart quizá va siendo hora y es conveniente que hable de quien me llevó hasta él con su cita anterior y con otras, y lo mejor es que reproduzca aquí lo que sabía de John Gawsworth cuando escribí *Todas las almas,* aunque sean unas cuantas páginas. Ahora que sé tanto más y que vive en mí un poco, y que habita su fantasma en mi casa y que conozco su letra o su voz que habla, no sería capaz de contarlo de la misma manera, y la manera de entonces es la que contaba entonces, y sólo esa. Quienes ya hayan leído esas páginas en aquella novela podrán saltárselas —creo— sin sentirse estafados (siempre gusta saltarse páginas y casi nunca es posible), y quienes no las conozcan podrán leerlas ahora sin tener que desembolsar un céntimo más para hacerse con ellas, aunque seguramente la reproducción no va a ser íntegra y puede que incluya acotaciones o comentarios intercalados, de forma que no sé si a la postre harán bien en saltársela quienes ya se dispusieran alegre y frívolamente a ello. Claro que también podrían saltarse todas las páginas, estas, sin muy graves consecuencias. Dijo el narrador sin nombre de aquella novela:

'Desde la primera visita de Alan Marriott, un año antes o más, yo había incluido entre los raros autores de los que buscaba libros a aquel John Gawsworth, desconocido para mí hasta entonces, cuyo nombre él había mencionado y apuntado antes de despedirse y para quien Machen había redactado un prólogo. Sus cosas, como había dicho el propio Alan Marriott, eran muy difíciles de encontrar.' Debo señalar aquí que esta parte de la novela es la que más coincide con mi realidad y aun la única, y que en ella yo presté experiencias y voz al caballero español narrador, esto es, casi todo lo que éste dice y relata puedo suscribirlo yo. Machen es el famoso autor de cuentos y novelas de miedo Arthur Machen, galés como Ian Michael, y que tanto gustaba a Borges. En lo que se refiere a Alan Marriott, nunca existió tal como se lo describe, pero quien me habló de Gawsworth por primera vez fue Roger Dobson, o Roger Alan Dobson, según me dijo que era su nombre completo después de leer el libro. También reparó —un hombre atento a las coincidencias, yo no me había fijado— en que las iniciales de Alan Marriott eran las mismas que las de su idolatrado Arthur Machen. Y seguía el narrador: 'De su escasa obra nada está editado en Inglaterra en la actualidad, pero poco a poco, con paciencia y fortuna y la progresiva agudización de mi ojo cazador, fui hallando algún que otro opúsculo suyo en mis librerías de viejo de Oxford y Londres, hasta dar al cabo de unos meses con un ejemplar de su libro *Backwaters,* de 1932, firmado además por el propio escritor: *John Gawsworth, written aged 19 1/2,* decía a pluma nada más abrirlo; o bien: "John Gawsworth, escrito a la edad de 19 años y medio". También había una enmienda de su puño y letra en la primera página de texto (había añadido, después del nombre *Frankenstein,* la palabra *monster,* a fin de dejar bien claro que se refería a la criatura y no al creador). Fue justamente la sensación de vértigo temporal o de tiempo negado que produce tener en las manos objetos que no silencian enteramente su pasado lo que avivó mi curiosidad, y a partir de aquel momento inicié una labor de investigación que resultó más bien infructuosa durante muchos meses, tan huidiza y desconocida era entonces y es hoy la figura de Terence Ian Fytton Armstrong, el verdadero nombre de quien acostumbró a firmar Gawsworth.' Dentro de poco no será tan esquiva, ya que el *Dictionary of National Biography* acaba de encargar el artículo correspondiente al poeta y rey de Redonda a su reacio sucesor y albacea literario Jon Wynne-Tyson, o King Juan II, ambos títulos van siempre unidos en esta leyenda.

'Sin embargo', continuaba el texto, 'y a pesar de que sus escritos no pasaban de decorosos o raros y hacían bastante explicable su absoluto olvido y su falta de reedición, a medida que iba averiguando datos dispersos (no existía ningún libro ni, al parecer, artículo sobre Gawsworth, y apenas si venía mencionado en los más voluminosos y exhaustivos diccionarios y enciclopedias de literatura), mi interés iba creciendo, no tanto por la regular obra cuanto por el irregular personaje. Descubrí primero las fechas de su nacimiento y muerte, 1912 y 1970, y luego, en una página de muda bibliografía, que varios de sus textos habían sido publicados (a veces con otros pseudónimos, a cual más absurdo) en lugares tan extravagantes e improbables para un autor londinense como Túnez, El Cairo, Sétif (Argelia), Calcuta y Vasto (Italia). Su obra poética, reunida entre 1943 y 1945 en seis volúmenes —la mayoría de estampa india—, ofrece la particularidad de que el cuarto tomo, según parece, no se publicó jamás pese a tener hasta título *(Farewell to Youth* o *Adiós a la juventud)*. Simplemente no existe. Su obra en prosa —breves ensayos literarios y cuentos de horror principalmente— se encuentra desperdigada en extrañas y oscuras antologías de los años treinta o vio la luz —es un decir— en ediciones privadas o limitadas.

Y no obstante Gawsworth había sido toda una personalidad y una promesa literaria en esos mismos años treinta. Impulsor infatigable de movimientos poéticos neoisabelinos reaccionarios a Eliot y Auden y demás renovadores, tuvo, cuando aún era poco más que un adolescente, trato y amistad con muchos de los escritores más relevantes de la década; se ocupó de la obra del célebre vanguardista y pintor Wyndham Lewis y de la del celebérrimo T E Lawrence o Lawrence de Arabia; recibió distinciones literarias y en su día fue el miembro electo más joven de la Royal Society of Literature; conoció al viejo Yeats y al moribundo Hardy; fue protegido y luego protector de Machen, del famoso psicólogo del sexo Havelock Ellis, de los tres hermanos Powys, del entonces (y ahora de nuevo, algo) conocido novelista y cuentista M P Shiel. Poco más pude averiguar, hasta que finalmente, en un diccionario especializado en literatura de horror y fantástica, hallé algo más. En 1947, a la muerte de su maestro Shiel, Gawsworth fue nombrado no sólo su albacea literario, sino asimismo heredero del reino de Redonda, minúscula isla antillana de la que el propio Shiel (nativo de la vecina y mucho mayor Montserrat) había sido coronado rey a la edad de quince años, en 1880 y en una festiva ceremonia naval, por expreso deseo del anterior monarca, su padre, un predicador local metodista que además era naviero y que había comprado la isla años atrás: si bien no se sabe exactamente a quién, dado que los únicos habitantes eran, a la sazón, los alcatraces que la poblaban y una decena de hombres que se dedicaban a recoger los excrementos de las aves para hacer guano.' Me temo que en la actualidad sólo quedan los alcatraces; y he sabido luego que el viejo Shiel o Shiell, el predicador y naviero, no fue monarca como dije entonces: se limitó a hacer coronar a su primer varón nacido. 'Gawsworth no pudo nunca tomar posesión de su reino, pues el gobierno británico —con cuya Oficina Colonial pleitearon incansablemente tanto los dos Shiel como él—, atraído por el fosfato de alúmina que producía la isla, había decidido anexionarse su territorio en prevención de que los Estados Unidos hicieran lo propio. A pesar de ello, Gawsworth firmó algunos de sus escritos como Juan I, King of Redonda (rey en el exilio, es de suponer), y otorgó títulos ducales o nombró almirantes a varios escritores admirados o amigos, entre ellos el maestro Machen (a quien más bien se lo confirmó), Dylan Thomas (Duke of Gweno), Henry Miller (Duke of Thuana), Rebecca West y Lawrence Durrell (Duke of Cervantes Pequeña). La nota de ese diccionario, tras *no* explicar cuanto acabo de contar y descubrí algo después, terminaba así: "Pese a su amplio círculo de amistades, Gawsworth se convirtió en una especie de anacronismo. Pasó sus últimos años en Italia, volviendo a Londres para vivir de la caridad, durmiendo en los bancos de los parques y muriendo, olvidado y sin un penique, en un hospital."' También he sabido luego que entre los pares se encontraban algunos novelistas policiacos como Dorothy L Sayers, Julian Symons y 'Ellery Queen', algunos editores como Gollancz, Knopf y Secker, y quizá algunos *artistes* como Dirk Bogarde y la exuberante y platínica Diana Dors.

'Que el hombre laureado que pudo ser rey y que con indudable entusiasmo y orgullo juvenil firmó un día de 1932 el ejemplar de *Backwaters* que obra en mi poder terminara de ese modo no pudo por menos de impresionarme —aún más que las historias del violín Mollineux y del teólogo papal Mew—, aunque tantos otros escritores y hombres mejores que él hayan corrido parecida suerte.' Ese violín y ese teólogo habían acabado como mendigos contra toda previsión, y en Oxford se ven muchísimos, la ciudad está llena, dan que pensar y hacen temer, por uno mismo también. 'No podía dejar de preguntarme qué le habría sucedido *en medio,* entre su precoz y frenética iniciación literaria y social y aquel final anacrónico y harapiento; qué le habría sucedido —tal vez— *durante* aquellas estancias o viajes suyos por medio mundo, siempre publicando, siempre escribiendo, donde quiera que se encontrara. ¿Por qué Túnez, El Cairo, Argelia, Calcuta, Italia? ¿Sólo por la guerra? ¿Sólo por alguna oscura y nunca registrada actividad diplomática? ¿Y por qué no había vuelto a publicar después de 1954 —dieciséis años antes de su patética muerte— quien lo había logrado en lugares y en fechas en los que debía de ser heroico o suicida conseguir una imprenta? ¿Qué había sido de las —al menos— dos mujeres con las que estuvo casado? ¿Por qué, a los cincuenta y ocho años, aquel desenlace de viejo inútil, aquella muerte de mendigo oxoniense?

El matrimonio Alabaster, con su inconmensurable pero precavida sapiencia, no había podido ayudarme apenas a hallar textos suyos ni sabía más de él, pero sí sabía de la existencia de un individuo en Nashville (Tennessee) que, a miles de kilómetros de distancia, poseía sobre Gawsworth casi toda la información del mundo. Este individuo, al que tardé en escribir por un extraño temor injustificable, me remitió (cuando por fin lo hice) a un breve texto de Lawrence Durrell sobre quien resultó haber sido su iniciador literario y gran amigo de juventud, y también me dio algunos datos complementarios: las esposas de Gawsworth fueron tres, dos de las cuales, al menos, habían ya muerto; su problema fue el alcohol; su afición —leí con aprensión y un reflejo de horror— la búsqueda y el coleccionismo malsano de libros. *Malsano,* así lo calificaba sin titubeos el individuo de Nashville.' Este hombre se llama Steve Eng y en la primavera de 1988 publicó un artículo titulado 'A Profile of John Gawsworth' o 'Un perfil de John Gawsworth' en una revista recóndita de tirada mínima. Aunque yo no terminé *Todas las almas* hasta diciembre del mismo año, sólo mucho después logré conocer esa pieza. Y sigue diciendo el narrador:

'El texto de Durrell presenta a Gawsworth o Armstrong como a un experto y dotadísimo cazador de joyas inencontrables, con magnífica vista bibliófila y mejor memoria bibliográfica, que en sus años de principiante solía estrenar el día comprando por tres peniques alguna edición rara y cara

JOHN GAWSWORTH AND ARTHUR MACHEN (CENTRE)
BY FREDERICK CARTER

que su pupila sabía discernir y reconocer entre la morralla de los cajones de saldos expuestos en plena Charing Cross Road, para venderla inmediatamente por varias libras, a unos pocos metros de donde la había hallado, a Rota de Covent Garden o a algún otro librero superferolítico de Cecil Court. Además de sus exquisitos volúmenes (muchos los guardaba, como tesoros), poseía manuscritos y cartas autógrafas de autores admirados o renombrados y toda clase de objetos que habían pertenecido a personajes ilustres, adquiridos con no se sabía qué dinero en las subastas que frecuentaba: un bonete de Dickens, una pluma de Thackeray, un anillo de Lady Hamilton, luego las cenizas del propio Shiel. Gran parte de sus energías las gastaba en intentar obtener de la Royal Society of Literature y otras instituciones, a cuyos miembros más provectos martirizaba con sus insistencias y engorrosas comparaciones literarias y monetarias, pensiones y ayudas para viejos escritores con escasa solvencia o simplemente arruinados tras el fin del éxito: los maestros Machen y Shiel fueron dos de sus beneficiarios. Pero también cuenta Durrell que la última vez que lo había visto, unos seis años antes (el texto es de 1962, cuando Gawsworth aún vivía y era un hombre de cincuenta, luego lo había visto con cuarenta y cuatro; pero curiosamente Durrell, de su misma edad, habla de él como se habla de los que ya se han ido o se están marchando), había sido por Shaftesbury Avenue, empujando un cochecito de niño. Un cochecito victoriano de enorme tamaño, señala Durrell. Al verlo pensó que aquel excéntrico bohemio, el *Escritor de Verdad* que, recién llegado él de Bournemouth, lo deslumbró con sus conocimientos y le mostró el Londres literario y nocturno, había sido centrado y cargado al fin por la vida (que la vida se había puesto al día también con él, dice Durrell literalmente) y tenía hijos, tal vez tres pares de mellizos a juzgar por el descomunal vehículo. Pero al acercarse a mirar al pequeño Gawsworth o pequeño Armstrong o príncipe de Redonda que esperaba encontrar bajo la capota, descubrió con alivio que el único contenido del cochecito era un montón de cascos vacíos de cerveza que Gawsworth se encaminaba a devolver, cobrar y sustituir por otros tantos intactos. El Duque de Cervantes Pequeña (ese era su título) acompañó a su rey exiliado que nunca conoció su reino, le vio llenar el coche de botellas nuevas y, tras beberse una con él a la memoria de Browne o Marlowe o algún otro clásico de quien aquel día se cumplía el aniversario, lo vio desaparecer empujando su cochecito alcohólico con paso tranquilo hacia la oscuridad, quizá del mismo modo que yo empujo ahora a veces el mío cuando cae la tarde sobre el Retiro, sólo que yo llevo dentro a mi niño —este niño nuevo— que aún no conozco bien y que ha de sobrevivirnos.' No hace falta recordar que este último comentario del narrador yo no puedo suscribirlo. La pieza de Durrell se titula 'Some Notes on My Friend John Gawsworth' o 'Algunas notas sobre mi amigo John Gawsworth' y se publicó en 1969 formando parte del libro de 'textos mediterráneos' de Du-

rrell *Spirit of Place* o *Espíritu del lugar;* había sido
escrita como contribución a un volumen de homenaje a Gawsworth en su quincuagésimo cum-
pleaños, pero ese volumen de celebración tan concreta y sujeta a una fecha aún no había visto la luz
en 1969, esto es, cuando el agasajado ya había
cumplido los cincuenta y siete, un año antes de su
muerte. Un proyecto más frustrado, el amigo sin
agasajo. A los cuarenta y cuatro, cuando se produjo el encuentro descrito de Shaftesbury Avenue,
Gawsworth llevaría ya uno casado con su tercera
y última mujer, Doreen Emily Ada Downie, conocida como 'Anna', la viuda que le llevaba cuatro
y que ya tenía una hija crecida llamada Josephine y
que fue abuela de la inglesa rubia de nombre Maria que me entregó hace poco las copias de los cer-
tificados de matrimonio y defunción de Terence Ian
Fytton Armstrong, en estos asuntos no valen pseudónimos. Lo que viene a continuación en *Todas las
almas* es un comentario sobre las dos fotos que incluí aquí antes y que en la novela aparecían entre
estas páginas que reproduzco ahora:

    'Con posterioridad he visto una foto de
Gawsworth que más o menos —en lo que puede
apreciarse— coincide con la descripción física que
de él hace el propio Durrell en su texto: "... de mediana estatura y algo pálido y delgado; tenía la
nariz partida, lo cual confería a su rostro un toque
de villonesca astucia. Sus ojos eran castaños y brillantes, y su sentido del humor no se sentía daña-
do por sus privaciones literarias." En esa única foto que he visto lleva el uniforme de la RAF y tiene

en los labios un cigarrillo aún encendido. El cuello de la camisa le viene un poco holgado y el nudo de su corbata parece demasiado estrecho, aunque aquella fuera una época de nudos estrechos en las corbatas. Está condecorado. Tiene la frente surcada, nítida y horizontalmente, y, más que ojeras, pequeños pliegues bajo los ojos, que miran con una mezcla de picardía o divertimiento y ensoñación o nostalgia. Es un rostro generoso. La mirada es limpia. La oreja es llamativa. Podría estar escuchando. Seguramente está en El Cairo, sin duda en Oriente Medio, o acaso no, sino en el Norte de África, en la Berbería francesa, y es 1941 o 42 o 43, quizá no mucho antes de ser trasladado del Escuadrón Spitfire a la Desert Air Force del VIII Ejército. Ese cigarrillo no duraría. Tendrá unos treinta años, aunque aparenta más, algo más. Como *sé* que ha muerto, veo en la foto la cara de un hombre muerto. Me recuerda un poco a Cromer-Blake, aunque el pelo de éste era blanco prematuramente, y el bigote que se dejaba crecer durante unas semanas para afeitárselo luego y no llevarlo durante otras tantas era asimismo canoso o al menos con hebras de plata, mientras que los de Gawsworth (el bigote y el pelo) son oscuros. La ironía de la mirada es muy parecida, pero la de Gawsworth es más afable, no hay en ella ningún rastro de sarcasmo ni cólera, ni su anuncio, ni su posibilidad siquiera. El uniforme no está bien planchado.' Ahora que soy yo quien habla y no el narrador, puedo decir que a quien me recuerda un poco es a Juan Benet y otro poco a Eduardo Mendoza, por no salirnos de escritores, aunque el primero podía ser colérico y sarcástico además de muy afable y el segundo en cambio parece tan sólo afable y algo irónico. A quienes no me recuerda en absoluto es a Eric Southworth ni a Philip Lloyd-Bostock, los supuestos modelos reales, vivo y muerto, de Cromer-Blake.

'También he visto una foto de su máscara mortuoria. Acababa de renunciar a la edad o al transcurso cuando se la hicieron, pero justo antes había sido un hombre de cincuenta y ocho años. La máscara se la hizo Hugh Olaff de Wet el 23 de septiembre de 1970, el mismo día o el siguiente al de su muerte en Londres, en el distrito de Kensington, donde había nacido. Su antiguo amigo de El Cairo Sir John Waller la donó a la Poetry Society, pero estas atenciones prestadas debieron de ser ya póstumas o llegaron demasiado tarde. El que fue John Gawsworth y Terence Ian Fytton Armstrong y Orpheus Scrannel y Juan I, King of Redonda, y también a veces Fytton Armstrong a secas o J G o aun G simplemente, tiene ahora los ojos cerrados y sin mirada de ninguna clase. Los pliegues son ya ojeras seguras, las arrugas de la frente son confusas (abombado el cráneo) y parece que tuviera más pestañas, quizá sólo por efecto de esos párpados sellados. El pelo se le ve blanco —pero puede ser porque todo es yeso— y su arranque le ha retrocedido un poco desde los años cuarenta o límite de su juventud, desde la guerra contra el Afrika Korps. El bigote parece más poblado pero más fláccido, es un bigote que pincha y a la vez lacio, de militar retirado cansado ya de estirárselo. La nariz ha crecido y se ha ensanchado, las mejillas están muy reblandecidas, el rostro entero está hinchado, como con falsa gordura y abatimiento. Tiene papada. No cabe duda de que está muerto.' Ahora sospecho que lo afeitaron en el hospital o ya cadáver, porque he visto una foto de sus últimos tiempos en la que luce una fea, larga y deshilachada barba propia de lo que era entonces, un mendigo. También sé que el nombre correcto del autor de la máscara, de quien sólo conocía eso cuando escribí estas páginas, era Hugh Oloff de Wet; sé también que este hombre estuvo en Madrid el año en que nací yo en Madrid y que mucho antes había estado a punto de morir fusilado en Valencia y luego en Berlín una segunda vez. También que en España había perdido un ojo (o eso decía) y había matado, como en otros lugares, antes y después de España. Y el caballero narrador continuaba así:

'Pero con ese rostro postrero debió vagar por las calles de Londres, con un abrigo o una chaqueta de las que siempre saben procurarse los pordioseros. Esgrimiría botellas y señalaría ante sus iguales sus libros expuestos en los cajones de saldos de Charing Cross Road, que no podría comprar, para incredulidad de ellos. Les contaría de Túnez y Argelia, de Italia y Egipto, y de la India. Se proclamaría rey de Redonda para hilaridad de ellos. Con ese rostro dormiría en los bancos de los parques y entraría en un hospital, como decía aquel diccionario especializado en literatura de horror y fantástica, y con ese rostro sería tal vez incapaz de tender la mano que utilizara pluma y pilotara aviones. Quizá fuera, como suelen serlo los mendigos británicos, orgulloso y fiero, brutal y huraño, amenazador y altivo, y no sabría *pedir* para sí mismo. Sin duda era borracho, y al final de su vida no estuvo años en Italia, sino sólo unas semanas en los Abruzos, en Vasto, para una farra última de la que no sé nada. *Una farra última,* así decía en su carta el individuo de Nashville con el que no he vuelto a tener contacto. No hubo ningún Gawsworth que salvara a Gawsworth, ningún escritor prometedor y entusiasta que intentara hacerle entrar en razón y lo obligara a escribir de nuevo (quizá porque su obra no es admirable y nadie quería que continuase), que fuera a pedir y consiguiera para él una pensión de la Royal Society of Literature, de la que un día fue miembro electo, el miembro más joven. Tampoco hubo ninguna mujer, de las numerosas que había habido, que frenara su divagación o lo acompañara en ella. Eso creo. ¿Dónde están o reposan esas mujeres, insulares o coloniales? ¿Dónde estarán hoy sus libros, los que sabía distinguir al primer golpe de vista en medio de los laberintos de estantes caóticos y polvorientos, como sabía hacer yo con los del matrimonio Alabaster y tantos otros libreros de Oxford y Londres? (También yo, con mis enguantados y ágiles dedos que apenas rozaban los lomos que recorrían con más velocidad que mis propios ojos —como un pianista haciendo un *glissando*—, sabía dar siempre con lo que buscaba, hasta el punto de tener tantas veces la sensación de que eran los libros los que me buscaban a mí, y me hallaban.)

Probablemente han vuelto a ese mundo al que regresan todos o la mayoría, al mundo paciente y callado de los libros de viejo, del cual salen sólo temporalmente. Tal vez alguno de los que poseo, además de *Backwaters,* pasó también por las manos de Gawsworth, fue comprado y vendido inmediatamente para pagar un desayuno o una botella o permaneció quizá —como un elegido— durante años en su biblioteca, o lo acompañó a Argelia y a Egipto, a Túnez y a Italia y hasta la India; y asistió a combates. Quizá cualquiera de los patibularios mendigos con que me cruzaba a diario una y otra vez en Oxford, a los que identificaba, y a los que temía, y en los que mi desvarío pasajero y leve me hacía verme como en un reflejo anticipador (o no tanto), había tenido libros. Quizá había *escrito* libros, o había enseñado en Oxford, o había tenido una amante-madre pegajosa primero y evasiva y sin escrúpulos luego (cuando fue más madre); o había venido de un país sureño —con un organillo que se perdió al llegar, al desembarcar acaso en el puerto de Liverpool, y trazó su destino— al que aún no había olvidado que no puede regresarse siempre.' (No sabe en él la muerte andar despacio.)

Así terminaba este capítulo de *Todas las almas,* que finalmente sí he reproducido íntegro con excepción de su primer párrafo, y con acotaciones y comentarios nuevos como temía. De tres líneas contenidas en estas páginas surgió un breve cuento titulado 'Un epigrama de lealtad' en el mismo año de 1989, pocos meses después de la aparición de la novela, con Gawsworth al final de sus días como personaje principal. Pero la primera vez que hablé de él por escrito fue en un texto que no era ficción, un artículo que publiqué en el diario *El País* el 23 de mayo de 1985, hace ya doce años, cuando yo vivía aún en Oxford y lo que me ocurría se parecía bastante a lo que el narrador ha llamado 'mi desvarío pasajero y leve', respecto a los mendigos de esa ciudad y a ese escritor que acabó convertido en uno de Londres. La pieza se titulaba 'El hombre que pudo ser rey' en nítida alusión al famoso relato de Rudyard Kipling 'The Man Who Would Be King' o 'El hombre que iba a ser rey', también conocido en mi lengua como 'El hombre que pudo reinar' desde que así se tradujera la película de John Huston basada en esa fantástica historia que fue la preferida de Faulkner y Proust, con los actores británicos Sean Connery y Michael Caine. Tanto mi cuento como mi artículo están recogidos en sendos volúmenes de cuentos y artículos, *Mientras ellas duermen* y *Pasiones pasadas* respectivamente. En las últimas frases que he transcrito se hace referencia a dos circunstancias o hechos que atañen sólo al narrador; a otros dos que son compartidos por el narrador y el autor (la enseñanza en Oxford y la posesión de libros), o quizá son tres; y a uno que, impropiamente, pertenece tan sólo al autor, ya que en ningún momento de la novela se dice ni se insinúa que el caballero español que cuenta la historia y divaga hubiera *escrito* libros, aunque de hecho esté escribiendo uno al divagar y contarla. No fue un fallo ni un descuido ni una involuntaria intrusión u olvido, fue algo deliberado, ya que, como dije antes, estas son las páginas más autobiográficas de la novela y me pareció honrado confesarlo tácitamente por medio de este aparente desliz que, como era de querer y esperar, pasó inadvertido a cuantos la leyeron. (También lo hice por la tentación del riesgo, a uno le tienta siempre echar borrones, por amor a la infracción, y a traicionarse, y por ver si cuelan como texto limpio.)

Aún he de reproducir el primer párrafo del siguiente capítulo, que quizá pudiera haber yo suscrito más que ningún otro párrafo y que da una clara y cabal idea de en qué consistía aquel desvarío pasajero y leve que fue un préstamo del autor que respira y habla, Javier Marías —o era entonces Xavier Márias—, al narrador sin nombre que contiene el aliento y tan sólo escribe, pero que por eso tiene la voz más persuasiva. Ese párrafo dice así:

'No me hice ni me hago todas estas preguntas por piedad hacia Gawsworth, al fin y al cabo sólo un nombre falso al que no he conocido y cuyos textos —que son lo único que de él aún puedo ver, además de sus fotos de vivo y muerto— no me dicen mucho, sino por curiosidad teñida de superstición, convencido como llegué a estar, algunas interminables tardes de primavera o Trinity, de que yo acabaría corriendo su suerte idéntica.'

Pero una vez presentado Gawsworth a quienes no lo conocieran y traído a la memoria de quienes ya lo hubieran saludado en *Todas las almas,* vuelvo a aquel joven Wilfrid Ewart de quien me disponía a hablar antes, y de su luz apagada de golpe y sin testimonio ni previo aviso en la ciudad de México.

Parece como si John Gawsworth, al ocuparse a menudo de escritores malogrados a los que intentó salvar del olvido con bastante poco éxito o muy efímero, se hubiera estado asimilando a ellos en vida, o previendo, o quizá definiendo. En los años treinta organizó y preparó varias antologías de relatos de misterio y terror, yo al menos sé de siete u ocho, cuyos respectivos títulos fueron *Strange Assembly, Full Score, New Tales of Horror by Eminent Authors, Thrills* a secas, *Thrills, Crimes and Mysteries, Crimes, Creeps and Thrills, Masterpiece of Thrills* y tal vez *Path and Pavement,* la primera de 1932 y la última de 1937, es decir, publicadas entre los veinte y los veinticinco años del hiperactivo y precocísimo Gawsworth. En ellas se encuentran casi siempre cuentos de los viejos y eminentes maestros Shiel y Machen —King Felipe I y Archiduque de Redonda respectivamente— y algunos del propio discípulo y príncipe heredero bajo sus diferentes nombres. Hay uno de su compinche Lawrence Durrell y numerosos de otros futuros miembros de la 'aristocracia intelectual' del reino. Pero también hay muchos de escritores que no pudieron recibir ningún ducado ni cargo ni título del rey Felipe ni del rey Juan luego porque se habían malogrado del todo y de veras, como los jóvenes suicidas Richard Middleton y Hubert Crackanthorpe. El primero fue un hombre de gran talento esquinado que acabó matándose con cloroformo a los veintinueve años en el número 10 de la rue de Joncker de Bruselas, en 1911, sin haber publicado todavía un solo libro (la cosa empezó en 1912). De él escribió el Archiduque Machen: 'Era impaciente, no quería esperar. No podía relajarse... No recuerdo haberle oído reír; no abierta y generosamente, con fruición... Por lo general, su humor estaba teñido de amargura'. Y al decir de un contemporáneo suyo que lo trató bastante, Middleton puso fin a sus días por mero 'odio a la vida', a la que solía llamar 'el mal intolerable'. Junto a la botella de cloroformo dejó una tarjeta cruzada por esta frase: 'Un espíritu roto y contrito Tú no lo despreciarás'. El segundo, de talento menor y realista y carácter más apacible, se arrojó sin embargo al Sena en 1896, a la edad de veintiséis años, por razones más circunstanciales que de principio, tras la fuga de su mujer con otro hombre. Su cadáver no fue encontrado hasta meses más tarde, y al parecer estaba tan desfigurado que su hermano sólo fue capaz de identificarlo por los gemelos. Los dos eran afrancesados, Middleton un seguidor estricto de Baudelaire, Crackanthorpe de Maupassant. De la muerte parisiense de este último llegó a afirmar un periódico inglés que había sido 'el castigo de Dios por adorar ídolos franceses'.

También aparecen en esas antologías de los años treinta bastantes cuentos de Wilfrid Ewart, bajo ese nombre o bajo el no menos suyo de Herbert Gore, y yo incluí uno de ellos, 'The Flats' o 'Los bajíos', en la antología de relatos raros de miedo titulada *Cuentos únicos* que a mi vez organicé y publiqué el mismo año que *Todas las almas,* 1989, y para la cual rescaté algunos textos de las que había preparado Gawsworth dentro de la serie *Thrills,* hoy totalmente olvidadas. En la mía incluí asimismo un cuento macabro del propio Gawsworth (lo primero que se le tradujo nunca a ninguna lengua, creo; me temo que por ahora también lo último); el único de ese género debido a Durrell; el único debido a Sir Winston Churchill; uno excelente del atrabiliario Middleton y también uno mío —no pude resistirme a la tentación—, bajo el pseudónimo de James Denham, a quien en la nota biográfica correspondiente hice nacer en Londres en 1911 y morir en 1943, caído en combate en el Nore de África a los treinta y dos años: otro malogrado más, aunque este fuera apócrifo. (Dicho sea de paso, poco podía imaginar yo entonces que en 1996, cuando por fin se realizara la película de Querejeta Sr y Querejeta Jr *no* basada en *Todas las almas,* uno de sus actores secundarios sería precisamente aquel de quien tomé el apellido para mi ocasional nombre de pluma, el inglés Maurice Denham, hoy un venerable octogenario cuyas apariciones son sin duda lo mejor de la cinta. No es extraño que a veces tenga la sensación de atraer yo las cosas y los acontecimientos y aun a las personas, pero a esas coincidencias o perpetua actividad del azar procuro no concederles gran importancia ni tomármelas como anomalías excepcionales propias de un 'elegido': en manos de algún colega norteamericano habrían dado para mucha fascinación confesa con la propia vida y para varios libros o por lo menos cuadernos.)

Casi todos los autores de los *Cuentos únicos* eran y siguen siendo tan desconocidos, sobre todo para el lector español, que me pareció oportuno preceder cada una de sus piezas de una breve nota biográfica, de ahí que tuviera que inventarle la suya al pobre James Ryan Denham. Pero en algunos casos el carácter vagaroso o recóndito de los cuentistas me impidió conocer apenas datos, y así recuerdo que de uno, Nugent Barker, no fui capaz de encontrar ni la fecha de su casi segura muerte, ya que había nacido en 1888; y quién sabe si no continuará vivo, todo es posible. Otro que presentaba misterio, y además llamativo o que invitaba a la investigación, era Wilfrid Ewart, del cual no pude escribir más que lo que sigue en su nota correspondiente:

'Wilfrid Herbert Gore Ewart (1892-1922) murió, como puede verse por sus fechas, a los treinta años, y Arthur Conan Doyle, el creador de Sherlock Holmes, sentenció con tristeza al saber de su muerte: "Habría llegado hasta lo más alto". Por su parte, T E Lawrence, más conocido como Lawrence de Arabia, dijo de él en alguna ocasión: "No necesita presentación ante el público lector". Y el inevitable John Gawsworth, que al parecer fue amigo de todo el mundo, escribió lo siguiente al comienzo de su nota introductoria al libro póstumo de Ewart *When Armaggedon Came* (1933): "Wilfrid Ewart murió hace diez años y tres meses; la noche de Año Viejo de 1922, para ser exactos, en la sofocante oscuridad de la ciudad de México. La historia es demasiado conocida para precisar aquí de ampliación, y demasiado trágica para permitir insistir en ella con un comentario de pasada. Otro de los grandes novelistas de Inglaterra cayó muerto, y la Literatura fue tanto más pobre por su pérdida. Junto al Árbol de la Noche Triste... fue enterrado".

Lo extraño del caso', proseguía yo, 'es que en la actualidad no hay manera (o yo no la he encontrado) de saber nada de aquel joven de treinta años que habría llegado hasta lo más alto, que no necesitaba presentación y cuya muerte era demasiado conocida para precisar ampliación. El nombre de Ewart no aparece en ningún diccionario, en ninguna historia de la literatura inglesa, en ninguna antología moderna. La editorial MacMillan, sin embargo, anuncia la reedición (quizá exista ya) de su más famosa novela, *Way of Revelation* (1921), sobre la Primera Guerra Mundial, en la que combatió el autor, y tal vez entonces sepamos cómo y por qué murió Ewart en la ciudad de México.

De momento sólo puedo decir que antes de su muerte publicó también *A Journey in Ireland* (1921), y que póstumamente aparecieron, aparte del ya citado título de 1933, *Scots Guard* (1934), *Love and Strife* (1936) y *Aspects of England* (1937). Con su nombre, o bajo el pseudónimo Herbert Gore, vieron la luz algunos cuentos en la serie *Thrills* y en otras antologías de los años treinta. El presente relato, "The Flats", de prosa tan exquisita que bien pudiera hacernos pensar que Conan Doyle estaba en lo cierto, procede de la titulada *Path and Pavement* (1937), de John Rowland.'

No es de extrañar que, dada la índole novelesca y disparatada de esta y otras notas biográficas de la antología, la suministrada al inexistente Denham no levantara sospechas ni llamara en exceso la atención: o no se creía ninguna y se recelaba de la autenticidad de todos los cuentos, o se aceptaban todas y todos sin rechistar. Hubo quienes se inclinaron por la primera posibilidad y se maliciaron que los diecinueve relatos sin excepción eran míos bajo diferentes nombres. Ojalá, porque al menos dieciocho valían la pena. (La verdad es que habría sido bastante arriesgado y cándido por mi parte atribuir apócrifos al famoso y muy estudiado autor de *El cuarteto de Alejandría* o a un antiguo y bien notorio Primer Ministro de Su Majestad.) Hubo quien, más prudente, pensó que 'sólo' eran míos tres o cuatro, entre ellos sin duda el de Gawsworth, a quien no pocos lectores aún tenían por personaje de ficción. Y recuerdo que algunos amigos, advertidos del juego y retados a desenmascararme, fallaron vergonzosamente y no acertaron ni a la quinta oportunidad; mi señor padre, que me conoce desde hace tiempo pero no tan bien como cree, dudó entre achacarme el cuento del suicida Middleton —lo cual fue un poco preocupante, aunque no sé si más para mí o para él— o el de Denham; don Juan Benet no vaciló, y me arrancó el antifaz a la primera.

Lo cierto, volviendo a Ewart y a su misteriosa muerte, es que no fui capaz, en efecto, de averiguar nada antes de la publicación de la antología, y no me tengo por mal investigador de figuras y datos oscuros, aunque sí soy perezoso y pasivo. Luego no persistí, o dejé aplazada la pesquisa. Pero al cabo de unos meses recibí dos cartas casi seguidas de México, donde al parecer hay gran curiosidad y por lo tanto documentación exhaustiva sobre los escritores extranjeros que han pasado por el país. De Wilfrid Ewart, que además se había quedado para siempre en su suelo violento, no había sin embargo noticia alguna registrada, lo cual había constituido un acicate, según mis dos corresponsales, para iniciar una investigación sobre el terreno e intentar paliar mi ignorancia confesa de la nota biográfica desencadenante.

La primera carta era a su vez de un escritor, Sergio González Rodríguez, ensayista, y venía acompañada de un extenso artículo suyo, ya publicado en la revista *Nexos* de diciembre de 1989, bajo el título 'El misterio de Wilfrid Ewart'. La segunda carta, de marzo del 90, venía de un joven llamado Rafael Muñoz Saldaña, quien, con menos recursos periodísticos y medios bibliográficos a su alcance, me contaba cómo se había propuesto 'resolver la incógnita' que yo 'había dejado abierta'. Anunciaba que el 'trabajo de campo' realizado lo había conducido 'por vías inesperadas', si bien a la postre había 'fructificado en resultados concretos'. 'Aunque ya tengo una idea general', decía, 'de las condiciones en que Ewart murió, quedan aún muchos interrogantes a los que he de dar respuesta'. El joven en cuestión —confesaba veintitrés años, luego tendrá ahora treinta— encajó con deportividad la noticia de que su compatriota de más edad, Sergio G R, se le había adelantado públicamente en sus descubrimientos. Le envié copia del artículo de éste, contestó lamentando, con un punto de orgullo, que la información que esa pieza daba a conocer era 'exactamente la misma que yo había recabado'. Pero añadía con buen conformar: 'Lo que yo hice para explicarme este misterio es quizá más interesante que el misterio mismo, conocí a muchas personas insólitas, entre ellas a una mujer de edad avanzada que lleva quince años mareada y a un sacerdote que restringe la entrada al templo donde oficia por temor a los asaltos. Ya algún día le platicaré a usted mis aventuras con todo detalle'. Y, visiblemente decepcionado de todas formas, añadía: 'Si en un principio mis intenciones —no exentas de cierta teatralidad— consistían en hacer una espectacular revelación de las circunstancias del deceso de Ewart, ahora tengo un proyecto más sensato', que, dicho sea de paso, era de lo más insensato y del que lo disuadí en seguida para que no perdiera el tiempo de mala manera con algo que ni siquiera era teatral ni espectacular. Asimismo me hacía algunos comentarios sobre *Todas las almas,* que acababa de leer, y entre ellos el siguiente: 'En la página 89', me decía, 'empieza usted a hablar de un recorrido por las librerías de viejo, en ese instante detuve mi lectura y pensé: ¿Qué buscaría yo si estuviera allí? Libros de Arthur Machen, me respondí, y al dar la vuelta a la hoja me sorprendí bastante de que el protagonista de la novela también lo hiciera así... Desde hace algún tiempo yo también soy devoto de Arthur Machen, aunque desafortunadamente conozco pocos libros suyos...' No tuvo nada de extraño, así pues, que unas líneas más adelante aquel joven me preguntara por la 'Machen Company', supuesta asociación de entusiastas de la obra del escritor galés y Archiduque de Redonda que aparecía mencionada varias veces en *Todas las almas* y de la que el narrador se hacía miembro a instancias del personaje Alan Marriott. Muñoz Saldaña deseaba 'contactarla' si existía en la realidad. Dado que esa 'compañía' era inventada y yo no quería decepcionar aún más al joven macheniano mexicano, eludí el desengaño contestándole que 'me temo que de momento no estoy autorizado a responderle. Quizá más adelante', como si se tratara de una secreta y misteriosa secta con la cual no todo el mundo podía establecer contacto así como así, con océanos por medio y sin alcanzar ciertos méritos o someterse a algunas pruebas. Finalmente, y tras haberle revelado yo la broma de Den-

ham, me respondió, muy generoso, que 'su charada me divirtió bastante... Estos juegos me apasio-
nan, sobre todo cuando están bien hechos como
en el caso de John Bendham', falseando todavía más,
y tan pronto —creo que involuntariamente—, mi
tercer nombre falso, ya que con anterioridad había empleado otros dos para escritos muy menores
o de carácter turbio. Me gustó lo de 'charada'.

Aunque nos hemos ido escribiendo de tarde
en tarde a lo largo de los años, aún espero a que
Muñoz Saldaña me platique un día sobre la mujer
que llevaba quince años mareada y que fue, de
hecho, lo que más me interesó de sus primeras cartas. '¿Cómo mareada?', recuerdo que le pregunté.
'¿Qué le pasa? ¿Cómo puede ella saber que lo está
si lleva tanto tiempo estándolo y hay que pensar
que será ya su estado natural? Su frase de usted sí
era un tanto enigmática.'

Lo que viene a continuación lo conté ya
parcial y concentradamente en un artículo, 'Recuerda que eres mortal', incluido en mi libro *Literatura y fantasma*, de 1993 (me admira ver lo honrado que soy, avisando de todos los antecedentes), y
tanto allí como aquí hay bastante material debido
y agradecido a mis dos corresponsales mexicanos,
quienes en todo caso me indicaron el camino para
averiguar cómo habían sido la corta vida y la súbita
muerte sin testimonio de Wilfrid Ewart. Sergio
González Rodríguez, de hecho, fue más allá de la
información recabada en su artículo 'El misterio de
Wilfrid Ewart', en el cual aventuró algunas hipótesis tan divertidas como forzadamente borgianas

como improbables para esclarecer aún más ese misterio, y me emplazaba amablemente a desarrollarlas ('Sólo un escritor como Javier Marías podría escribir sin mancha ese tipo de lucubraciones...': me temo que voy a decepcionarlo, y no por mi tendencia a echar borrones tan sólo). A él debo las profusas citas de los periódicos mexicanos que en los primeros días de 1923 dieron noticia de aquella muerte extranjera del Año Viejo no tan gratuita y absurda, con serlo en extremo, cuanto sarcástica para el muerto y mortificadora para sus allegados.

Ewart había nacido el 19 de mayo de 1892, hijo de Herbert Brisbane Ewart y de Lady Mary Ewart, llamada 'Molly', con residencia en el 8 de West Eaton Place, Belgravia, uno de los más distinguidos distritos de Londres. El padre, que no era pobre pero menos aún era rico, provenía de una muy notable familia de militares, que tampoco faltaron en la de la madre: el bisabuelo materno de Wilfrid fue el General Sir William Napier, autor de la monumental *History of the War in the Peninsula*, en la que por supuesto tuvo destacada parte y que en nuestro suelo conocemos como Guerra de la Independencia; sus seis gruesos tomos fueron uno de los varios encargos que me hizo don Juan Benet durante mi estancia en Oxford, con vistas a inspirarse en aquella Guerra Peninsular —cuando llovió sal, y esparció calaveras— para las maniobras bélicas de los volúmenes tercero y cuarto de su novela *Herrumbrosas lanzas* (se los conseguí, pero su novela quedó inconclusa. Y acaso ha habido alguna vez nada que no quedara inconcluso). El abuelo paterno de Wilfrid fue el General Charles Ewart, héroe de la Guerra de Crimea, supongo que dudoso, como todos los héroes de esa guerra; un tío-abuelo suyo, Sir Henry Ewart, dirigió la famosa carga de Kassassin; otro tío-abuelo, Sir John Alexander Ewart, participó en Balaclava, Inkerman y Sebastopol; y el hijo de éste Sir John Spencer Ewart estuvo en la toma de Jartum con Lord Kitchener en 1898, y luego en la Guerra de los Boers en Sudáfrica, también acompañando al legendario Kitchener. Pese a tantos vínculos guerreros y a su lejano parentesco con William Ewart Gladstone, célebre Primer Ministro de la Reina Victoria, el padre de Wilfrid trabajaba pacífica y modestamente —si bien con el pomposo título de 'interventor'— como secretario de la Princesa Dolgorouki, exiliada viuda de un noble ruso que vivía refugiada en una descomunal mansión neoclásica blanca construida por Lutyens y adecuadamente rusificada luego, en medio de un paraje boscoso cerca de Taplow, Windsor.

La madre, por su parte, pertenecía a una familia plagada de títulos, tanto originales como asimilados mediante una reiteración de matrimonios varios. Según Hugh Cecil en su libro *The Flower of Battle* o *La flor de la batalla* sobre los novelistas británicos de la Primera Guerra Mundial, en el que dedica un capítulo a Ewart con abundante información de la que aquí me valgo con mi agradecimiento, Lady Mary o Molly era la hija menor del tercer Conde de Arran; su hermana Caroline se casó con el octavo Lord Ruthven; su hermano mayor,

Arthur, se convirtió en el cuarto Conde de Arran en 1884; una hija de éste contrajo nupcias con el heredero del Marqués de Salisbury, otra con el Vizconde Hambleden y una tercera con el Conde de Airlie. Nada muy sano podía derivarse de todo esto, y la madre de Ewart, al parecer, oscilaba entre la gracia excéntrica y el desequilibrio sin paliativos. Cuenta Cecil cómo una vez recibió a unas visitas sentada en la alfombra, lo cual era insólito en la época pero no preocupante en exceso, de no haber sido por la explicación que dio a su desusada elección de asiento: 'Perdonad que me siente en el suelo', dijo; 'ahora lo hago siempre, hay menos distancia si me caigo'. En sus peores arranques ordenó al mayordomo expulsar de la casa a una pareja de respetables recién casados —el Vizconde y la Vizcondesa Hambleden, ellos eran, nada menos—, alegando que vivían 'en abierto pecado', y atacaba con violencia a su marido, por lo que se juzgó que Wilfrid y sus hermanas menores, Angela y Betty, bien podían pasar sin menoscabo y aun con provecho largas temporadas alejados del hogar paterno.

De Betty poco se sabe, sólo que en la edad adulta se dio a la bebida y a las drogas y que, como mandan los cánones para las femeninas ovejas negras de las familias frágiles que acusan todo imprevisto como un revés o un drama, contrajo inadecuado matrimonio con un chófer. Angela, en cambio, estuvo siempre muy apegada a su hermano, al que se parecía tanto de carácter como físicamente. En la Primera Guerra Mundial a la que sobrevivió Wilfrid Ewart, ella perdió a su marido, Jack Farmer, dos meses después del nacimiento de la hija de ambos que Farmer no conoció. Unos años más tarde Angela se casó de nuevo con un tal Waddington, y a diferencia de su hermano tuvo una larga vida y sobrepasó los noventa de edad. Él la acompañó hasta Longueval, cerca del Bosque de Delville, una vez acabada la guerra, en 1919, para intentar localizar la sepultura apresurada o tardía del fusilero Farmer. En el lugar de la lucha, aún sembrado de cascos, embarradas botas, brochas de afeitar y avíos varios del año 16, les anocheció y les llovió antes de dar con la tumba, y Angela dejó la cruz de laurel que le destinaba al pie de un manzano, cerca de donde Jack había caído.

Fue extraordinario y un crimen que Wilfrid Ewart se pasara casi cuatro años combatiendo en una guerra de trincheras, con las breves treguas que le ganaron sus heridas y sus erizados nervios. Al igual que le sucedía a su madre con la que tenía mucho en común, su ojo izquierdo —una herencia directa— no veía, era ciego; y el derecho, miope, encontraba grandes dificultades de lejos, aunque de cerca era en cambio infalible o, como escribió su amigo e improvisado biógrafo de 1924, Stephen Graham, 'de calidad microscópica'. Ese ojo sin visión era físicamente perfecto, sólo que no estaba conectado con el cerebro, y así no registraba ninguna imagen. Tampoco era un joven demasiado saludable, luego debe concluirse que los requisitos para participar en aquella contienda no eran estrictos o bien que Ewart gozó de algún favoritismo, según el estrafalario concepto de los privilegios entre los de su clase en su época. Al parecer fue su pariente Ruthven, por entonces al mando del Primer Batallón de la Scots Guards o Guardia Escocesa, quien lo invitó a unirse a su regimiento tras conocer su intención de alistarse. 'Que venga con nosotros', le dijo a su padre, quien fue a consultarle sin el bastante temor. '¿Y su vista?', objetó éste. 'Eso no planteará problemas. Dile que venga.' Pasó la revisión y el médico hizo lo que se esperaba de él: lo consideró apto para el servicio, y al hacerlo le dio todos los boletos menos uno para encontrar una muerte inútil y poco heroica en los lodazales del Continente.

Y salió ese solo boleto que no había recibido el cegato Ewart. Luchó con el Segundo Batallón de la Scots Guards, un cuerpo de mucha distinción y clasismo y soberbia, en Sailly-Saillisel y contra el Moulin du Piètre y en Neuve Chapelle, donde le alojaron una bala en la pierna, y en Gouzeaucourt y en la ofensiva del Somme y en la segunda batalla de Ypres, y en el Bosque de Bourlon y en el Canal del Yser sombrío y en la espantosa tercera de Ypres, y junto a Cambrai y en Arras, y en todos esos lugares de metralla y bayoneta y fango vio con su único ojo cómo caían a su lado centenares de hombres más capacitados y enteros, entre ellos sus mejores amigos y sus parientes más soldados. Es inverosímil que no pereciera aquel tuerto tan corto de vista en la guerra quizá más cruel del siglo en nuestros territorios, pero no sólo salió con vida, sino con el grado de capitán que lo obligó a dar órdenes y a velar por muchos, incluido Stephen Graham en los últimos meses, quien llegó a ser ordenanza suyo pese a llevarle ocho años y una docena de libros publicados como escritor de viajes y experto en Rusia.

Desde muy pronto, sin embargo, Ewart se asqueó de la guerra como la mayoría, y durante sus años de combatiente o convaleciente insistió sin rubor ante Ruthven y ante Sir John Spencer Ewart para que lo sacaran de las trincheras y lo destinaran a tareas administrativas, invertido el signo de los privilegios tras la primera sangre, y esta vez ya no otorgados. Pese a sus solicitudes cumplió en el campo de batalla y, según testimonió su coronel, aunque no era exactamente valeroso no conocía el miedo, y así se lo podía enviar a cualquier parte. (Acaso no lo conoce quien se da desde el principio por muerto.) En el frente escribió numerosas cartas, y sin querer fue preparando en ellas las descripciones bélicas y paisajísticas de su primera y única novela publicada en vida, *Way of Revelation* o *El camino de la revelación,* de 1921, que tanto hizo exclamar a Lawrence de Arabia y a Conan Doyle y de la que se vendieron cincuenta mil ejemplares en poco tiempo.

Tal vez la experiencia más desoladora fue, por contraste, la de una breve tregua el día de Navidad de 1915, un alto el fuego espontáneo y no pactado entre su Segundo Batallón de la Scots Guards y el Nonagésimoquinto Regimiento de Infantería de la Reserva Bávara. Al amanecer —cuentan Cecil y Graham y el propio Ewart— los de uno y otro bando empezaron a observarse desde sus agujeros, a cubierto, y aun a llamarse con voces sueltas. A las ocho menos diez de la mañana un alemán asomó por encima de su parapeto, luego se puso en pie y agitó los brazos. Otros dos lo siguieron con sus gorras y sus largos abrigos grises, sin saber durante unos instantes si serían saludados por apretones de manos o por sendas descargas. Entonces, 'como por infección simultánea', todos los ingleses y los demás alemanes fueron saliendo pese al desagrado de los dos Altos Mandos por estas treguas inesperadas y no acordadas desde sus despachos. Ni siquiera estaba bien visto hacer prisioneros, y al decir de sus superiores, 'cargarse hunos' era la única festiva misión de los soldados británicos. Los enemigos empezaron a reír y a gastarse bromas y a estrecharse manos. Se encontraron en el arroyo bordeado de sauces que los separaba, y sólo los centinelas y los oficiales, entre éstos Ewart, permanecieron en sus trincheras. Las tropas se entendían por señas, se daban palmadas en las espaldas, se pasaban cigarrillos, galletas, carne de vaca en conserva y tabaco a cambio de salchichas, sauerkraut, café concentrado y cigarros. En medio de la confraternización, un francotirador bávaro abatió a un sargento inglés llamado Oliver y por lo visto muy querido, que nada más asomarse cayó en su trinchera, donde permaneció su cadáver el día entero, cubierto el rostro por medio saco terrero o por una manta. Pero eso no bastó para disuadir a sus camaradas ni a sus adversarios, no se prestó mucha atención a la desgracia. 'Da lo mismo, no importa, debió de ser un accidente', escribió

Ewart, como si la decisión de uno de cumplir con
su deber y cazar al sargento no tuviera la suficiente
fuerza para invalidar la decisión de muchos de faltar al suyo y no abrir fuego en aquel día. Hasta
donde estaba Ewart llegaban nítidamente los gri-
tos y las carcajadas de los uniformes caquis y grises
entremezclados. Se alegraban de saludarse, de conocerse, de verse por fin las caras que no se temen,
se temen sólo las figuras lejanas, o las que avanzan
fieras con sus rostros imaginados. El episodio no
duró más que diez minutos según unas fuentes,
según otras no más de veinte, y tras cualquiera que
fuese su tiempo, dice Cecil, dos oficiales alemanes
de relucientes botas a los que se había negado permiso para hacer fotos de los 'Tommies' o soldados
rasos, avisaron a los ingleses de que volvieran sin
dilación a sus zanjas antes de que la artillería propia abriera fuego, al cabo de cinco minutos. Dicen
unas fuentes que algunos guardas escoceses fueron
alcanzados cuando se replegaban hacia sus líneas y
que a pesar de ello no salió ni un disparo de esas
filas durante las siguientes veinticuatro horas. Otras
fuentes más cercanas en el tiempo cuentan que todas las armas volvieron a levantar el barro en seguida, y que 'una vez más se hizo con el control la
guerra'. Da lo mismo, no importa, como escribió
Ewart: aunque fuera sólo por espacio de diez minutos, la guerra perdió su control y fue desobede-
cida, y él estuvo allí para verlo. Sería pretencioso y
falso decir que fue vencida, pero no que fue sorteada
y hasta burlada un momento, y que se mantuvo
la burla aun después del recordatorio inclemen-

te —o fue venganza— por parte de esa totalidad bélica cuyo objetivo primero es excluir y negar cuanto ella no abarque o no tiña, contra la pobre y confiada figura de un sargento llamado Oliver a quien tocó detener la bala perdida que aquella despechada guerra enviaba a la tregua intempestiva e intrusa entre un batallón y un regimiento enemigos sobre un remoto lodazal de Flandes en la mañana de Navidad del año 15, siete años y siete días antes de que le llegara su turno a Ewart en la ciudad de México. 'Blaw for Blaw', o 'Golpe por golpe', eso se da en todas partes.

Era un hombre delgado y alto, de más de metro ochenta y cinco, con un aspecto sereno y digno, de ojos grises y tez clara y pelo castaño. Pese a su débil salud se lo veía vigoroso y atlético, y no solía faltar el color en sus mejillas. Caminaba muy erguido y le sentaba bien el uniforme, o lo llevaba instintivamente con la ceremonia adecuada. De carácter era más bien inhibido, también de comportamiento. Le producía rechazo el exceso de familiaridad, y aversión cualquier asomo de desvergüenza. En sociedad podía llegar a parecer altanero, o casi estúpido. Entre amigos, con champagne o vino al alcance, perdía el estiramiento y su lado jovial aparecía. Nunca decía tacos y, según Graham, 'las blasfemias y obscenidades no le interesaban'. Su forma de dar la mano era a la vez rígida y fláccida, y cuando estuvo en América la gente de allí no podía creer que su altivez y puntillosidad fueran naturales y antiguas, le miraban la cara y atribuían su reconcentración a secuelas de la metralla. Como la mayoría de sus jóvenes contemporáneos, lucía un cuidado bigote, e iba bien vestido hasta cuando le dio por frecuentar la bohemia y los antros más delictivos del Soho, después de la guerra, fascinado por la criminalidad, la toma de drogas, la turbiedad del

ánimo y también por las masas, a las que sin embargo mal toleraba. Dedicaba horas a observarlas en su variedad infinita tratando de mantener cierta distancia, bien en los night-clubs o en el selecto Café Royal o en el más populachero café-salón del Regent Palace Hotel, donde se deleitaba oyendo tocar a la banda y se avergonzaba de su complacencia en la vulgaridad del sitio. Por las mañanas asistía a menudo a las indiscriminadas sesiones de los tribunales de lo penal, haciéndose pasar por estudiante de Derecho, y tomaba concienzudas notas de todos los casos. No le dio tiempo su vida breve a perder esa afición, y durante su estancia en Nueva York, antes de México, se pasaba parte de las noches en los juzgados raudos de guardia. Le permitieron visitar la prisión de Sing-Sing y le hicieron una demostración de la silla eléctrica. Quiso enviarle un mensaje a un tal Jim Larkin allí encarcelado —que acaso habría de sentarse en breve—, pero se lo impidió la disciplina carcelaria. Tomaba notas en todas partes, no dejó de hacerlo en sus escasos días mexicanos: hasta las tomó de una corrida en Juárez ('El toro se arrodilla para morir', 'La muchedumbre quema sus programas para mostrar desagrado'), quizá vio torear a Rodolfo Gaón 'El Califa' y al español Marcial Lalanda. Siempre le habían gustado las carreras de caballos y el boxeo. Nunca faltaba a Ascot. Todo esto cuentan Hugh Cecil, que jamás lo vio, o Stephen Graham, que lo vio en exceso, hasta el último día.

Había escrito desde muy joven, pero no ficción precisamente. Se estrenó a los dieciséis años en unas revistas de avicultura, ciencia en la que ya a esa edad era experto: cómo engordar pollos de granja carecía de secretos para él, lo mismo que las carreras de aves de corral en Centroeuropa, algo asombroso como conocimiento específico. A los dieciocho años, de hecho, ya se lo consideraba una de las mayores autoridades del país en gallinas. Quizá ayude a comprender esta faceta original (pero poco) saber que atraía a los pájaros con un extraño magnetismo desde la infancia, así como su pasión por el campo y la vida al aire libre, tan desmedida y constante que llegó a influirlo en su formación literaria con efectos dudosos o aun nocivos para la posible perduración de su obra, aunque quién sabe nunca nada con los malogrados que apenas dejaron obra. Lo cierto es que su casi único maestro era Thomas Hardy, más por su dimensión descriptivo-campestre que por sus indudables virtudes poéticas y narrativas, y en cambio Ewart no había leído jamás a Milton ni a Shakespeare, lo cual, sobre todo en un escritor inglés, no augura nada bueno. Fue a conocer a Hardy tras la guerra, en el año 20, y si bien ambos eran tímidos y la conversación no resultó brillante ni tan siquiera fluida, es seguro que congeniaron, y una de las últimas cosas que hizo Ewart antes de marchar a América fue acercarse hasta la campiña de Dorset para despedirse del anciano maestro. Según contó, en su primera visita se puso tan nervioso al verse frente a su ídolo que no logró hacerle una sola pregunta sobre sus novelas, cuando de ellas habría querido saberlo todo. De haber estado yo en su lugar, le habría más bien consultado algunas dudas mías a Hardy, ya que fue un libro suyo —de excelentes y crueles cuentos, *El brazo marchito*— el primero que traduje, con grandes dificultades descriptivo-campestres y a los veintidós años, esto es, a una edad a la que Ewart ya estaba en el frente para ser testigo de las matanzas y de aquella tregua mal consentida y represaliada y manchada de 1915.

Desde luego no fueron las publicaciones gallináceas —con hacerle ganar buen dinero en su juventud extrema— lo que entusiasmó a los lectores, a la crítica ni a ningún ilustre colega, sino su novela *Way of Revelation,* a cuya concepción y proyecto no fue ajeno Stephen Graham según el propio Stephen Graham, y que Ewart tuvo la humilde intención de convertir en la *Guerra y paz* inglesa de su tiempo, como han querido tantos otros novelistas en tantos y tan diferentes países después de Tolstoy. Esa novela de quinientas y pico páginas, que cosechó encendidos elogios y notables ventas —sobre todo considerando que era una primera obra de ficción—, se aguanta mal hoy en día, con una historia ya entonces tópica y efectista y melodramática (y es de suponer que bastante autobiográfica), sobre las andanzas de un joven y su círculo de amistades entre la guerra y la paz, sin que se sepa muy bien cuál de las dos —el amor siempre en la paz, los corruptores también— le acarrea más sinsabores. Los personajes son planos, poco creíbles y aún menos perspicaces, como sucede a menudo con los que vienen demasiado directamente de la realidad sin pernoctar en la imaginación, y las mejores escenas ni siquiera son las bélicas, lastradas por la irrelevancia de los sujetos involucrados en ellas, sino las descriptivo-campestres como era de prever, aquellas en las que el elemento humano se encuentra ausente. Eso opina Cecil, y razón no le falta. El relato que yo escogí para los *Cuentos únicos* y que dio pie a todo esto en la estupenda versión de Alejandro García Reyes, es un buen y engañoso ejemplo de su talento artístico: en 'The Flats' o 'Los bajíos' se ve a un prosista poético de elevada calidad técnica y buen ojo para lo inanimado, pero en *Way of Revelation* se percibe también a un autor con una visión algo ramplona de la vida y la muerte y con escasa imaginación para contar, ni siquiera lo acontecido que no hay necesidad de inventar (pero para relatar lo ocurrido hay que haberlo imaginado además). No es tan extraño, así pues, que pese al fervor del momento y a su muerte tan deplorada y trágica, el nombre de Ewart haya desaparecido de casi todos los mamotretos injustos en que no se consignan personas ni sus vidas y muertes, sino títulos y fechas de textos más o menos dignos de recordarse y que casi nadie recuerda nunca. El libro, con todo, tenía las suficientes dosis de horror guerrero y morboso horror civil, de desengañada sentimentalidad de retaguardia y optimismo postrero o compensación por las pérdidas para atraer al público de su época, y así fue.

Wilfrid Ewart no pudo resistir el éxito durante mucho tiempo. A sus veintinueve años, tras los combates y alguna que otra amargura amorosa, lo disfrutó sin reservas ni precauciones y con enternecedora ingenuidad: llevaba a todas partes consigo un fajo con los recortes de las críticas, y las mostraba a cualquiera sin apenas invitación a hacerlo, hasta que fueron demasiadas para sus bolsillos y hubo que conformarse con una selección. Convertido de repente en un 'león literario', según la expresión inglesa, se sorprendía, más con agrado que con sentimiento de revancha, de que toda persona a la que hubiera sido presentado alguna vez presumiera ahora de ser amiga suya, y de que quienes lo habían mirado de arriba a abajo se jactaran de haber predicho que él conseguiría algo grande. Asistía a las fiestas y a las reuniones, a los tés y a los cafés y a los bailes, ilustraba a las damas y a algún caballero cándido sobre el proceso de su escritura, se codeaba con editores mucho más leoninos que veían en él sólo un trozo de carne cruda, y con veteranos escritores que lo toleraban seguramente por curiosidad autobiográfica retrospectiva y por alimentar su resentimiento, sabedores de que, como dijo el historiador Froude, si uno hace algo notable en Londres, Londres se encarga de que no vuelva a hacer algo notable jamás. Contestaba a todas las cartas, cenaba fuera todas las noches, escribía todos los cuentos y artículos que los periódicos y revistas le solicitaban. Opinaba mucho, de literatura y no; no se perdía un partido de fútbol, una carrera de caballos ni un combate de boxeo importantes. Vivía encantado, y se quebró.

Se fue hasta Liverpool en tren, resfriado y en medio de un temporal, para asistir al Grand

National de 1922, el último del que supo el resultado y fue espectador. Como solía, vaticinó el caballo ganador, y así le habría tocado permanecer en el encantamiento aumentado a la mañana siguiente. Pero cuando Stephen Graham fue a visitarlo en su estudio aquella tarde, Ewart le comunicó que no podía escribir, la mano no le obedecía, no le funcionaba. Se lo dijo con lentitud y dificultad, porque su quebranto le había afectado también al habla, y ni siquiera salían de su boca con garantías todas las palabras ordenadas por su cerebro, una dicción traicionera y espectral. Estaba asustado pero se lo tomó con calma y discreción. Fue al médico, pasó unos días en una clínica, luego fue enviado al campo. Perdió peso y color, parecía una piltrafa, las ropas le quedaban anchas. Se dedicó a observar pájaros terapéuticamente, su antigua pasión.

Para el mes de junio se había recuperado un poco y pudo escribir a Graham, que había partido hacia América con su mujer, creo que su nombre de soltera fue Rose Savory. La letra eran garabatos, pero más o menos legibles y por tanto indicio de una mejoría, lo mismo que su mención de proyectos literarios a medio plazo, cuando estuviera curado, entre ellos la historia de la Scots Guards, que se había comprometido de buena gana a componer, en la siempre modesta idea de emular a su bisabuelo materno Napier y describir las campañas de la Guerra del 14 como había hecho su antepasado con las de un siglo atrás en la Guerra Peninsular o de nuestra Independencia contra Napoleón. Graham le contestó animándolo a viajar hasta Santa Fe, Nuevo México, donde se encontraba con su mujer, para que relatara allí las hazañas de su querido regimiento: le ofrecía casa, caballo y absoluta libertad, en la confianza de que Ewart no se vería con fuerzas para aceptarlos. Sin embargo, un día recibió un cablegrama con el nombre del barco, el *Berengaria,* y la fecha de septiembre en que habría el supuesto débil de zarpar.

Durante la travesía, ya cerca de Nueva York, un hombre cayó al agua y no pudo ser rescatado, un camarero de tercera clase. Lo peor fue comprobar cómo en muy pocos segundos, pese a sus estremecimientos y a su rechinar, el barco se alejó del lugar de la pérdida envuelto en el bramido de su sirena, que pareció ya más un temprano lamento que una voz de alarma. Cuando retrocedió era tarde, ni siquiera había lugar. Fue eso lo peor para los vivos, la estela imparable 'como una cicatriz blanca' y voraz sobre el océano, la manifestación demasiado visible del tiempo que nunca aguarda y va más rápido que las voluntades, sean de tregua o de salvación o espera, haciendo así que todo quede inconcluso; y la imparable conciencia de que la única forma de perturbar al tiempo es morir y salirse de él.

Ewart pasó unos días en Nueva York en compañía de Graham, que fue a recogerlo, y del poeta americano Vachel Lindsay, mayor que ambos y siempre temeroso de que el más joven y menos viajado de los ingleses fuera atracado, o atropellado, o se metiera en cualquier lío por culpa de sus modales exacerbadamente británicos, su vacilación

al hablar convertida en deficiencia por la enfermedad, su manera de sostener el dinero en la mano
y contar trabajosamente lo que había que pagar
en cada ocasión, su excesiva capacidad de sorpresa que no sabía disimular, su rigidez. Ewart, pese
a haber conocido los padecimientos de la trinchera, aún sentía su mundo intacto y en consecuencia lo dejaba atónito que no se produjera el menor
cambio en sus botas depositadas por la noche a la
puerta de la habitación. '¿Cómo hacen los hombres de este país para llevar los zapatos embetuna-
dos?', le preguntó a Graham sinceramente intrigado. 'Sobre todo en las casas de campo, al menos en
las ciudades hay limpiabotas'. 'Se los limpian ellos',
respondió Graham, y se sabe que Ewart sólo pudo
farfullar: '¡Qué asombroso!'

Se detuvieron en Chicago y en Kansas Ci-
ty, camino de Santa Fe, y a lo largo de todo el trayecto en trenes Ewart acarreó una gran caja metálica que había salido con él de Inglaterra y que
contenía todos los papeles y documentos que habría de necesitar para la redacción de su historia
regimental. Viajaba con pantalones de montar del
ejército y polainas caquis, se tocaba con una gorra
de aspecto vagamente militar y cargaba una mochila, más o menos como si hubiera emprendido
efectivamente una aventura aún colonial (sólo le
faltaba mi salacot, pero éste no fue comprado hasta 1933 por mi padre en Túnez, en una escala del
Ciudad de Cádiz). En Santa Fe mejoró mucho su
ánimo y también su mano que había estado casi
paralizada, y llegó a escribir unas dos mil palabras

diarias, lo cual —santo cielo— no era gran cosa
para él; se alojó en casa de unos vecinos de Stephen
y Rose, los Cassidy; se compró un caballo y salía
a cabalgar; llevó a cabo varias excursiones de carácter eminentemente folklórico, en las que vio indios navajos y apaches (entre los más conocidos);
el clima lo sosegaba y le sentaba bien, la angustia
se le fue disipando, o quizá aplazando; hubo más
coordinación entre su cerebro y su lengua. Hasta
que los Graham anunciaron su partida hacia México, donde querían pasar la Navidad como preámbulo a una estancia de dos o tres meses durante los
que pensaban 'seguir las huellas de Hernán Cortés',
con vistas a un libro que preparaba el marido, sobre España (donde habían estado antes de embarcarse hacia América desde Cádiz y donde habían tenido trato con Jacobo FitzJames Stuart, sin duda
antepasado del Jacobo FitzJames Stuart que conozco yo, uno de mis editores más educados), las
Indias Occidentales y México, y que tituló *In Quest
of El Dorado* o *En busca de El Dorado* y dedicó 'A
la memoria literaria de mi amigo Wilfrid Ewart'
en 1924.

Seguramente es de comprender, pero no
parece que los Graham, o el marido al menos, de-
searan la compañía de Ewart también en México.
Según cuenta en su desganado volumen biográfico *The Life and Last Words of Wilfrid Ewart* o
Vida y últimas palabras de Wilfrid Ewart, asimismo del año 24, Graham intentó convencerlo de
que aprovechara ese tiempo de ausencia suya para
terminar en Santa Fe la leal historia de la Scots

Guards, que le ocupaba demasiado el pensamiento, impidiéndole acometer una nueva novela y hacer planes ulteriores en general. Ewart se mostró de acuerdo en principio, pero la inquietud de su espíritu y el invierno desusadamente frío que se abatió sobre Nuevo México lo hicieron cambiar de opinión a los pocos días e insistir en acompañar al matrimonio a México. Todavía Graham disuadió a su antiguo capitán (no debía de querer verlo ni en postal durante su estancia en este país), asegurándole que el lugar era demasiado colorista y revoltoso para escribir y que allí no lograría avanzar ni una línea. Así que Ewart decidió entonces marchar a Nueva Orleans, y emprendió viaje el 15 de diciembre, tras haber despachado su equipaje con antelación. Tres días después los Graham partieron hacia Ciudad de México, en la ilusa creencia de que no volverían a encontrarse con Ewart hasta el mes de marzo, cuando lo recogieran en Nueva Orleans a la vuelta de su peregrinaje hernánico. No fue así: en El Paso Ewart cambió de opinión una vez más, obtuvo una ampliación de diez días para la validez de su billete y resolvió 'dar un rodeo' por México (unas cuatro mil millas añadidas en total, nada más) antes de proseguir hasta Louisiana. Cuenta Graham que cuando él y su mujer supieron de este desvío, a través de un periodista de El Paso, no pudieron evitar sentirse intranquilos por la suerte del amigo viajando solo por un país del que desconocía la lengua y costumbres y agravios y que aún arrastraba su revolución. La consigna y las cajas de seguridad de la estación de El

Paso eran famosas, al parecer, por guardar numerosas pertenencias de hombres y mujeres que allí habían hecho un alto para asomarse a México en breve incursión o escala y jamás habían vuelto para reclamarlas, fueran joyas, dinero, maletas o ropa. Al menos es seguro que había naftalina en aquellos tiempos.

En Chihuahua Graham vio la firma de Ewart en el registro de un hotel, se informó de sus pasos por el lugar (una ciudad muy fiera) y supo que había salido de allí sano y salvo. Resulta extraño este gesto, más propio de un perseguidor solitario que de quien marcha acompañado por su camino con una leve preocupación lejana por las andanzas irresponsables de otro: nadie va mirando al azar los registros de los hoteles en que pernocta, por si acaso; eso sólo se hace cuando se busca y quiere encontrar a alguien cuyo rastro se sigue. Fue como si los Graham hubieran iniciado un peregrinaje wilfrídico desde que supieron que Wilfrid se hallaba en México. Los atormentaba darse cuenta, eso escribió el marido, de que si Ewart quería atenerse al nuevo periodo de validez del billete, se vería obligado a abandonar Ciudad de México antes de que ellos llegaran, y hasta se molestaron en calcular, con los horarios del ferrocarril en la mano, qué tren habría de coger desde la capital para estar en Laredo a tiempo de efectuar el empalme con la Southern-Pacific Railway que lo conduciría a su inicial destino, Nueva Orleans. Y al descubrir que había una estación en la que se cruzaban a la misma hora el tren en que ellos viajaban hacia la ciudad y el que procedente de ésta se dirigía a Laredo, se esforzaron por divisar a su amigo, con el que podían estar coincidiendo, en medio de las masas nocturnas de pasajeros sedientos, camareros chinos, indios que ofrecían bisutería alemana y bulliciosos vendedores de fresas y melón y mango. Pero Ewart no estaba allí, en realidad no había salido de México.

Allí continuó el desmedido y algo incomprensible afán por localizarlo, y a la mañana siguiente de su llegada lo primero que hicieron los Graham fue pasarse por el Hotel Regis, frecuentado por norteamericanos y en el que supusieron que Ewart, necesitado siempre de habitaciones con baño, podía haberse alojado. No había pisado el sitio, de modo que se acercaron hasta el Consulado Británico en busca de noticias, pero allí no se había presentado, tampoco en el Hotel Cosmos ni en el Princesa. Imaginaron que lo habría apremiado el tiempo y habría partido sin demora hacia Laredo. Pararon en el Hotel Iturbide, menos para turistas y más para mexicanos, aunque ellos eran lo primero y con su condición cumplieron durante los siguientes días.

Y el 30 de diciembre, en uno de sus recorridos, vieron a Wilfrid Ewart a cierta distancia: estaba en la esquina de San Juan de Letrán con 16 de Septiembre, inconfundible con sus llamativos pantalones de montar y sus polainas caquis, se esforzaba a través de sus gafas de concha en mirar al cielo de puntillas. Stephen Graham subrayó más de la cuenta, en su libro, la alegría que 'embargó su pecho' al divisarlo, así dijo. Todo es posible. Fue-

ron a almorzar a un restaurante y el antiguo ordenanza en seguida reprochó al antiguo capitán su
'terquedad', curiosamente, y no lo que habría sido
más propio, su carácter dubitativo o veleidoso. Ewart
explicó que lo había cautivado México y que había resuelto quedarse. Le caducaría el billete y su
equipaje estaba en Nueva Orleans, pero 'llevo toda la vida buscando un lugar como este', le dijo a
Graham, quien no le hizo mucho caso y en cambio
trató de desazonarlo con la idea de que probablemente acabaría perdiendo la caja con los documentos relativos a la Scots Guards. Quizá eran su-
perprotectores, aquellos cónyuges, pero parecía que
hubieran buscado desesperadamente a Ewart sólo
para deshacerse de él en cuanto lo encontraran y
echarlo de México durante su estancia hernanista.
Wilfrid no se preocupaba mucho, haría que le en-
viaran la caja desde Nueva Orleans junto con su ropa, sólo llevaba consigo su mochila y un bastón
y andaba un poco molesto porque ni siquiera disponía de mudas en Ciudad de México. Pero había
abierto una cuenta en un banco, había calculado
que podría pasar el invierno con poco dinero en
Chapultepec o en San Ángel, donde sin lugar a dudas terminaría la historia de su regimiento. Luego
iría a Veracruz y regresaría a Nueva York, se trasla-
daría durante el verano a la frontera con el Canadá
y escribiría una serie de artículos sobre las relaciones
de este país con los Estados Unidos, tema apasionante donde los haya y por el cual nadie sabe el motivo de que se interesara de pronto a tantas millas de
distancia y con semejante anticipación.

Según cuenta en su libro *In Quest of El Dorado,* Graham lo acompañó al Hotel Isabel, en la esquina de República del Salvador con Isabel la Católica, en que se hospedaba Ewart por recomendación casual de 'un español' que le había dado la dirección en el tren. Lo regentaba un alemán que hablaba inglés y que, siempre según Graham, trató de congraciarse con él. Visitó la habitación de su amigo en el piso cuarto y admiró la montañosa vista que se ofrecía desde la ventana. Sin embargo no le pareció adecuada para escribir, y 'meditó llevárselo al Iturbide'. En *The Life and Last Words of Wilfrid Ewart,* en cambio, dice que el hotel se lo había sugerido 'una señora mexicana' cuya tarjeta él encontró con el nombre de dicho hotel escrito a lápiz en el reverso. También cuenta que primero fueron al Iturbide para que Ewart viera las 'palmas bananeras' y la fuente que el matrimonio contemplaba desde su habitación, y que aquél, encantado, 'medio decidió' trasladarse por la tarde a ese hotel, desde el que a continuación se dirigieron al Isabel para pedir y cerrar ya la cuenta. Pero el dueño tardó tanto en prepararla y se equivocó tantas veces que Wilfrid lo dejó para la mañana siguiente. Supongo que estas pequeñas o no tan pequeñas contradicciones no significan gran cosa ni tienen mucho de particular, y que incluso pueden deberse al mero aburrimiento que produce contar dos veces lo mismo de manera idéntica. Solemos evitarlo todos (para contrariedad de los niños), justamente con el fin de que lo mismo ya no sea lo mismo nunca. Tales contradicciones, no obstante, abonarían sin duda las ingeniosas especulaciones sin fundamento, de índole criminal, vertidas en su mencionado artículo de 1989 por Sergio González Rodríguez, quien fantaseó con la posibilidad de que Graham hubiera asesinado a Ewart por celos de su mujer o por celos literarios o por envidia de su instantáneo éxito o por retrospectivo rencor militar. En todo caso no debe olvidarse que los dos libros de Graham son de 1924 y que por tanto están descartadas las traiciones o fallos de la memoria, más aún en un hombre que ese año cumplió cuarenta para vivir a partir de entonces cincuenta más.

Era rara la súbita fascinación de Ewart por México, una ciudad incómoda y accidentada, pendenciera y arisca y sin un solo teatro aceptable. Pero le entusiasmaron el clima y los parques, o eso dijo, en especial Chapultepec. También las cabinas o puestos callejeros de señoritas manicuras, a veces escondidas tras cortinillas y a veces visibles, que se encontraban por doquier. Durante el almuerzo del día 30 mostró con satisfacción a los Graham sus uñas embellecidas.

El detallado relato que hizo Graham del 31 de diciembre de 1922 en Ciudad de México es buena prueba de que, por mucho que uno se esfuerce, lo inmediatamente anterior a lo último o a la catástrofe no tiene por qué ser siempre significativo ni encerrar interés alguno. Cuando alguien muere inesperadamente intentamos reconstruir lo que dijo la última vez que lo vimos como si pudiéramos salvarlo con eso, hacemos memoria del día postrero, una vez que lo sabemos postrero, con un ahínco que nunca habríamos puesto de haber sido tan sólo el penúltimo, no digamos uno cualquiera de los olvidados tantos del tiempo perdido; y así hacemos trampa o nos engañamos, esto es, arrojamos sobre esa ocasión una luz que no le pertenece, no es suya sino del final, la muerte ilumina con su fulgor detenido lo que vino antes ('Apaga la luz, y luego apaga la luz'), que por sí mismo era en sombra o en gris y no tenía importancia ni el propósito ni la esperanza ni el ánimo de dejar huella de ninguna clase y ya se estaba difuminando, tras su acontecer. Esa muerte imprevista o adelantada contamina hacia atrás y esparce sus llamas retrospectivas que todo lo alteran, no sólo el día: nos damos cuenta de que el indiferente anteayer se convierte de golpe en 'los últimos años', según la fórmula de las crónicas y biografías, que a menudo dicen eso del muerto, 'durante sus últimos años...', como si hubiera podido anticiparlo nadie; y el anodino ayer se estiliza por el filo de las repeticiones, que lo veneran y cincelan y fijan ya para siempre porque de pronto ha adquirido la ominosa condición de víspera que en su hoy no tenía. Tratamos de conferir solemnidad a lo que *resultó* ser lo último, pero las más de las veces es una solemnidad impostada, ficticia, inoculada, prestada, como si nos atormentara pensar que pudimos perdernos en nuestra ignorancia alguna palabra o mirada o gesto de la despedida, o aceptar que la muerte del otro nos pilló de improviso y nos impidió aprehender su tramo final de vida y ser sus atentos testigos, antes de la metamorfosis. Pesa la conciencia de no haber sospechado ese adiós o de no saber que lo era, si estábamos seguros de ver a ese otro una vez más al menos, cuando estaba ya enfermo y temíamos que no durara. Y hasta nos afanamos por recordar señales o signos o ironías crueles o vaticinios no reconocidos de lo que sucedió más tarde y eso nos tranquiliza, como cuando vuelve a verse una película o a leerse un libro y reparamos entonces en las premoniciones o avisos de su desenlace, ahora que lo conocemos y no hay quien lo cambie.

A mí me cuesta reproducir y aun saber con certeza cuál fue la última vez que vi a Aliocha Coll, el amigo que se suicidó bastante tiempo después de esa vez y poco antes de la vez siguiente que no llegó a tiempo: cómo podía yo saber de su fin cercano —quizá ni él mismo; pero no, él sabía, y decidió la fecha—, y así dejé pasar un par de días sin llamarlo en su ciudad, París, en la optimista idea de hacerlo un poco más adelante, cuando hubiera acabado con mis ocupaciones estúpidas (pero estos dos adjetivos, 'optimista' y 'estúpidas', pertenecen sobre todo a su muerte y a su luz detenida que ridiculizó mi natural idea y rebajó mis ocupaciones solamente superfluas, y ahora ha borrado ya éstas del todo, no sé en modo alguno qué hice en aquellos días, aunque mi agenda dice que viajé a Poitiers y volví a París, y en cambio mi memoria no registra Poitiers). Y como me cuesta reconstruir esa vez, lo intenté en una semificción o cuento titulado 'Todo mal vuelve', según una de sus últimas frases dirigidas a mí por escrito, en un telegrama. Pero ese relato no basta, porque creo no haber confundido todavía nunca la ficción con la realidad —sí, eso creo—, y lo cierto es que sólo tengo un difuso recuerdo de sus últimas palabras y gestos y su último espíritu y su último aspecto, y me parece que fue todo ello durante un almuerzo en la Brasserie Balzar de la rue des Écoles, pero no estoy seguro y no quiero ahora rastrear mis agendas —de las que él habrá desaparecido a partir de ese último día, cualquiera que fuese—, y en todo caso aquel encuentro que quizá fue el postrero se mezcla con otros del indiferente y anodino tiempo anterior y perdido. Tenía cuarenta y dos años cuando se mató en 1990 con su mano infalible de médico, tras releer un último cuento —la *Sylvie* de

Nerval— y escuchar una última música —pero no sé cuál— y apurar su último vaso de vino. Y en realidad yo no lo habría visto esa vez siguiente aunque lo hubiera llamado nada más llegar a París el 20 de noviembre, porque yo me enteré el 23, pero él se había suicidado el 15. Dejó tres cartas, no era para mí ninguna, ya me había escrito muchas.

Y se me hace mal soportable a veces haber ignorado la gravedad de mi madre, Lolita su nombre, porque me la ocultaron y yo no vivía en Madrid ni solía verla a menudo entonces, y estaba demasiado abismado en los pasajeros problemas de mis veintiséis años —o quizá eran desdichas, o sólo penas— para percibir ese ocultamiento y tratar de averiguar lo que además uno cree que no puede darse y por tanto lo que más descarta. Una creencia aún juvenil, o supersticiosa, o ufana. Así que cuando me di cuenta tarde de lo que le venía a ella, regresé rápidamente de los viajes ociosos de mi turbulencia de aquellos meses, y ella sólo duró unas horas tras mi llegada, a veces he pensado que sólo vivió esas horas y ya no más tiempo porque conmigo ya estábamos a su lado y en casa los cuatro hijos —y el quinto o primero aún más cerca, a su inminente cuidado el niño— y podía dejarse ir por fin, sabiéndonos a los cuatro a salvo momentáneamente y en su compañía y en casa. Sí, es posible. Hace poco más de un año encontré la que debió de ser su penúltima carta a mí, a su cuarto hijo nacido y el tercero entre los vivos, del 3 de noviembre del 77, menos de dos meses antes de su muerte, y en ella se ofrecía discretamente a ayudarme porque en una breve estancia anterior mía me había visto triste sin saber el motivo ('Pero esa capacidad de respeto, que me lleva a olvidar toda confidencia; porque nunca las difundo y porque procuro poner paz, les ha servido a otras personas más de una vez... y a vosotros, ¿no os puedo ayudar?'), y decía esto: 'He dormido mejor mientras estuviste aquí, como siempre que sé que ya estáis ahí durmiendo; pero en cambio ahora no puedo dormir dándole vueltas a la cabeza, sé que hay algo que no sé y esto me da rienda suelta a mi imaginación cuando se trata de vosotros... ¡Hay tantos problemas en torno a vosotros!' Así que tal vez, y una vez que supo ya cerca y en casa al único que faltaba, y le dijo adiós, se pudo dormir para siempre. Y por eso me pregunto a veces si acaso no se resistió a ese sueño hasta mi llegada, más de la cuenta y más allá del cansancio, habría sido impropio de ella no esperarme hasta despedirse. No mucho antes le había dicho a mi padre: 'Soy hija de médico y sé lo que tengo', porque también le habían ocultado la gravedad a ella; y a continuación describió con exactitud la índole de su enfermedad y lo que ésta iba a traerle. En esas horas últimas en que coincidimos hay algo anodino que dejó de serlo por estar en lo último, y así es lo que más recuerdo. Yo había estado recientemente en París y allí había visto una exposición exhaustiva de Rubens y había comprado bastantes postales. Ella estaba en la cama y yo me senté en el borde, había dejado de teñirse el pelo ––pero para mí siempre es negro— y ahora se le veía de un gris muy limpio, sobre su rostro parecido al mío que no llegó a tener casi arrugas, su piel era llena y tersa. Se la veía soñolienta, aturdida, y yo le enseñé las postales de los cuadros de Rubens por distraerla, disfrutaba mucho en los museos. Las fue mirando con un poco de esfuerzo para fijar la atención y la vista, yo le hacía algún comentario. Se detuvo ante el retrato de una mujer, Helena Fourment, menos abigarrado y más nítido que las grandes composiciones. 'Mira qué mano', dijo, señalando la mano derecha de la joven, y luego se sonrió ante el extravagante sombrero: 'Si yo me hubiera puesto alguna vez esto habría resultado más alta', dijo humorísticamente. Cada vez que veo ahora un Rubens me acuerdo de aquel momento y de la mano de Helena Fourment, y de su sombrero, y de ella. No hace falta decir que no le había permitido ayudarme, casi dos meses atrás, rara vez les contaba a los padres mis asuntos personales que solían darles disgustos, como la mayoría de los hijos callaba, los de mi generación al menos. Bueno, algo debí decirle más tarde, lo justo para que su imaginación no se disparara hacia cosas peores que las que me ocurrían y tranquilizarla en su intranquilidad un poco, porque en su última carta, que he perdido en algún trasiego, recuerdo que contestaba con tiento a mi confidencia y decía: 'No lo entiendo, pero también entiendo que no lo entienda'. En el coche que me llevó hacia su entierro al día siguiente vi mi cara enmarcada en el espejo retrovisor, y soñoliento y aturdido iba pensando: 'Soy lo más parecido que queda

a ella, soy lo más parecido que queda a ella'. Era el 24 de diciembre, no tengo muchos más recuerdos de su última hora, llegué el 23, un poco tarde.

Y tampoco supe que era la última vez la última vez que vi a Juan Benet, mi maestro literario y amigo durante veintidós o más años. Y aunque sí sabíamos que estaba mal enfermo y que ya no iba a durarnos su compañía, también estaba seguro de que todavía habría de verlo en dos o tres ocasiones, una o dos al menos, y así la última visita que le hice a su casa con Mercedes López-Ballesteros no fue vivida por mí ni por ella como la despedida ni estuvimos sombríos, creíamos que aún no tocaba decirse adiós, con el pensamiento. Yo había viajado poco antes no a París sino a Londres, y volví contando anécdotas divertidas y semiapócrifas de Guillermo Cabrera Infante y de su mujer Miriam Gómez, estupendos relatores, con imitación de su habla cubana incluida, y mucho solía disfrutar don Juan sus cuentos, con la gran simpatía que les profesaba. Algunas historias eran tan disparatadas que le hice reír con gran fuerza, tanta que llegó a protestar en un momento dado y me dijo, con escasa convicción y en medio de las carcajadas: 'Ay, no me hagas reír tanto, que me duele aquí', y se señaló no recuerdo si el pecho o un costado. Pero yo no tuve piedad y seguí desvariando y contando y exagerando, ya no sé si era la increíble historia de Borges en Sitges ('un lugar muy salvaje') con la rebanada de *pa amb tomàquet* atorada, o la del canguro erecto y 'homosexualista' en Australia, o la del actor Richard Gere y la máquina amatoria atorada, o la del doctor Dally que tenía medio cuerpo inmóvil pero de color variable (longitudinalmente) y vendía los libros que no debía, los Cabrera son inagotables. Así que gracias a ellos hice reír sin cesar a don Juan aquella noche y cómo me alegro ahora de haberlo hecho y de no haber parado cuando dijo que le dolía la risa, porque resultó ser la noche última y así mi penúltima visión de don Juan es un Juan muy risueño. Ya no volví a verlo, sólo hablé con él por teléfono para decirle que había releído *Volverás a Región* para escribir un artículo, su primera novela de cuya publicación se cumplían veinticinco años, y que era ahora cuando de verdad era buena. '¿Sí? ¿Tú crees?', preguntó con ingenuidad no fingida. Y en realidad sí volví a verlo, pero a los pocos minutos de que hubiera muerto en la primera hora del 5 de enero del 93, va ya para cinco años. Vicente Molina Foix estaba conmigo y fue a buscar a casa unos gemelos para que enterraran a don Juan con ellos, porque ni su mujer ni sus hijos lograban encontrar los de él aquella noche (así que los gemelos no habrían servido para reconocerlo). La noche que lo visitamos Mercedes y yo fue la del 12 al 13 de diciembre, era sábado. Él salió a la puerta a despedirnos ya tarde, y la última visión es por tanto la de su figura larga en lo alto de los escalones de entrada de su chalet de El Viso, con la sonrisa aún puesta de la risa pasada como un rastro suave y adormecedor antes del sueño, la larga figura en penumbra recortada contra la luz de dentro diciéndonos adiós con la mano y no con el pensamiento.

En cuanto cerró la puerta y nosotros doblamos la esquina, Mercedes se echó a llorar y hundió la cara en mi hombro, me mojó el abrigo. Había trabajado para él a diario durante tres años, y ella sí se había despedido, yo creo, con su pensamiento.

Pasaron muchas horas desde la muerte de Ewart sin que a nadie se le ocurriera pensar que no estaba vivo, y todavía más horas hasta que sus familiares y amigos se enteraron de que hacía ya rato que había dicho su adiós al mundo más allá del océano, quizá sin enterarse ni decírselo él mismo, ni siquiera con el pensamiento. No sé por qué se dan como fecha y año de su fallecimiento el 31 de diciembre y 1922, respectivamente, cuando no hubo testigos —ni el que lo mató fue testigo, o no tuvo certeza de haber matado— y bien pudo morir en la primera hora del 1 de enero, quién sabe, y en 1923 por tanto. O en el primer minuto. Da miedo pensar en esas horas ya tan lejanas y tan olvidadas, pero tan sobrantes y lentas mientras transcurren, en las que nuestros allegados nos creen vivos cuando ya hemos muerto, y duermen apaciblemente con sus primitivos sueños o ven la televisión o ríen, o maldicen, o follan en vez de suspenderlo todo y correr a nuestro tardío encuentro para hacer llamadas y preparar diligencias, y no dar crédito, y afligirse, y desesperarse alguno. No da miedo por el muerto ni por su supuesta soledad o abandono, sino por los vivos, que deberán reconstruir más tarde esas horas ya inservibles o anuladas tal como se sucedieron —aún más sobrantes y lentas en el recuerdo—, en las que ignoraban que había cambiado su mundo y que por ello fueron atravesadas de forma anodina e indiferente, o puede que con alegría ahora impropia, o acaso hablando mal del muerto. 'Apaga la luz, y luego apaga la luz': tal vez por eso, para que se haga del todo cierto, haya que decirlo dos veces, la vez del hecho y la vez del cuento. Y entonces, como comenté al principio, recordar y contar pueden constituirse no sólo en un homenaje, sino también en una afrenta.

El cadáver de Wilfrid Ewart no fue descubierto hasta casi el mediodía del Año Nuevo, así que transcurrieron cerca de doce horas sin que nadie tuviera conocimiento de que ya era eso, un cadáver, y no más uno entre nosotros, si es que decir 'nosotros' tiene algún sentido. Según el diario mexicano *Excélsior* del miércoles 3 de enero de 1923, que tanto González Rodríguez como Muñoz Saldaña consultaron y me citaron respetando la incorrecta puntuación y las erratas, 'Quien primero tuvo conocimiento del suceso fue la señora Angelina Trejo de Estrevelt, quien presta sus servicios en calidad de camarera en el Hotel Isabel. La señora de Estrevelt, como de costumbre se dirigió ayer en la mañana, ya cerca del mediodía a las habitaciones superiores con el fin de hacer el aseo de las mismas. Al llegar al cuarto número 53 miró por la cerradura y le extrañó ver que la luz artificial estaba encendida.' ('Apaga la luz, y luego apaga la luz', eso siempre.) 'Llamó a la puerta varias veces y no obtuvo contestación alguna. Temerosa de que algo hubiera ocurrido al pasajero, penetró a la habitación, encontrando las ropas de la cama en perfecto orden. Poco después y dirigiendo la vista al balcón con vista a la calle, que se encontraba abierto, vio el cadáver del señor Etwart, en medio de un charco de sangre ya coagulada.'

Aquí cabría preguntarse por qué la camarera o doncella miró por el ojo de la cerradura como medida previa a ninguna otra, y la noticia correspondiente a la sección inglesa del mismo periódico no despeja la incógnita, pese a llamar Ewart a Ewart y ya no Etwart y especificar que '... a chambermaid coming to clean his room *found the door locked*' (el subrayado es mío) 'and peering through the keyhole saw that the light was still burning. After calling several times she became alarmed, and entering the room noticed that the bed had not been slept in. Proceeding toward the balcony of the window she discovered the body lying in a puddle of clotted blood...' (No traduzco porque la versión es casi idéntica a la anterior en castellano.) Que la llave de la habitación estuviese echada no parece sorprendente en ningún caso ni motivo suficiente para espiar por el ojo de la cerradura primero y sólo después llamar varias veces a la puerta, en vez de haber hecho esto último antes de nada. Tal vez fue el derroche de electricidad lo que alarmó a doña Angelina Trejo de Estrevelt, su deseo de apagar la luz superflua y hacer cesar del todo la noche lo que la decidió a utilizar su llave.

'Inmediatamente', prosigue la noticia en español, 'dio aviso del fúnebre hallazgo al mozo encargado del elevador, para que éste a su vez, diera aviso al administrador del hotel, el señor Manuel Olvera. Éste subió precipitadamente al cuarto piso y habiéndose llegado a la habitación 53 se encontró efectivamente el cuerpo inanimado del señor Etwart.' (Habría sido milagroso que no hubiera sucedido así; o quizá se daba a entender que las camareras pueden ser muy fantasiosas o fatalistas y que con ellas nunca se sabe.) 'Inmediatamente se dio aviso a la policía, presentándose el personal de la cuarta demarcación momentos después, procediendo a levantar el cadáver. Éste estaba en decúbito dorsal y con huellas de una muerte no reciente. Examinado el cuerpo, se vio que tenía una herida por arma de fuego en el ojo izquierdo sin orificio de salida. Se ordenó que el cadáver fuera llevado al hospital Juárez para la autopsia de ley.'

'El comisario de policía, señor Mellado, hizo un registro en las ropas del occiso encontrando documentos y papeles, dinero en efectivo, un cheque por cobrar y un libro de cheques en blanco. Además encontró un recibo del banco Montreal en donde el señor Etwart había depositado el día de su llegada una buena suma de dinero. De todo esto formó un inventario ordenando el señor Mellado que las autoridades judiciales tomaran conocimiento del caso.'

Antes de continuar conviene volver atrás, al comienzo de la noticia, que apareció con los siguientes titulares o subtitulares: 'Muere un súbdito inglés de un tiro' 'La bárbara costumbre de lanzar balazos al aire, causó un suceso' 'Curiosidad fatal' 'Fue muerto cuando escuchaba en el balcón del hotel el regocijo popular'. Y en el inicio de la crónica decía así:

'Del interior del cuarto número 53 del Hotel Isabel fue recogido ayer por el personal de la cuarta demarcación de policía el cadáver del señor Wilfred Herbert Gore Etwart de nacionalidad inglesa y el cual presentaba una herida causada por proyectil de arma de fuego, con orificio de entrada en el ojo izquierdo quedando la bala alojada en el cráneo.'

'El señor Gore Etwart había llegado la noche anterior a esta capital procedente de los Estados Unidos y en viaje de negocios. Por las investigaciones de la policía se presume que el señor Etwart murió a consecuencia de una bala perdida de las muchas que se dispararon la noche de fin de año por uno de tantos trogloditas que no conciben el entusiasmo sin disparar armas de fuego.' (Hacía siglos que no leía ni oía la palabra 'troglodita', que se ha quedado antediluviana; pero quizá en el año 23 era novedosa y al cronista anónimo le pareció definitiva y perfecta para este poco objetivo párrafo de reconvención a sus compatriotas.)

'El cadáver del súbdito inglés fue encontrado en el balcón del cuarto número 53, situado en el cuarto piso del Hotel Isabel en la avenida República del Salvador y pudo ser identificado gracias al pasaporte que tenía en uno de los bolsillos de la americana.'

Y luego, tras el relato ya citado, la noticia concluía con alguna repetición y una nueva regañina, pero vale la pena reproducirla entera: 'El cónsul en México de la Gran Bretaña, al tener conocimiento del suceso, se presentó en la demarcación pidiendo el cadáver del señor Etwart, el cual le sería entregado desde luego.' (Ese 'desde luego' resulta conmovedor, como si desmintiera con vehemencia una insinuación ofensiva respecto a la honradez de los mexicanos, o de su policía, que jamás habrían escamoteado un cuerpo víctima de una balacera.)

'Por las declaraciones de los empleados del Hotel, se deduce que el señor Etwart, a la media noche del día último del año, al escuchar los silbatos y los cohetes que anunciaban el advenimiento del año nuevo, salió al balcón por mera curiosidad, siendo entonces cuando un tiro disparado al aire por uno de tantos individuos inconscientes fue a causarle la lesión que debe haberle privado de la vida casi instantáneamente.' (Dado que ningún empleado del hotel se percató de la tragedia hasta el mediodía siguiente, no se ve muy claro por qué 'se deduce' nada de sus declaraciones que hubieron de ser sólo hipótesis; y no deja de resultar sorprendente la explicación excesiva o superflua de que Ewart o Etwart se asomó al balcón 'por mera curiosidad', como si pudiera haberlo hecho por algún otro motivo.)

La sección en inglés del diario *Excélsior* no aportaba datos distintos en lo referente a la aparición del cadáver, pero en cambio relacionaba esta muerte con un accidente acaecido a otro huésped del malhadado Hotel Isabel, alrededor de una hora antes y en las cercanías:

'A strange coincidence in the death of Mr Ewart is the accident which befell Carlos Duems, representative of the Duems News Agency, who is a resident of the same hotel of the tragic death of the Englishman.' O, dado que el inglés de esta nota es bastante macarrónico e inverosímil, se contaba que hacia las once de la noche del 31 de diciembre, el redactor jefe de cablegramas del diario, Salvador Pozos, había encontrado al señor Duems gravemente herido en la esquina de las calles Nuevo México y Revillagigedo, donde había sido atropellado por 'uno de los muchos Fords enloquecidos y abarrotados de juerguistas del Año Nuevo', que para mayor juerga lo había arrastrado cinco metros por la calzada. El señor Pozos, que conocía personalmente a la víctima, representante de la agencia de noticias de su nombre, la recogió y la llevó hasta su habitación del Hotel Isabel, situada en el mismo piso que la habitación que ocupaba Ewart. Sin duda aquel piso cuarto suponía un infortunio para los clientes, aunque dentro de todo el señor Duems salió bien librado si logró salvar la vida en aquellos días en aquella zona: el 3 de enero en que los periódicos recogían y se recuperaban de estas noticias de la mala fama, otro ciudadano inglés, llamado George W Steabben, perecía —se supone que una vez más accidentalmente— entre los dos fuegos de una feroz reyerta que según Stephen Graham tuvo lugar entre sendas bandas de mexicanos montadas en otros tantos coches, desde los que se tirotearon sin el menor escrúpulo y en plena tarde pese a ser la mayoría de sus integrantes oficiales y diputados, o quizá por eso, 'por encima de la ley' todos ellos. Sergio G R buscó los detalles en la hemeroteca, y con mi gratitud me permito reproducirlos: 'El día 3 de enero, el general Leovigildo Ávila y el teniente coronel Constantino Lazcano salieron a dirimir una pendencia a las puertas del Salón Phalerno de las calles de 16 de Septiembre; rodeados de sus amigos, se insultaron y desenfundaron sus armas. El saldo de la gresca fue el siguiente: el gendarme Zavala, herido en la mano; el general Ávila, herido en el brazo; el coronel Lazcano, herido en la clavícula y el carrillo izquierdo; el diputado Trillo, herido en la mano; el torero Pepete, que pasaba por ahí, herido en el brazo derecho; el agente Sotero Reza, herido en la pierna. George W Steabben, que se dirigía a sus oficinas situadas frente al antro, recibió un certero balazo en la frente a las 17'21 horas.' No parece que los pistoleros insignes fueran motorizados, así que cabe desconfiar otra vez de Graham, según cuya versión el súbdito de Su Majestad siniestrado paseaba por la calle con su familia cuando lo frieron, un honrado comerciante. No deja de ser llamativo —injusticia novelesca— que el único que perdiera la vida en el eminente fregado fuese el más ajeno a él de todos, y con un agujero en la frente (es decir, sin riesgo de que la salvara), mientras los demás salían del paso con heridas en los miembros, incluido el pobre diestro Pepete que quizá no pudo pisar los ruedos en algún tiempo, e incluidos los dignatarios, el desafiante Constantino y el injurioso Leovigildo, aunque a aquél le quedaría cicatriz en la mejilla. Certeros balazos, en efecto, los que se llevaron por delante en tres días a George Steabben y a Wilfrid Ewart. Y el que mató a este último resulta tan inverosímil que de darse en una novela y no en la vida nadie podría dar crédito al increíble detalle de que le entrara la muerte justo por el ojo con el que no veía y que jamás había atravesado ninguna imagen, el que no estuvo nunca conectado al cerebro y por tanto fue independiente sin recibir sus órdenes durante treinta años, para convertirse en cambio, al cabo de todo ese tiempo, en el conducto mortal por el que penetró la bala que se alojó en el cráneo y los conectó finalmente, en su cesación tan sólo. Como se encargaron de subrayar los propios periódicos mexicanos del 4 de enero, una vez que supieron la historia del muerto a través de Graham, quien prestó declaración e identificó el cadáver, ya era 'una cruel ironía del fatal destino' que el hombre que había sobrevivido a 'más de cien batallas' y había sido 'respetado por las balas enemigas' y había 'desafiado la muerte en innúmeras ocasiones' fuera a caer abatido y desarmado en México por el disparo al azar de un insensato cuando se asomaba por mera curiosidad al balcón de su cuarto en una noche de jolgorio ('La fatalidad lo trajo a México', rezaba uno de los subtitulares con cierta satisfacción punitiva). Sí, es rara la fatalidad o el azar o lo que así llamamos cada vez menos, que sólo suele darse en la vida y en las malas novelas y en los buenos cuentos, en la primera en grado extremo. Pero para no hacer tan raros esa fatalidad o ese azar o destino, al menos podía haberle ido a Ewart su bala a la frente, como la de Steabben, o al corazón, o a la yugular, o a la boca, o al otro ojo con el que algo veía y cuya luz aún no estaba apagada ni siquiera por vez primera. Y sin embargo fue a incrustarse en el ojo ciego justo bajo la ceja, destrozando el cristal de las gafas sin dañar la montura, no sé si aún las tenía puestas cuando lo encontraron. En el fondo son indiferentes estas casualidades y coincidencias, podría pensarse que el proyectil no pudo verlo para su desgracia el ojo al que se dirigió en la noche, y que de haberse encaminado hacia el otro tal vez habría podido esquivarse —pero nunca se ven las balas, y sólo se las oye silbar en los viejos libros, como contó Jünger—; pero también podría pensarse que hubo un elemento de piedad en la dirección tomada por la bala perdida entre las infinitas posibles, si así se ahorró el ojo ver lo que se le avecinaba. Qué más da, nada es tan extraño, a quién le interesa, no hay fuerzas ocultas que guíen nada o conduzcan a nadie al lugar de su muerte, todas las posibilidades están contenidas en el transcurso del tiempo, esto es, en el pasado y en el futuro. Poco sentido tienen el lamento o el asombro, ni el de Graham en sus libros ni el de Gawsworth o Conan Doyle en la natal Inglaterra ni el de los cronistas de México con sus aspiraciones de solemnidad que no sabían resolver al concluir sus frases: 'Triste fue el final de este oficial británico, que después de haberse jugado la vida muchas veces en los combates más terribles que recuerda la historia, vino a morir en forma tal.' Qué lástima querer alzarse y no saber cómo, nos ocurre a la mayoría.

Pero aún hubo más perplejidades para quien siguiera el cuento que el mundo olvidó muy pronto y no debería importar ya a nadie. Otro diario, *El Universal,* daba el 3 de enero una versión demasiado distinta del hallazgo del cuerpo que para su redactor había llevado el nombre de 'Herbert Gore', como si hubiera adivinado el pseudónimo utilizado por Ewart en sus relatos fantásticos y se hubiera decantado por él al describir su muerte que parecía ficticia. El párrafo inquietamente contradictorio era este: 'Como la policía no se encontrara ninguna pistola, se tuvo como segura la hipótesis del señor Mellado, de que el señor Gore había recibido la herida que le causó la muerte cuando se encontraba en el balcón de su cuarto, sentado en un sillón, porque en dicho mueble se encontró una gran mancha de sangre, que demuestra que ahí estaba cuando recibió la mortal herida.' Es en verdad una contradicción irresoluble, y no sólo porque el periódico *Excélsior* no mencionara en absoluto ese sillón ni esa mancha. Si Ewart se asomó al balcón por mera curiosidad al oír los disparos ('Mr Graham cree', decía el *Excélsior* del día siguiente, 'que su amigo al escuchar los disparos que se hacían se asomó al balcón para indagar de lo que se trataba y que su curiosidad era explicable ya que se trataba de un soldado que por muchos meses había estado oyendo continuamente el trick track de las ametralladoras y el retumbar de los cañones'), no tiene sentido que se molestara en arrastrar un sillón hasta allí antes, y tampoco que lo hiciera después, como quien se dispone a asistir largo rato a un espectáculo, habida cuenta de que poco habría visto a distancia con su único ojo cegato. Si, por el contrario, el sillón no estaba en el balcón, pero mostraba la sangre, entonces Ewart no pudo morir tan 'instantáneamente': tendría que haber dado unos pasos hasta desplomarse sobre blando y dejar esa mancha en la tapicería; pero entonces no se podría haber encontrado el cadáver tendido en el balcón, como afirmó su descubridora y ratificó el administrador, a menos que después de haber ensuciado el sillón Ewart hubiera vuelto a ese balcón a rastras para pedir desde allí auxilio, cosa más bien inútil si en la calle había un buen 'trick track' de cohetes y pistolones. Tampoco parece probable que, aun no siendo la muerte instantánea, le hubiera dado tiempo a pasearse tanto. El señor Mellado, dicho sea de paso, debía de ser como inspector un desastre, si no hallar en la habitación arma alguna le pareció concluyente prueba de que la bala había venido de fuera, como si los asesinos tuvieran la costumbre de dejar los instrumentos de fuego junto a sus víctimas para facilitarle a la policía el trabajo. Y las explicaciones de Stephen Graham para justificar la curiosidad de Ewart son del todo innecesarias: no hace falta haber oído el famoso trick track durante meses en una guerra para echar un vistazo a la calle, con o sin tiros en ella.

Algo excesivo hubo también en las declaraciones del propio Graham que la prensa reprodujo el 4 de enero con inusitado detalle: no sólo se ofrecían los principales y los secundarios datos de la vida y personalidad de Ewart, de su origen y sus escritos, sino también las circunstancias azarosas que lo habían llevado hasta México y que yo referí antes, con mención incluida de su gran malestar por la falta de sus mudas. El *Excélsior* señalaba: 'La señora Graham explica que él permaneció en la ciudad esperando su equipaje, ya que se lo conocía en los círculos sociales de Londres como una persona ejemplarmente bien vestida, y el no recibir sus pantalones cortos (trunks) lo tenía muy fastidiado. "Fue un mero accidente que viajara a México"'. La primera frase es tan absurda —hacer depender la elegancia de unos pantalones cortos; y si eran calzoncilllos más demencial todavía, tampoco se habría arruinado por comprarse unos zaragüelles locales— que aquí cabe sospechar un error de traducción, ya que *trunks* en inglés significa también 'baúles'. En todo caso los reporteros mexicanos tuvieron el indudable mérito de arrancarle unas palabras a la misteriosa y callada señora Graham, quien no suele aparecer mencionada ni descrita, ni hablando ni activa ni casi como presencia pasiva, en los libros de viajes de su marido, aunque lo hubiera acompañado del primer al último día expedicionario (Rose Savory de soltera al parecer su nombre). Según el *Excélsior,* ella aún añadió otra frase sobre Ewart, acaso superflua si no respondía a una pregunta concreta: 'Tenía una muy agradable personalidad, como opinaban todos los que lo conocieron, y no tenía enemigos, precisó la señora Graham'. Sin duda con atrevimiento, es difícil asegurar lo segundo de un triunfador fulminante, quizá en 1923 sí dejó de tenerlos.

Pero aún más rara que las declaraciones in situ del matrimonio fue la escenificación de la muerte que Graham ofreció al final de su ya citado libro *The Life and Last Words of Wilfrid Ewart*, tras rememorar y contar escrupulosamente cuanto habían hecho y dicho los dos varones del trío aquel 31 de diciembre que para uno de ellos se convirtió en el último día de todos los años. Se habían separado hacia las once y media de la noche, extraño que no permanecieran juntos para celebrar la llegada de 1923 y brindar por el futuro, treinta minutos tan sólo. 'Entonces él marchó a su hotel y nosotros marchamos al nuestro', dice Graham en su libro, 'y el pandemónium fue en aumento hasta la medianoche, en que estalló y se desató un infierno.' Y añade con tanta seguridad como si hubiera estado presente o espiando la habitación de Ewart, pues aquí afirma, no supone ni conjetura: 'Wilfrid fue derecho a su hotel, se desnudó, se lavó, se puso el pijama, introdujo una cuchilla en su maquinilla de afeitar, y evidentemente pensaba rasurarse antes de acostarse, cuando se vio atraído por algún nuevo suceso abajo, en la calle. Fue a la ventana, y en ese mismo instante una bala fría le entró justo por el ojo y él cayó hacia atrás dentro de la habitación, hombre muerto.' Un golpe más de mala suerte, o de azar o fatalidad o destino si se quiere: se llama 'bala fría' o a veces 'bala muerta' a la que ya ha empezado a perder velocidad y dirección en su trayectoria. No seré yo quien explique cómo es posible saber que llegó a 'enfriarse' en su recorrido un proyectil que ni siquiera tuvo orificio de salida y quedó alojado en un cráneo, pues nada sé de balística ni de pirobalística ni de la oblicuidad ni menos aún de la ciencia necroscópica. Pero eso es lo que escribió Graham *(a spent bullet)* y lo que algún otro autor como Hugh Cecil recogió y repitió, setenta y un años más tarde.

En verdad no importa mucho ese detalle, al fin y al cabo casi nada de esta muerte es explicable, por ejemplo que los periódicos mexicanos no mencionaran el pijama del cadáver, siendo como fueron tan minuciosos. Y resulta una licencia narrativa mayúscula por parte de Graham —si es que fue eso, licencia— decidir que Ewart se lavó, o que fue entonces cuando introdujo una cuchilla en su maquinilla de afeitar y no antes, y además con el absurdo propósito de meterse en la cama recién rasurado, medida poco práctica donde las haya, pues la barba volverá a crecer durante la noche y el interesado se levantará necesitando probablemente un apurado, escaso sentido tiene afeitarse al final del día si no lo aguarda a uno alguna cita nocturna y nadie va a apreciar nuestras mejillas tan limpias. No menos raro es que, según Graham, Ewart cayera 'hacia atrás dentro de la habitación' *(back into the room a dead man),* pues de acuerdo con esa frase ya no habría habido balcón ni sillón para recibir el desplomado cuerpo. Y podría entenderse como mera voluntad de dramatizar lo ya dramático, pero tampoco es posible que Graham supiera que la bala le había atravesado al amigo el ojo 'en ese mismo instante' de asomarse al balcón, como dijo, y no, por ejemplo, cuando llevara un buen rato admirando el pandemónium. Por otra parte Graham no dramatiza mucho en su narración, desde luego menos que los cronistas improvisados de México.

Quizá por eso no logró insuflar el suficiente hálito de predestinación a su relato del día último, o quizá por incapacidad literaria. En él no explica, en todo caso, por qué Ewart aún no se había mudado de hotel la noche del 31, como había sido su intención ya la víspera, el 30 de diciembre, frustrada por la lentitud de un contable. Sí comenta, por el contrario, que Ewart se había cambiado de habitación dos veces en su Hotel Isabel, y que por lo tanto no llegó a dormir nunca en el tercer cuarto que albergó su muerte (la cama sin deshacer, ese detalle no escapó a la señora Trejo de Estrevelt ni a los periodistas que pasaron por alto el pijama, si es que hubo pijama puesto). Era tan fácil que no se hubiera producido esa muerte, y Graham no se abstuvo de enumerar los factores encadenados de la desventura, aunque sin cargar las tintas y escuetamente: 'Fue casi como si alguna fuerza oculta lo estuviera guiando hasta una situación de muerte. Estaba en Ciudad de México con un billete no utilizado y ya caducado para Nueva Orleans. Así se lo había acercado más al destino en primera instancia; un desconocido lo había enviado a un hotel impensado, y así se acercó un poco más. Y en el hotel fue mudándose una y otra vez hasta dar con el fatídico ático en el que murió. Si hubiéramos despedido el año en la Plaza de la gran pirámide, quizá todo habría ido bien. ¿Quién puede decirlo?'

Sí, quién puede decirlo, y qué importa quién pueda, todos esos 'sis', todos esos *ifs,* todos esos condicionales con que salpicamos nuestra vida entera para explicárnosla y justificarla y ratificarla y así pensar que podía haber sido distinta de como ha transcurrido o que no podía, en modo alguno; para lamentarnos más en las desdichas y más regocijarnos en las fortunas, son sólo consuelos o espaldarazos o arrepentimientos o mortificaciones retóricas y sólo sirven para no perder enteramente de vista al instante lo que el tiempo ha descartado, y sólo a eso se dedica. Era tan fácil que no se hubiera producido esa muerte, pero en realidad es tan fácil que no se produzca nada de lo que tiene lugar y acontece, nada absolutamente, empezando por nuestro nacimiento. Y qué, si no hubiera nacido, eso dije antes. Hay demasiados que nacen y es como si no hubieran alcanzado ni atravesado jamás el mundo; son tan pocos de los que queda memoria o registro y hay tantos que se difuminan y despiden pronto como si la tierra careciera de tiempo para asistir a sus afanes y a sus fracasos o logros o hubiera urgencia por deshacerse de sus alientos y de sus voluntades aún incipientes, el esfuerzo baldío y los pasos diminutos sin huella o sólo para el recuerdo hiriente de quien se molestó en enseñarlos y cometió el error o el atrevimiento y realizó el esfuerzo de gestar y de imaginar un rostro y de tener esperanza, y así son como un lujo costoso y superfluo que se expulsa de la vida en seguida como si fuera humo y ni siquiera se deja poner a prueba porque ni la historia ni el tiempo los reclaman ni los solicitan. Y qué, si no hubiera nacido nunca nadie. Tampoco habría muerto nunca nadie y no estarían los cuentos que incesantemente se cuentan llenos de horrores y azares y agravios, y de salvaciones temporales y definitivas condenas.

Sería también tan fácil que no hubiera muerto aquel George W Steabben en medio de la balacera y de un tiro en la frente en el mismo lugar y a los dos días, más aún cuando ya lo había rondado una vez su suerte y había escapado a ella, según cuenta Sergio G R: a raíz de su muerte accidental en México a manos de Constantino o de Leovigildo, alguien recordó que aquel negociante de la industria de carne y embutidos había combatido en la Guerra de los Boers y luego había sido inspector de alimentos durante la del 14, la que fue de Ewart. 'Poco antes de esta guerra, en Buenos Aires y en viaje de negocios', dice mi corresponsal mexicano en su artículo, 'lo "confundieron" con otra persona y le dispararon y golpearon, pero su fuerte cuerpo resistió el ataque.' Y añade, hablando de su verdadera muerte o definitiva condena: 'Sin duda Steabben tenía gran fortaleza: su agonía se alargó veinticuatro horas'. Sería tan fácil que no hubiera nada.

Nada fue premonitorio ni muy digno de mención en el último día de Wilfrid Ewart, aunque Graham se cuidó de mencionarlo todo. El muerto inminente se reunió con el matrimonio amigo hacia mediodía, con una camisa nueva que se había comprado en honor de la fecha (es de esperar que se comprara también de paso alguna muda y así anduviera más cómodo y limpio en sus horas postreras). Obsequió a los Graham con la lectura de algunas frases anotadas en su cuadernillo, estaba particularmente orgulloso de lo que había escrito sobre los perros de Chihuahua, eso dice Graham sin resentimiento en su tono. Tomaron un tranvía hasta San Ángel y durante el trayecto Ewart les informó de que ya había enviado un cable a Nueva Orleans para reclamar su equipaje y de que en la oficina había hecho amistad con un empleado inglés llamado Hollands, que vivía con su mujer en Chapultepec y le había prometido encontrarle allí agradable alojamiento. Iba a almorzar con los dos al día siguiente, habría sido tan fácil que llegara a ese almuerzo del Año Nuevo. Comieron en el distinguido patio de una posada que él ya conocía, y Graham observó que su amigo había perdido bastante el apetito: rechazó el pavo y los platos más sólidos y tomó sólo fresas con nata, una ración interminable o bien una tras otra, nata con fresas y fresas con nata todo el rato. Ewart les comunicó varias cosas durante la charla: había decidido que no le gustaba América, es decir, los Estados Unidos. Aun así volvería, pasaría allí dos o tres años antes de establecerse de nuevo en Londres y luego ya no regresaría nunca a las antiguas colonias. Había descubierto que su pensamiento político era conservador, tras haber tenido tentaciones liberales e incluso radicales. Dudaba si seguir escribiendo novela, en aquellos momentos lo atraía más ocuparse de política exterior, pensaba entrevistarse con el Presidente Obregón y con el General Enríquez y publicar artículos modernos sobre la situación mexicana, luego un libro sobre las relaciones entre los Estados Unidos y el Canadá, tema, ya dije, tan apasionante entonces como candente ahora. No comprendía cómo los Estados Unidos aún no se habían anexionado México (mejor que no llegara a escribir sus artículos: habrían sido a su vez mal comprendidos), y su único argumento a favor de un México independiente fue que era distinto y que quizá valía la pena conservarlo en su diferencia (no parece que tuviera el día brillante, sin duda no podía imaginar que fuera a ser el de su adiós al mundo, y no sé si Graham se portó como un amigo relatándolo al detalle).

Se lamentó de nuevo por la falta de sus ropas. 'No hay nada que me siente bien en Ciudad de México', dijo tajante. Contó que se había presentado en el British Club y había solicitado permiso para recibir allí su correspondencia. Pero lo habían mirado con malos ojos, y el secretario se había puesto ofensivo: 'Sí, ejem, siempre y cuando su hoja de servicios esté en regla', le había dicho. Ewart estuvo tentado de comunicarle que había tenido el honor, ejem, de estar al mando de una compañía de Guardias de Infantería de Su Majestad durante la guerra, pero se abstuvo. 'No volveré a oscurecer su umbral, sin embargo', añadió con pompa, refiriéndose a aquel British Club tan suspicaz y grosero. Ewart debía de ser de esos hombres que esperan ser reconocidos al primer golpe de vista como lo que son o se sienten, esto es, caballeros, o que se lea en su rostro su biografía. Los miembros lamentaron más tarde no haberle dado una calurosa acogida.

Luego hablaron algo de literatura, él y los Graham, pero el autor escogido tampoco se prestaba a disquisiciones muy dignas del día que era, o que resultó ser una vez concluido: no otro que mi exuberante compatriota Blasco Ibáñez, que tenía muy impresionado a Ewart por la amplitud de sus lienzos. Les contó el argumento de dos de sus novelas —y Graham tampoco parece recriminarle semejante abuso en su libro, retrospectivamente—, en las que medio mundo o el mundo entero aparecían como escenario. Aún más que las novelas le habían gustado las adaptaciones cinematográficas de *Los cuatro jinetes del Apocalipsis* y *Sangre y arena*, esta última recién vista en Santa Fe, con 'el elegante Rudolf' en el papel de matador, es decir, Valentino. Aprovechó la evocación para expresar su deseo de asistir a cien corridas, a fin de dominar los tecnicismos del arte del toreo, aunque al mismo tiempo no se veía de espectador en otra, tan mal lo había pasado en su bautismo de carnicería.

Estaba encantado con su vida de escritor. Podía recorrer el mundo y vivir de su trabajo, quería viajar a mil lugares. Sólo hizo un viaje más, como sabemos, un viaje interior seguramente. Al atardecer, y cuando ya regresaban hacia el centro, oyeron el petardeo de pistolas y escopetas, el jolgorio ya comenzaba.

Pasaron la velada en el Teatro Lírico, donde vieron una revista del año 22, el que terminaba. No entendieron mucho, al estar las viñetas plagadas de referencias locales, pero apreciaron los bailes y les gustó la escena en que un matón intentaba seducir a la viuda de un héroe hasta que de pronto la tapa del ataúd se levantaba y el muerto salía de su tumba ya cavada para protestar e impedir la felonía.

A la salida encontraron las calles casi intransitables por la muchedumbre, recorridas por automóviles y camionetas atestados de sombreros anchos, aturdidos por el trompeteo de cláxones y las ráfagas de cohetes y los alaridos quebrados y curvos. La gente llevaba banderas de papel con el verde y blanco y rojo, la mayoría de los varones blandían festivamente escopetas o pistolas, el ruido de las armas había ido en aumento, cruzados de cartucheras disparaban al aire desde las calles y las azoteas. Los cafés estaban abarrotados, las orquestas tocaban para contribuir al pandemónium, era ya dominante el influjo del pulque y demás licores de cactus. Los tres ingleses se sentían cansados, pero aún querían cenar, y buscaron una mesa en un lugar con música, el restaurante del Hotel Cosmos. Allí se demoraron —más fresas con nata—, 'y sin duda habríamos despedido juntos el Año Viejo y saludado el Nuevo', dice Graham, 'pero un Destino severo dispuso lo contrario'. No explica, sin embargo, a qué se dedicó ese Destino que no pareció ceñudo ni pareció esforzarse, ni por qué volvieron a estar los tres en la calle hacia las once y media. Tuvo la idea de dejar a su mujer en el hotel —debía de ser la más fatigada, tras pasar el día fuera escuchando a Ewart disertar sobre Blasco Ibáñez y los perros de Chihuahua— para luego volver al Zócalo a contemplar el éxtasis artillero de la medianoche. Pero estaban todos exhaustos y decidieron retirarse a sus respectivos hoteles. Sobre la última charla, la del Hotel Cosmos, Graham sólo apunta un diálogo disparatado acerca de los huevos, algo en verdad poco elevado para constituirse en las frases finales de nadie, menos aún de un escritor que habría llegado hasta lo más alto. Lo propició un camarero con su inocua y sencilla pregunta '¿Cómo querrán ustedes los huevos?', lo cual fue bastante para que Ewart plantara sobre la mesa sus antiguos conocimientos avícolas, perorara largamente sobre las diferentes clases de yemas y claras y tamaños y cáscaras, sus virtudes y vicios, y presumiera de ser capaz de adivinar, con un margen de error de veinticuatro horas, la edad de cualquier huevo, británico o extranjero, europeo o americano o hasta africano o asiático. 'Una cosa de la que me enorgullezco', dijo insensatamente, 'es que podría calcularte, al día, la edad de un huevo'. Puede afirmarse que estas fueron sus penúltimas palabras. De haber vivido una jornada más, podría haber dicho si era de 1922 o de 1923 un huevo.

Es dudoso que a lo largo de toda la cena no hablaran de ninguna otra cosa, y además no parece que a Ewart le faltaran nunca temas de conversación —un parlanchín irresponsable, al menos en su último día, y siempre podía recurrir a su libreta y leer en voz alta—, pero extrañamente Graham no registra otros diálogos. (Quizá estaba aturdido.) Dice sólo que una vez en la calle 'nos dimos un apretón de manos; nos deseamos mutuamente feliz año; nos dijimos adiós. "Feliz Año Nuevo, y que recuperes pronto esa caja metálica", fueron las últimas palabras que le dirigí, refiriéndome a aquella caja con papeles relativos al regimiento por cuya seguridad yo sabía que él estaba sufriendo'. Y Ewart respondió: 'Feliz Año Nuevo', y se separaron. Una vez más la mujer de Stephen Graham da la impresión de no estar presente, ni siquiera en la despedida que fue despedida. En su hotel, el Iturbide, cuenta Graham que reinaba un poco el caos, con los empleados 'en ese amenazante estado de borrachera que sobreviene tras beber mucho pulque'. A la medianoche estalló el clamor, y 'centenares de miles de escopetas y pistolas debieron ser descargadas y descargadas repetidamente'. El fragor era como el de la guerra cuando es guerra generalizada. Graham se asomó a la ventana y miró al cielo oscuro, 'que sin embargo nada contaba de las miriadas de balas que volaban hacia él'. Tal vez Rose Savory Graham se había echado en la cama con malestar y presentimientos y le miraba la espalda en silencio mientras él miraba hacia el exterior, las invisibles balas.

Una de ellas voló más baja o se hizo fría o gastada demasiado pronto y fue a incrustarse en el ciego ojo izquierdo de otro hombre también asomado al balcón, en pijama o aún vestido con su camisa mexicana recién estrenada, de pie o sentado en un sillón, con las gafas todavía puestas y la intención de afeitarse antes de meterse en la cama que no llegó a deshacer ni tan siquiera a abrir; y el hombre se había mudado dos veces de habitación hasta parar en aquella del piso cuarto y no se había mudado en cambio de hotel, como había sido su propósito desde la tarde anterior para estar más cerca de sus amigos que a veces parecían huir de él y otras veces lo buscaban como quien persigue un rastro, o un amor, o a un enemigo. Nada tiene sentido, nada casa, lo que menos sentido tiene es que Ewart y el matrimonio Graham se retiraran a descansar en una ciudad y a una hora en las que nadie absolutamente podría descansar ni dormir hasta el alba o más allá. Quizá su muerte fue una tardía intrusión de la totalidad bélica que fue sorteada ante su propia vista una mañana de Navidad en un remoto lodazal de Flandes. Quizá fue la contrapartida por aquella tregua de diez o veinte minutos festivos y solidarios en medio de la sostenida destrucción de meses, y esta vez le tocó a él ser destruido en medio del gran jolgorio del tiempo de paz, como le había tocado siete años antes a un sargento llamado Oliver ser abatido como recordatorio de guerra en el breve tiempo de tregua —o fue venganza—, no después ni antes, su pobre y confiada figura muy querida por sus camaradas. 'Da lo mismo, no importa, debió de ser un accidente', escribió Ewart al respecto, y no se interrumpió la tregua por eso como no se interrumpió la farra de la ciudad de México porque él permaneciera tirado en el balcón o en el suelo del cuarto la noche entera con su ojo agujereado, ni siquiera cubierto su rostro por medio saco terrero ni por una manta, mientras Stephen Graham se volvía hacia su mujer y tras cerrar la ventana para amortiguar el estruendo de la generalizada guerra se acercaba a su cama, tal vez hacia los brazos extendidos de ella pidiendo protección o exigiendo amores.

Tal vez tuviera razón Laurence Sterne en su *Tristram Shandy* que traduje a mi lengua hace veinte años cuando hizo recordar a un personaje que según el rey Guillermo en este mundo todo nos estaba ya predestinado, y que a menudo decía éste a sus soldados que 'cada bala llevaba su propia esquela'. (Y luego Diderot copió la frase.) Tal vez aquella bala fría llevaba la esquela de Wilfrid Ewart, y sin embargo es tan difícil aceptar esa idea, es tan difícil conseguir que suceda lo que está decidido o previsto, y ni siquiera la voluntad de un dios parecería lo bastante fuerte para lograrlo, si las nuestras estuvieran hechas a su semejanza. Quizá sea más bien que nada es nunca sin mezcla y que el ansia de totalidad nunca se cumple, porque acaso sea un anhelo falso. Nada es íntegro ni de una pieza, sino todo quebradizo y envenenado, corren venas de apaciguamiento por el cuerpo de la guerra y el odio se infiltra en los amores y las compasiones, la tregua en el lodazal de plomo y la bala

en los entusiamos, nada soporta ser único ni prevalecer ni ser dominante y todo necesita fisuras y
grietas, o su negación simultánea con su existencia. Y así nunca se sabe nada a ciencia cierta, y se
cuenta todo figuradamente.

Lo enterraron dos días más tarde, esto es,
el 3 de enero. Graham y el empleado de Correos
Hollands identificaron el cadáver en el desolado
Hospital Juárez que también era cárcel, la expresión de su rostro muerto *puzzled and annoyed* según el primero, 'de perplejidad y fastidio' en traducción inexacta. Se le practicó la autopsia y se lo
descubrió en perfecto estado de salud retrospectivo. Veinticuatro personas asistieron a su entierro
en el Cementerio Británico, no lejos del ciprés conocido como Árbol de la Noche Triste que fue la
del 1 de julio de 1520 para Hernán Cortés, junto a
la carretera de Tlacopán: el presidente y algunos miembros del British Club, el vicecónsul R J
Fowler, el reverendo deán H Dobson Peacock que
ofició la liturgia, los presidentes de la Ex-Servi-
ce Men's Association y de la British Society, Hollands, Graham y su mujer. Ella llevó rosas blancas
y las dejó caer sobre el largo ataúd cuando ya ini-
ciaba su descenso, es casi la única vez que su marido la menciona en todo el libro. En el lugar crecen
los lirios, o más bien crecían, ya que ese cementerio
'no existe más', según me cuenta Rafael M S en una
carta reciente. 'Fue arrasado hace casi veinte años
para abrir una vía rápida denominada Circuito
Interior. Se erigió una capilla muy pequeña para recordar a los que estuvieron sepultados ahí. La

llamada Capilla Británica queda en San Cosme esquina con Melchor Ocampo y conserva una inscripción en inglés. Cuando los cuerpos se exhumaron fueron trasladados al Nuevo Cementerio Británico situado en Calzada México Tacuba y construido en el año de 1926. Algunos quedaron sepultados en fosas individuales y bien identificados (aún era posible localizar a sus deudos). Los demás fueron sepultados en una fosa común que rodea una capilla decorada con vitrales. Es muy probable que si los restos no fueron llevados a Inglaterra los huesos de Ewart estén ahí (me fue imposible verificarlo pues los nombres se han borrado). Los dos cementerios quedan relativamente cerca del Árbol de la Noche Triste, pero no se puede decir que alguno de ellos esté al lado de éste. Del Árbol queda bien poco y a su alrededor hay sólo casas.'

También me ha proporcionado Muñoz Saldaña algunos datos curiosos, como la lista de pertenencias que Ewart 'llevaba consigo', y que eran estas: 'un reloj de oro y cadena del mismo metal, ochenta pesos, un libro de cheques del Banco de Montreal que amparan un depósito de seiscientos y pico de pesos y algunos otros objetos'. No hay mención de ninguna ropa ni de ningún bulto de equipaje, lo cual hace pensar que la lista hace referencia a lo que llevaba encima cuando fue descubierto su cadáver, no a lo que tuviera esparcido por la habitación. Es indudable que tantas cosas no podía llevarlas en un pijama.

Ewart no fue el único en morir aquella Nochevieja en Ciudad de México: otras diecinueve personas perdieron la vida violentamente a lo largo de la gran farra.

Ni Muñoz Saldaña ni González Rodríguez han sido capaces de localizar la fotografía del cadáver de Ewart que según algunas fuentes fue publicada por algún diario mexicano (en ello insiste Hugh Cecil en *The Flower of Battle,* por mencionar una reciente). Tal vez hubo un error, de las fuentes o de los periódicos. Muñoz Saldaña comenta que en la prensa mexicana de la primera quincena de 1923 apareció efectivamente la foto de un ciudadano inglés muerto a causa de una herida de bala en la cabeza. 'El hombre se ve acostado y con la cabeza vendada, *sin embargo no es Ewart, ya que el pie de la imagen reporta otro nombre'.* Me pregunto si el nombre sería George W Steabben, o bien un tercero. Quizá fue el pie de la imagen lo equivocado, ya que foto al parecer sí hubo: fue al verla pinchada en el corcho cuando un miembro del British Club se dio cuenta de que el supuesto 'hombre de negocios' al que la prensa llamó 'Mr Gore' en el primer momento no era otro que el entonces famoso y prometedor novelista Wilfrid Herbert Gore Ewart. En asunto tan incoherente no es sino coherente que esa foto sea fantasma.

El padre de Ewart se enteró de la muerte en Londres de la peor manera, es decir, por las llamadas sin tacto de los periodistas. La familia hizo celebrar una misa de réquiem por él en St Mary Bourne's Street, y posteriormente le erigió un altar con un monumento conmemorativo, obra de Goodhart-Rendel. Lo que al parecer no hizo fue trasladar sus restos desde el Cementerio Británico de la Calzada de la Verónica, y así es posible que yazgan ahora en una fosa común con los nombres borrados de la Calzada México Tacuba.

La estela del novelista fue breve, aunque volvió a verse un poco de espuma en los años treinta, gracias a los esfuerzos de John Gawsworth bajo una de sus firmas, 'G', la más parca; pero de esto hablaré más tarde. O quizá hablaré más tarde.

En una carta del 89 me señaló Sergio G R que Stephen Graham, en su autobiografía y por lo visto último libro, titulado *Part of the Wonderful Scene* o *Parte del maravilloso escenario* y publicado en 1964, cuando contaba ya ochenta años, vuelve a dedicar un capítulo a la muerte de Ewart con escasas variaciones respecto a lo relatado en caliente, cuatro decenios antes. Añade sin embargo 'unas líneas desconcertantes', esa es la expresión de mi primer corresponsal mexicano: 'cuenta cómo, luego del entierro de su amigo Wilfrid, va a sus habitaciones del Hotel Iturbide y siente que el espíritu de éste lo rodea. En medio de su desasosiego, Graham se dirige al espíritu y le pide perdón "por todo lo que ha sucedido", abre la ventana y deja que el espíritu vuele de vuelta a su tierra.'

Y contó también González Rodríguez, pero en su artículo del mismo año, cómo la tragedia de Ewart sirvió de reclamo turístico durante un tiempo hasta el punto de que otros hoteles de México se la apropiaban. Y cita a Ronald G Walker, autor de *Paraíso infernal, México y la novela inglesa moderna,* que relata el siguiente episodio: 'El poeta canadiense Witter Bynner y su amigo William Johnson siguieron a Lawrence' (David Herbert, el célebre responsable de *El amante de Lady Chatterley*) 'y su esposa a la ciudad de México en marzo de 1923 para descubrir que Lawrence les había reservado alojamiento en el Hotel Monte Carlo. Los dos se escandalizaron al darse cuenta de que por una extraña coincidencia su cuarto anteriormente había sido ocupado por un amigo de los cuatro, un inglés llamado Wilfred Ewart; la conmoción tuvo lugar porque en ese mismo balcón, el cual era señalado por el botones con el orgullo de un testigo presencial, Ewart había sido asesinado por una bala perdida durante una fiesta terrible que tuvo lugar abajo. Las noticias de la muerte fortuita de Ewart unos meses antes habían, de hecho, impuesto a Lawrence —antes de que pusiera un pie en México— la convicción de que "es un país maléfico ese del sur"'. 'El botones', añade el artículo, 'se entregaba al deporte mexicano de asustar y engañar extranjeros: el Hotel Monte Carlo... se encuentra a la vuelta del Hotel Isabel, a un costado del Convento de San Agustín en la calle de Uruguay, y en su embuste mezclaba el caso de Ewart con el de George W Steabben'. No era sin duda arriesgado ni inverosímil atribuirse tragedias causadas por armas de fuego en aquellas fechas en la capital: cuenta también el artículo que en un periódico del mismo día de Año Nuevo la empresa Balines Americanos insertaba un anuncio con el siguiente y jacarandoso lema: 'A balazos, felicitamos a todos con balazos'. Menos mal que la fami-

lia y los amigos de Ewart no tuvieron oportunidad de verlo.

Stephen Graham vivió hasta los noventa o noventa y un años: murió en 1975, cincuenta y dos o cincuenta y tres más tarde que su infortunado amigo y antiguo capitán en el frente, según se feche la fronteriza muerte de Ewart. Dado que le llevaba ocho de edad, dispuso en total de sesenta o sesenta y uno más para estar en el mundo. Los aprovechó bien, no perdió el tiempo, y a lo largo de su tan prolongada vida escribió y publicó más de cincuenta libros entre 1911 y 1964, de los cuales doce fueron novelas y la mayoría relatos de viajes o estudios sobre asuntos rusos, incluyendo ambiciosas biografías de Pedro el Grande, Iván el Terrible, Alejandro II, Boris Godunov y Stalin. Ni unos ni otros, sin embargo, han permitido al anciano en que llegó a convertirse ser hoy menos mortal ni olvidado que el joven de treinta años cuya vida y obra quedaron truncadas una asesina noche de San Silvestre en la ciudad de México. La primera mujer de Graham, Rose Savory la silenciosa o acaso invisible, se hizo ambas cosas definitivamente y de veras en 1956, y su marido volvió a casarse.

El Hotel Isabel aún existe, y en el mismo sitio, es decir, en la esquina de República del Salvador con Isabel la Católica. Al parecer la distribución y el decorado de las habitaciones no ha variado en el transcurso de estos años. Tendré que ir a visitarlo cuando por fin viaje algún día a México, aunque mi curiosidad no llegará tan lejos como para alojarme allí, menos aún en la habitación 53 del cuarto piso. Tanto Sergio González Rodríguez como Rafael Muñoz Saldaña, que se tomaron tantas molestias y se divirtieron tanto y a los que tantas pistas y orientaciones debo, me comunicaron algo de lo más inquietante que acaso ya no sorprende: en el fatídico Hotel Isabel sólo hay balcones en el primer y segundo pisos, no los hay en el cuarto. Quizá existieron alguna vez y fueron condenados más tarde; o quizá nunca los hubo.

√ La sensación de que los libros me buscan no ha dejado de acompañarme, y todo lo que ha pasado a la vida desde mis ficticias páginas de *Todas las almas* ha acabado por tener también materialización en esa forma, en forma de libro, o de documento, o de foto, o de carta, o de título. Es tanto lo que ha saltado desde la novela a mi vida que ya no sé cuántos folios necesitaré para contarlo, no bastará con este volumen ni quizá tampoco con el segundo previsto, porque han transcurrido ocho años desde que publiqué esa novela y todo continúa invadiendo mis días o deslizándose en ellos al igual que en mis noches, más ahora que nunca, cuando resulta que soy ahora lo que fueron Shiel y Gawsworth o así parece, y resulta increíble que no lo haya temido y sí aceptado tras haber sentido y escrito entonces lo que ya he citado: 'No me hice ni me hago todas estas preguntas por piedad hacia Gawsworth, sino por curiosidad teñida de superstición, convencido como llegué a estar de que yo acabaría corriendo su suerte idéntica'. Es difícil resistirse a perpetuar una leyenda, más aún si uno contribuyó a extenderla. Y sería mezquino negarse a encarnarla.

Varios libros, así, me han buscado relacionados indirecta o directamente con Wilfrid Ewart, el primero muy pronto, ya lo tenía en 1989 y acerca de él hube de comentarles a mis corresponsales mexicanos, pues en una carta de noviembre de ese año Sergio G R me lo celebra y envidia. Se trata de una traducción del ruso al inglés, titulada en esta lengua *Three Pairs of Silk Stockings* o *Tres pares de medias de seda.* Lo publicó la editorial Ernest Benn Limited de Londres en 1931, lleva como subtítulo *Novela de la vida de la clase culta bajo los soviets;* como autor aparece Pantaleimon Romanof, que existió de veras (1884-1938) pese a su nombre con pinta de brutal pseudónimo; figuran como traductor Leonide Zarine y como encargado de la edición Stephen Graham, a quien se debe el escuálido prólogo. Lo extraordinario del ejemplar es que en la portadilla está firmado por el propio Graham, quien además ha escrito a mano: 'Camaradas guardad vuestras energías UTILIZAD EL ASCENSOR', y más abajo: 'Aviso: el ascensor está averiado'. Pero antes, en una guarda del libro, también aparece inverosímilmente la firma de John Gawsworth, tras lo que sigue: 'Ejemplar de Arnold Ovenden de mi segunda edición anónima'. Y bajo su nombre otra nota: 'Ahora está convenientemente ensuciada y emborronada por los dos impíos responsables de la edición', todo lo cual indica no sólo que Graham y Gawsworth —el testigo y el póstumo paladín de Ewart, respectivamente— se conocieron y tuvieron trato, algo poco extraño dada la frenética actividad personal y literaria que desplegó siempre el segundo hasta que se dio a la bebida en serio y se apartó de mucho, sino que colaboraron en la caprichosa

THREE PAIRS OF SILK STOCKINGS

A Novel of the Life of the Educated Class
Under the Soviet

PANTELEIMON ROMANOF

Translated by LEONIDE ZARINE
Edited by STEPHEN GRAHAM

Comrades conserve your energy
USE THE LIFT

Notice: The Lift is out of Order

Stephen Graham

1931

LONDON ERNEST BENN LIMITED

Arnold Dawson's
copy of my second
anonymous edition

John Gawsworth

Now it is properly befouled and
blasted by the two unholy editors.

publicación de esta novela rusa también conocida como *El camarada Kisliakof,* cuando Graham tenía cuarenta y siete años y Gawsworth, en su precocidad proverbial, solamente diecinueve. 'Lo que me parece el colmo de la fortuna literaria', exclamaba en su carta González Rodríguez, 'es el hecho de que posea un libro firmado por Gawsworth y Graham. De inmediato busqué en la autobiografía de Graham alguna referencia a Gawsworth, pero en el índice onomástico no hay ninguna, y eso que Graham deja testimonio de las más variadas figuras'. Y sí es curiosa la ausencia, ya que también sé ahora que según algunas fuentes no del todo fidedignas, Graham formó parte de la 'nobleza intelectual' de Redonda. Yo me he ido acostumbrando mucho a estas fortunas, literarias y no, que desde hace ya tiempo forman parte de mi vida cotidiana o aun de mis hábitos, pero no es de extrañar que a mi corresponsal le resultara asombrosa la coincidencia en el lejano México, pues no en balde había concluido su artículo diciendo: 'Conformémonos por ahora con admitir que el culpable de toda esta trama de ambigüedades, equívocos y conjeturas, si acaso hubiera alguno, es el propio Gawsworth que inicia la leyenda sobre la obra inconclusa y la muerte trágica de Wilfrid Ewart con un párrafo de 1933, que incluye el propio Marías en sus *Cuentos únicos.* Conviene releerlo:'

Mucho más tarde, en 1996, adquirí otro libro que no silencia su pasado, una primera edición de *Way of Revelation,* la novela por la que se lloró en su día y hoy no se recuerda ya a Ewart, pu-

Angela M.C. Baldwin/on
from her brother (the author)
in friendship & mutual
recollections —

✝

Holy Trinity, Sloane Street.

Wilfrid Herbert Gore Ewart.

blicada en noviembre de 1921, apenas trece meses antes del criminal recorrido cansino de la bala fría, apenas cinco antes de que se quebrara su autor —y su mano y su lengua empezaran a desobedecerlo— tras haber acudido en medio de un temporal a Liverpool para ver ganar el Grand National contra otros treinta y un caballos al llamado *Music Hall*, hijo de *Clifton Hall*, montado por el jockey Bilbie Rees y cuyo triunfo, por el que Ewart había apostado, se pagó 100 a 9, un buen dividendo, según me informa de todo ello el erudito del turf Fernando Savater. Lo que individualiza de veras a este ejemplar es la dedicatoria manuscrita de quien no pudo prodigarlas, si publicó tan poco y murió tan pronto. Dice así: 'Angela M C Waddington, de su hermano (el autor) con amistad y recuerdos comunes - 15 de noviembre de 1921'. No va firmada, pero esta es la letra de Ewart antes de sus quebrantos, o aún es más, en el momento de su ilusión máxima (es una letra nerviosa, llama la atención la *e* de la palabra *recollections*, que parece griega, al igual que la *d* siempre, como una delta). Así este ejemplar perteneció a la hermana a quien un día de 1919 él acompañó hasta el Bosque de Delville en busca de la tumba de su primer marido, el fusilero Jack Farmer, para no encontrarla (cuando les cayó la noche y empezó a lloverles). Y así en 1921, según se desprende, ella ya se había vuelto a casar, con Waddington quien quiera que fuese. De Angela y Wilfrid escribió Stephen Graham: 'Angela y Wilfrid estaban más unidos que la mayoría de los hermanos. Casi podría decirse que

ella era un Wilfrid femenino, él una Angela masculina'. Si eso era cierto, quizá fue Angela la persona que más se desesperó y más lloró la prematura
muerte de Ciudad de México. Y quizá fue este el
primer ejemplar que regaló el novelista en su estreno, hace este noviembre setenta y seis años. Dos
huellas más de su ya largo pasado conserva este libro: el programa del funeral o responso celebrado
por Ewart en la Santísima Trinidad de Sloane Street
en Londres (en el interior sólo hay himnos y psalmos, ni siquiera consta una fecha), y el ex-libris de
algún propietario intermedio entre Angela Ewart
(luego Farmer luego Waddington) y yo mismo:
un tal B D Maurer que marcaba sus libros con la
figura de un soldado cabizbajo y apoyado en su rifle —quizá en una tregua—, probablemente de la
Primera Guerra Mundial a juzgar por el uniforme,
bajo el lema en letras rojas: *Always We Remember* o
'Siempre recordamos', que es lo que yo llevo haciendo durante tantas páginas, y si es que uno puede recordar los recuerdos que le son ajenos.

Algo tiene de incongruente, algo tiene de
irónico y quizá mucho de injusto la perduración
de este volumen o de cualquiera de los objetos
que nos sobreviven, y que son casi todos los que
nos rodean y nos acompañan y están a nuestro
servicio, simulando su insignificancia. Es desazonante que en el día de hoy, 8 de noviembre del 97,
esté aquí en Madrid la tinta que distraída o solemnemente dejó correr Wilfrid Ewart sobre una guarda del ejemplar que entregó a su hermana el 15 de
noviembre del 21, cuando era un ejemplar recién

encuadernado e impreso; y es un poco afrentoso y es un poco grotesco que podamos leer lo que dice esa tinta y no oír la voz de quien fue su dueño, esa voz no se oye en ninguna parte desde hace casi setenta y cinco años, desde que seguramente le deseara al conserje nocturno del Hotel Isabel 'Buenas noches', o 'Feliz Año', antes de subir a su cuarto 53 en la ciudad de México. Tampoco tiene mucho sentido que yo haya podido hacerme con ese libro el año pasado por doscientas libras —como un despojo—, cuando lo normal es que Angela Ewart Farmer Waddington no hubiera querido desprenderse de él nunca en vida: 'Dedicado por el autor a su hermana favorita', así lo anunciaba el catálogo en que lo vi, de obras de la Gran Guerra; y añadía esta información: 'Angela, recién casada en segundas nupcias pero aún llorando a su primer marido, ayudó a su hermano corrigiéndole las pruebas y cuidándolo mientras trabajaba en *Way of Revelation*'. Cuando la visitó Hugh Cecil al hacer sus pesquisas para su mencionada obra *The Flower of Battle* sobre los novelistas de la Primera Guerra, dice que ella contaba ya más de noventa años, y que lo emocionó oír su 'ardiente voz de hermosa dicción anterior a 1914', así dice, aún ardiente al hablar del pasado y perdido tiempo. Pero más raro aún es que entre ella y yo —que quizá ahora ha muerto— hubiera otro propietario, ese B D Maurer cuyo ex-libris no es de esta época, luego debió de ser suyo el volumen ya en vida de Angela, quién sería, acaso un veterano también de Neuve Chapelle y de Ypres y del Somme y de

Cambrai y Arras, acaso se lo regaló ella misma y ha sido a la muerte del soldado Maurer cuando el ejemplar ha salido a la venta para que yo lo compre. Viajan los objetos tras nuestra muerte, siguen viviendo sin añorarnos para pertenecer a otros que los atesoran o los desdeñan y venden, para ocupar sus estantes o ser lucidos en sus solapas, como un alfiler de corbata que adquirí hace poco en subasta y que fue del actor Robert Donat, el protagonista de *Los 39 escalones* y *La Condesa Alexandra* y *Adiós, Mr Chips* por la que ganó un Oscar, como también su alargada pitillera de plata con sus iniciales grabadas, y esas usurpaciones o falsas herencias crean vínculos fantasmales que no imaginaba: ya no puedo ver a Donat de la misma forma indiferente cuando se me aparece en sus viejas películas que a veces pasan las televisiones —de hecho me quedo a verlas como si hubiera contraído con él deberes: hace dos meses *Las aventuras de Tartu,* y el otro día *La ciudadela,* donde lo vi moverse, y hablar con su voz, y vivo, pese a haber muerto en el 58 con cincuenta y tres años, sólo siete más de los que yo tengo—; lo miro como si guardara conmigo algún parentesco, y cuando enciende en pantalla un cigarrillo me pregunto si haría idéntico gesto al sacarlos del objeto callado que está ahora en casa en mi mano, el mismo, guardado cuidadosamente todo este tiempo en su caja verde pálido original de Asprey en Bond Street de Londres —o no tan callado: 'R D', dice, debería regalárselo a Roger Dobson—, y si no le sentaría fatal a su asma que padeció toda la vida y quizá tuvo que ver en su muerte; o si después del rodaje se pondría esa noche para la cena el alfiler con la efigie en esmalte de Shakespeare que yo me coloco ahora a veces en la solapa porque rara vez llevo corbata. Tal vez sea mejor así o lo menos malo, que tenga yo esas reliquias del actor Robert Donat, puesto que está establecido que nuestras intenciones y huellas y exhalaciones no desaparezcan a la vez que nosotros; al menos sé quién fue, y no me faltan los vídeos de sus buenas películas. Es inevitable saber que estas adquisiciones, como todos mis demás objetos viejos o nuevos, pasarán a alguien en el futuro y seguirán su curso o viviendo sin añorarme, y algunas cosas serán tiradas porque a nadie sirvan ni tienten y se conviertan en un engorro. Esta mesa antigua sobre la que escribo irá a parar a otra casa, y quizá la pluma con que tacho y corrijo irá a otra mano que no será zurda o de sombra; la lámpara de mesa de los años veinte y mi caja de cerillas de plata de 1917, que perteneció ya a otro antes llamado Muir; mis soldaditos de plomo y mis abrecartas, y uno ya fue de un soldado anónimo de la Gran Guerra que lo fabricó con su bayoneta y grabó en ella '15 Yser 16', los años y el río sangriento en que debió combatir y esperar, por allí pasó también Ewart, quién sabe si fue B D Maurer; los libros de mi biblioteca volverán al mercado y llevarán mi nombre en la primera página, y la ciudad y el año en que por mí fueron comprados para que pueda recomprarlos entonces cualquier idiota con dinero o un desalmado funcionario de la Biblioteca Nacional si hay mala suerte; y acaso querrá conservar alguien estos garabatos míos sobre las hojas blancas, rastros tan remotos llegarán a ser como la dedicatoria de Ewart el olvidado y las anotaciones bromistas de sus recordadores Gawsworth y Graham, todavía más olvidados los que intentaron rescatar del olvido al escritor joven muerto y dejar constancia, los recordatorios son frágiles y se van quebrando, el hilo de la continuidad es fino y no se tensa nunca sin hacer esfuerzo, y ha de estar tenso para que resista y avance.

Qué sentido tiene el paso por el mundo callado de quienes no tienen tiempo ni de acostumbrarse al aire, y todavía Ewart escribió y luchó y vivió treinta años, qué habría sido de él más adelante. Dudo que hubiera llegado hasta lo más alto. Qué habría sido del hijo de mi amigo Aliocha Coll que murió recién nacido unos años antes de que él se matara y al que él y su mujer Lysiane habían llegado a dar nombre, según me dijo; qué de la primera hija de Juan Benet que murió con seis meses y cuya foto amarilleada vi en su casa tantas veces, ahora que sus padres han muerto no habrá ya quien la recuerde, a Eva. Qué habría sido de mi hermano muerto con tres años y medio, Julianín su nombre o así lo llamaron mis padres durante sus breves días, es normal que no haya dicho 'sus padres' ni 'nuestros padres' en primera instancia porque no lo conocí y su realidad no es la mía, al no tener de él más que cuentos y ningún recuerdo, y él de mí no haber sabido jamás nada. A veces pienso en él y en él pienso siempre como en un niño porque no pudo ser otra cosa, ha quedado fijado en la edad más alta que le fue concedida y en

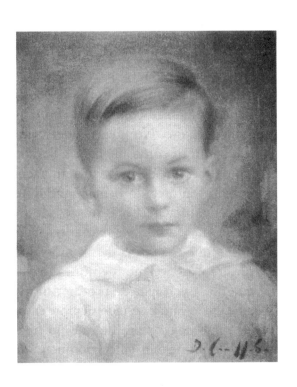

su retrato, y sin embargo me llevaba seis años y tendría ahora cincuenta y dos recién cumplidos, casi la edad concedida a Donat. Es extraño pensar que hubo alguien tan próximo como un hermano a quien no he conocido, pues de haber vivido habría estado con nosotros siempre durante mi infancia y habría sido el mayor de todos y yo ya no el tercero sino el cuarto, y no habría mediaciones en mi percepción de él como no las hay en la de mis otros hermanos Miguel, Fernando y Álvaro, que son sólo eso, Miguel, Fernando y Álvaro, de ellos no se tiene mucha opinión ni conciencia, son o entonces eran como el aire. No puedo saber cómo habría sido Julianín ni cómo me habría llevado con ese hermano desconocido y previo a mi nacimiento, si me habría protegido o mangoneado desde sus seis años de diferencia más fuertes y expertos, y ni siquiera me es posible figurarlo cuando la única imagen que resta es la de un niño muy pequeño que era y a la vez no fue nunca mayor que yo y al que no se ve capaz de proteger ni mangonear a nadie. Su retrato ha estado siempre en casa de mi padre, y me doy cuenta de que no he dicho 'mis padres' en primera instancia porque mi madre Lolita murió hace ya veinte años y así mi padre Julián la ha ocupado durante mucho más tiempo y sobre todo sigue haciéndolo. A ese retrato se lo miraba con algo de reverencia, al menos los niños sintiéndonos ante él un poco usurpadores o intrusos, y mi madre se quedaba en ocasiones con la vista fija en el cuadro, no con pena sino como si reviviera y quisiera decirle algo (debió de hablarle muchas veces en sueños, que es donde tanta presencia adquieren los vivos como los muertos): un impulso natural, y supongo que en ese impulso y en ese recuerdo se refugiaría a veces cuando se entristeciera, estaba en paz con aquel niño que no podía ser desabrido con ella ni darle ningún disgusto. (O quizá se sentía en injustificada deuda, al no haber podido salvarlo.) Con el cuello erguido se quedaba mirando el retrato y tarareaba, mi madre tarareaba bastante, distraídamente, sobre todo cuando se arreglaba para salir. Ahora las mujeres que conozco bailotean mientras se arreglan ante el espejo, si les pongo música desde otro cuarto. Hoy todas las mujeres bailan a la menor ocasión, en cuanto pueden, lo he comprobado.

A mi hermano se lo ve un niño pensativo en el cuadro, con los ojos serenos y muy abiertos mirando como si entendiera del mundo más de lo que le tocaba. No se leen bien los números de la esquina inferior derecha, es posible que el óleo fuera pintado a partir de una foto, cuando Julianín ya no vivía. Se lo podría preguntar a mi padre que seguro lo sabe, pero me da reparo llamarlo y obligarlo a recordar y ponerlo triste con eso, estará tan tranquilo con alguna visita o escribiendo un artículo a máquina o releyendo a Simenon o a Dumas o a Conan Doyle, que relee siempre, o leyendo a Colin Dexter, el novelista policiaco de Oxford precisamente, el último que con su Inspector Morse lo divierte. A la gente mayor no se la debe poner más triste, suelen estarlo ya un poco, naturalmente. Pero también estoy convencido de que mi padre no ha dejado pasar un día sin pensar en su mujer perdida, desde 1977, ni en su hijo perdido, desde el 49. Quizá le he oído contar más a él que a mi madre de ese niño, y algo escribió con sobriedad en sus memorias hace unos años. Puede que así fuera, que el niño entendiera del mundo más de lo que le tocaba y quizá murió por eso, era un niño singular según parece, aunque uno no sabe nunca hasta qué punto se idealiza a quien ya no existe y no hizo daño. Y si bien eran cuidadosos mis padres, los hermanos tuvimos siempre la sensación de que Julianín había sido superior a nosotros, a los cuatro, y lo acatábamos sin problemas, sólo la gente muy ruin siente celos de los muertos. Convencional en todo caso no era, a juzgar por su primer comentario al ver a nuestro hermano Miguel recién nacido, al que él llevaba dos años largos. Se asomó al moisés, lo miró y dijo con su gravedad de niño: 'No sabe hablar, no tiene memoria y no tiene dientes', en este orden lo dijo. Por lo visto lo trató con afecto durante el año y medio en que estuvieron en el mundo juntos y en la casa que más adelante también fue la mía; debía de ser paciente y pacífico, porque cuando el pequeño le cogía sus juguetes y se los rompía, el mayor se reía y decía a mi madre: 'Déjalo que los rompa. Es brutillo, pero es bueno. Yo lo quiero.' Eso han contado.

Recuerdo que había algunos juguetes con aire arcaico que habían pertenecido a ese niño ausente y que por eso no nos dejaban usar ni casi tocar a nosotros (y aquí me doy cuenta de que él no está ni puede estar incluido en ese 'nosotros' que he empleado, porque no llegó a acompañarnos nunca ni Miguel tiene de él propia memoria). Eran pocos, el único que veo con claridad es un titirimundi muy bonito giratorio, podía elegirse la representación entre varias bandas o rollos de papel pintados y mirar el movimiento monótono de las figuras a través de las rendijas, mientras la caja negra redonda giraba sobre su alto fuste impulsada por la mano, la prehistoria del cine. Recuerdo, cómo no, a un jinete y su caballo, primero al trote, luego al galope, otra vez al trote hasta que se paraba o volvía a dársele a la caja con leve aspecto de sombrerera abierta. Aquellos pocos juguetes, aunque anticuados y algo aburridos, gozaban de prestigio entre nosotros, y habían sido guardados por lo que dije antes, supongo, porque está establecido que nuestros vestigios y emanaciones y efectos no desaparezcan a la vez que nosotros, pero quedaron para siempre arrumbados como reliquias casi intocables, sin duda no porque a aquel niño bueno le hubiera molestado que sus hermanos desconocidos más jóvenes jugaran con sus juguetes perdidos, sino para que no los rompiéramos y duraran, duraran, duraran, cuando alguien falta nos damos cuenta de la transmisión perpetua y callada entre las personas y las cosas, y así éstas cobran vida vicaria y se hacen testigos y metáforas y emblemas y se erigen en el hilo de la continuidad a menudo; y parece entonces que encierren las vidas imaginarias y las no cumplidas y las malogradas, o acaso es que son los objetos lo único que concilia y nivela presente y pasado, y hasta el futuro si duran y no son destruidos. Precisamente porque siguen viviendo sin añorarnos no cambian, y en eso nos son leales.

Había nacido Julianín el 11 de noviembre de 1945 y murió el 25 de junio del 49, recién iniciado ese verano. Mis padres dejaron de ir a donde habían veraneado con él hasta entonces, mi madre estaba embarazada de mi hermano Fernando y eso debió de ayudarla un poco, al obligarla a una espera. No se sabe qué pasó, y quizá tampoco importó mucho saberlo, a veces los efectos son tan aniquiladores que sólo la morbosidad puede empeñarse en averiguar las causas, o al menos así podían verse las cosas antes, en tiempos menos inquisidores que los nuestros. El niño estaba bien, sólo un poco de anginas fue el aviso, lo vieron el puericultor y su abuelo y su tío médicos sin preocuparse, mi madre sí, su madre, 'solamente Lolita, oprimida por un presentimiento, angustiada', dice en sus memorias mi padre. El niño estaba bien y de pronto se murió en dos horas. 'Nos hablaron de meningococos con una localización suprarrenal, infrecuentísima y que entonces al menos no tenía arreglo. No sé.' Eso dice su padre, mi padre, en el primer volumen de esas memorias, *Una vida presente,* de hace ya casi un decenio. Tres años y siete meses y medio, fue esa la duración de aquel niño en el mundo, se sabe que por aquí anduvo, poca gente viva lo ha visto. Mi hermano mayor Miguel, su hermano menor que llegó a conocerlo, lo buscaba por todas partes con su brutillo año y medio: 'Tintín, Tintín. ¿Tintín?', lo llamaba gateando; 'y parecía que nos pedía cuentas', eso escribe el padre. Pero Miguel no lo recuerda.

Qué sentido tiene ese paso veloz y el proyecto, alguien como yo mismo, nacido del mismo
padre y de la misma madre y en la misma casa de
la calle de Covarrubias en que nacimos los cinco,
alguien recordable y a quien se puso nombre y de
quien se anotaron las primeras palabras, aún visible su rostro en un cuadro y en fotos, quizá eso es
algo afrentoso aunque no parece algo grotesco; y
mi madre con su pelo negro y su tez muy blanca,
su pobre madre, el esfuerzo baldío y los pasos diminutos sin huella o sólo para el recuerdo afilado
de quien enseñó a darlos y cometió el error o el
atrevimiento y realizó el esfuerzo de imaginar un
rostro pequeño y rubio que apenas empezó a moverse quedó cautivo en un retrato; y el niño como
un lujo costoso y superfluo que se expulsa de la
tierra en seguida como si fuera vaho y ni siquiera
se permite poner a prueba porque ni la historia ni
el tiempo lo reclaman ni lo solicitan más que para
dejar la pena y su estela de juguetes inservibles y
arcaicos. (Tengo que buscar ese titirimundi en el
sótano de mi padre.) Debió de pensar al morir mi
madre que por fin iba a cuidarlo de nuevo al cabo
de veintiocho años de vivir y morir separados, y
quizá sintió impaciencia si supo que estaba cerca,
ser creyente ha de ser un alivio, no por la esperanza divina o mística, sino por la perspectiva de los
reencuentros. Yacen en todo caso en la misma tumba sus cuerpos con sus diferentes edades, y aunque
no creo que ellos lo sepan lo sé yo y lo sabe mi
padre, y sabe que para él y su más larga edad futura queda todavía sitio, y eso es bastante. De haber

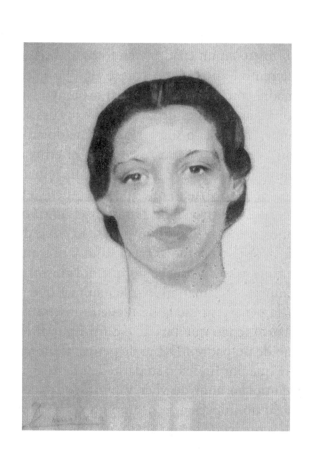

vivido más ese niño es posible que yo no hubiera nacido o no hubiera sido el mismo, ambas cosas son idénticas. Y qué, si no hubiera nacido, lo mismo que y qué, si mi hermano se difuminó y despidió tan pronto, como si la débil rueda del mundo hubiera carecido de fuerzas para incorporarlo del todo a su giro y el tiempo de tiempo para asistir a sus afanes y afectos y agravios, o hubiera tenido prisa por desprenderse de su voluntad incipiente y hacerlo así transitar por su revés o su negra espalda convertido en un fantasma. Hay tiempo para tantos otros, para asistir a mi vida y no en cambio a la suya, es sólo un ejemplo. Miro una foto mía de edad semejante a la más alta que alcanzó el hermano al que nunca he visto —o soy aún más pequeño, no tendré más de dos años— y no nos parecemos mucho, más se le parecía Álvaro, quizá el corte de cara y haya un aire de familia, pero a mí no se me ve pensativo ni con los ojos serenos ni muy abiertos, ni doy la impresión de entender nada del mundo, aún menos de lo que me tocaba, siempre me entero tarde. Estoy acuclillado y riendo, con los ojos achinados, casi guiñados del gran contento. Quizá Julianín me habría considerado un cabeza loca, de haberme conocido, esto es, de haber yo nacido con él en el mundo, o con él en su trayecto. Quizá habría dicho de mí a su madre: 'Déjalo. Es loquillo, pero es bueno'.

'Ya pasó, ya está, ya pasó', suelen decir las madres a sus hijos para calmarlos después de una pesadilla o un susto o algún mal trago, dando una importancia desmesurada al presente, casi como si declararan: 'Lo que ya no es, no ha sido'. Quizá es comprensible en esos casos, se tiene la intuición o el recuerdo de que para los niños el presente es tan fuerte que cada instante les parece eterno y excluyente de cuanto en él no se encuentra, también del pasado y del futuro por tanto, y por eso soportan tan mal los vuelcos y los reveses por pequeños que sean, porque los creen definitivos al no ver más que el ahora en que viven instalados; por eso si tienen hambre o sed o ganas de orinar no esperan, o se enfurecen si no hay más remedio que llegar hasta una cafetería o a casa para solucionar la contrariedad enorme, así viven ellos cualquier dilación aunque sea de dos minutos, no saben lo que es un minuto ni una hora ni un día, no entienden lo que es el tiempo, no entienden que precisamente consiste en que pase y se pierda, en su paso y su pérdida hasta el punto de poder no recordarse. He visto esta misma impaciencia o falta de comprensión del transcurso en algunas mujeres, rara vez en los varones, que parecen contar más con el futuro, y hasta saber algunos que existe sólo para ser pasado.

Cuando de niño iba al cine y la película me daba pena o miedo, recuerdo que el método de mi madre para quitármelos era también recurrir al pasado si lo contado sucedía en contexto histórico y apelar a la ficción si era inventado. Siendo muy pequeño me entristecía mucho la película *Lili,* que aun así vi varias veces, con Leslie Caron y Mel Ferrer y su canción melancólica, y me daba miedo una titulada *Safari,* creo, en la que hordas del Mau-Mau asesinaban a una niña, la hija del poco cariacontecido Victor Mature —su expresión de asco era invariable, en medio de un beso como en un entierro—; tampoco me hacía ninguna gracia una llamada *Fuga de Zahrain* o algo por el estilo, con Yul Brynner y unos terroristas arábigos que mataban en los mercados y en las calles y le hacían pensar a uno que en ningún lugar se estaba a salvo (como así es en efecto con los terroristas); y otra titulada *Línea secreta,* a la que una niñera alocada nos llevó engañados diciéndonos que trataba del metro, empezaba con unos gangsters arrojando por la ventana de un rascacielos a un individuo que les imploraba, y ya no podía quitarme de la cabeza esa escena durante la película entera, de la que no recuerdo más que eso, ni durante varios días, hablo de mis cuatro o cinco años. Y en estos casos del Mau-Mau o Zahrain, y ante mi preocupación por lo que había visto y la dificultad para convencerme de que todo era inventado o por el deseo de no mentirnos a los hijos, mi madre solía despejar el horizonte diciendo: 'Sí, esas cosas ocurrían, pero ya no, eso era antes'. (De no mentirnos en lo histórico al menos, quizá era el espíritu de la Institución Libre de Enseñanza. Con qué poco convencimiento interior debía decirlo, sin embargo, cuando en la guerra nuestra que no estaba lejos las había visto de todos los colores por ambos bandos y le habían detenido y matado a sangre fría en Madrid a un hermano de diecisiete años, al que había ido a buscar por las comisarías sin saber y temiendo que fuera cadáver y encontrándolo, pero ni siquiera el cadáver sino tan sólo su foto de muerto, mi tío Emilio para el que tampoco hubo mucho tiempo, la mitad de tiempo que para Wilfrid Ewart.) Antes de que yo naciera, significaba invariablemente para mí eso, como si tuviera la necesidad de creer que había llegado al mundo cuando ya se había apaciguado. 'Ah bueno', pensaba con alivio práctico, y sin embargo no dejaba de pensar en lo ocurrido 'antes' que yo había visto con la fuerza de las representaciones, podía volver lo que había pasado y además parecía como si el pasado estuviera latiendo siempre, aún me lo parece, el pasado cada vez más largo. En otras ocasiones, como en *Lilí* y en las películas que me daban pena por fantasiosas que fueran y aunque bien acabaran, mi madre procuraba dejarme claro que aquellos actores que sufrían y morían en la pantalla no habían sufrido ni muerto de veras; que después se habrían levantado de la cama o del suelo y se habrían reído todos juntos de lo que habían fingido —vivos y muertos, buenos y malos, enemigos y amigos, una envidiable reconciliación general— y se habrían ido a cenar tan contentos. Lo cual era una ayuda para no entristecernos demasiado, pero tampoco evitaba sentir lástima de los personajes y de su historia, es culpa de la dimensión representativa, en ella uno asiste, no es sólo que sepa, y no se olvida fácilmente. Ahí empecé, supongo, a diferenciar bien lo real de lo ficticio, y asimismo a aprender que si bien conviven y no se excluyen, a la vez no se mezclan y cada cosa discurre por su territorio y los dos son vigorosos. 'No seas tontito', me decía mi madre si me veía mohíno o atribulado por lo que había presenciado en la sala oscura, '¿no ves que eso no ha pasado de verdad?'; o bien: '¿No ves que eso ya no puede volver a pasar?' Y debía de decirlo cruzando los dedos, o encomendándose.

No es sólo que todo pueda volver a pasar, es que no sé si en realidad nada ha pasado ni se ha perdido, a veces tengo esa sensación de que todos los ayeres laten bajo la tierra como si se resistieran a desaparecer del todo, el enorme cúmulo de lo conocido y lo desconocido, lo contado y lo silenciado, lo registrado y lo que nunca se supo o no tuvo testigos o fue ocultado, una masa ingente de palabras y acontecimientos, pasiones y crímenes e injusticias, de temores y risas y aspiraciones y ardores, y sobre todo de pensamientos, que son lo que más se transmite de unos intrusos y usurpadores a otros y entre las generaciones usurpadoras e intrusas, lo que más pervive y apenas cambia y nunca concluye, como una ebullición permanente bajo el delgado suelo en que están enterrados o desperdigados los infinitos hombres y mujeres que por aquí anduvieron, dedicados la mayor parte del tiempo la mayoría de ellos a los pensamientos pasivos u ociosos y a los más comunes, pero también entre éstos se cuentan los más briosos que dan algo de impulso a la perezosa débil rueda del mundo, los deseos y las maquinaciones, las expectativas y los rencores, las creencias y las quimeras, la piedad y los secretos y las humillaciones y las querellas, las venganzas urdidas y los rechazados amores que llegan tarde a su cita y los no gastados, cada uno de ellos acompañado de sus pensamientos individuales, sentidos como únicos por cada reiterativo pensante recién llegado. Pero no es sólo eso. El prestigio que se confiere al presente se apoya sobre esa idea que en seguida inculcan las madres como consuelo o engaño a sus vástagos, 'Lo que ya no es, no ha sido'; y sin embargo cabría pensar si no sucede más bien al contrario y si lo que ha sido sigue siendo indefinidamente por eso, por haber sido, aunque sólo sea por quedar ya incorporado a la suma incesante y frenética de los hechos y las palabras cuya cuenta tampoco se molesta en llevar nadie, y si no es solamente más ascua o fuego para esa ebullición siempre en aumento de los pensamientos pensados y así esparcidos como las infecciones, para nutrir 'el mal intolerable' del suicida Middleton. Que algo haya cesado no parece fuerza ni razón bastante para que se borre del todo, sus efectos aún menos y todavía menos su inercia, como la del titirimundi de Julianín mi hermano, cuya negra caja podía impulsarse y hacerse girar sobre el fuste una vez y otra antes de que se parara, y aun después de parada ponerse de nuevo en marcha para volver a contemplar desde las rendijas a caballo y jinete al galope y al trote y al galope y al trote. Dura todo demasiado o no hay forma de acabar con nada, cada cosa concluida es abono para la siguiente o para otra inesperada y lejana y quizá por eso nos fatigamos tanto, al sentir que la precaria solución de las madres no es verdad en modo alguno, 'Ya pasó, ya está, ya pasó'. Más bien nada pasa ni nada está ni nada pasa, y nada hay que no sea como el lento relevo de luces que veo a veces desde mis ventanas mientras no me duermo o ya estoy despierto y miro hacia la plaza o hacia la calle con sus mujeres y hombres madrugadores que llevan todavía en sus ojos pintada la noche oscura y en sus cuerpos la impregnación de las sábanas sudadas o limpias compartidas o acaparadas. O quizá ese hombre va hacia ellas ahora, más por convención que por verdadero sueño, ese hombre con el nudo de la corbata flojo y la incipiente barba azulada todavía desde ayer no se ha acostado. Espera el autobús tan pronto o tan tarde porque acaso no le ha quedado dinero ni para tomar un taxi, mira los faroles que son aún de la noche de la que viene o no ha salido, y tiene presentes las muchas horas en que debió abandonar la timba ceremoniosa y seria de los toreros, pero nunca se sabe cómo se conducirá la suerte, ni siquiera cuando hace señas o se está resistiendo, sobre todo cuando hay que conseguir dinero para retener a la mujer que lo esperará en casa dormida y desentendida de sus esfuerzos, más aún de sus temores de los que ella es causa. Mira el hombre los faroles mientras va amaneciendo y las ráfagas de viento golpean su nuca levantándole el pelo y parece un músico, y no confía en que el relevo de luces, cuando concluya, reduzca esta noche que no se le acaba a la esfera de los malos sueños, tiene cuarenta y ocho horas para encontrar lo que debe y no lo encontrará seguro, lo malo no son los toreros que suelen hacerse los desprendidos, sino sus acompañantes y aduladores y apoderados con los que ha contraído la deuda, quien explota al artista es el menos escrupuloso de los explotadores porque se cree justificado, o es acaso resarcido. Mira los faroles el hombre y piensa que quizá un navajazo en su vientre es la forma más fácil de abandonar la lucha para guardar a quien quiere irse y no se va todavía, quizá por pena o porque aún no ha encontrado su asidero nuevo, es cuestión de tiempo, la pena se agota rápido y la sustituye la cólera que se cobra intereses, los asideros están ahí por todas partes, es sólo cuestión de tiempo y de que los vea o los tiente, o de que sea divisada por ellos quien agita un trapo rojo desde hace tiempo llamándolos, y alza el brazo para agarrarse. Es cuestión de tiempo y el navajazo lo fija, ese tiempo; y entonces silencio y apaga la luz, y luego la apaga. Mira la mujer los faroles e intenta protegerse del viento con un pañuelo, ya no se ve mucho esa imagen que resulta anticuada, quizá por eso le falta práctica y no alcanza a anudárselo y entonces desiste, la melena le vuela como un estandarte. Ella sí ha salido de la noche y la cama y piensa con preocupación en el joven que aún duerme en ella, lleva allí demasiadas mañanas desde que se quedó sin decirlo, entrando y saliendo mientras ella trabaja, volviendo y yéndose cuando se le antoja sin explicaciones, como quien está en pensión y no convive ni pregunta ni cuenta, y sólo a la noche cuando se mete en la cama a oscuras demasiado tarde, la despierta como un animal exigente —o como un niño que no aguanta la espera— y le arranca el camisón y le suda las sábanas quitándole el tiempo de su reposo y arrebatándole el sueño para él tomárselo. Pasa las noches la mujer casi en vela pensando en lo que ha ocurrido en tinieblas y preguntándose si esa habrá sido la última vez que ocurra, sale por las mañanas con el cansancio de sus pensamientos y temerosa de que a su regreso tras tantas horas en el mundo externo él siga allí y él se haya ido, teme por igual ambas cosas y ni siquiera ha probado a decirle que se quede o se vaya, porque también le da miedo que le haga caso y que no se lo haga, si le dijera lo uno como lo otro, lo otro y lo uno, si se atreviera. Y como no sabe qué hacer tampoco hace nada, sólo espera el autobús con frío y mirando las luces que resisten la del sol que sale como si con ellas no fuera, ese periodo en que sus territorios conviven y no se excluyen pero tampoco se mezclan como no se mezclan el real y el ficticio, y en éste nunca puede decirse 'Ya pasó, ya está, ya pasó' ni siquiera como consuelo o engaño, porque en él nada ha pasado de verdad, tontito, y así en el territorio que no es de verdad todo sigue pasando y pasando siempre y allí la luz no se apaga ahora, ni se apaga luego, ni quizá nunca se apague.

Cuando un editor quiere quebrantar o ve-
jar a un escritor y además es pusilánime y no se
atreve a hacerlo a las claras, lo tiene tan fácil que
casi produce vergüenza ajena que se decida o se dedique a ello. Se sabe que a Herman Melville, el autor de *Moby-Dick,* la editorial Harper & Brothers
de Nueva York se lo quiso quitar de encima sin
confesarlo tras las decepcionantes ventas iniciales
de esa novela, una de las cumbres del género, y las
obtusas o cicateras críticas de la mayor parte de la
prensa de su país (en Inglaterra la vieron mejor).
De manera que cuando Melville les entregó su
nueva obra, *Pierre, or the Ambiguities,* los hermanos Harper utilizaron la cobardona fórmula de no
rechazar su texto, sino de ponerle sobre la mesa
un contrato imposible, cuya más humillante inno-
vación respecto a los anteriores (Melville ya había
publicado con ellos *Omoo, Mardi, Redburn* y *White-
Jacket)* consistió en ofrecerle menos de la mitad de
su habitual porcentaje, a saber, veinte centavos por
dólar en vez de los cincuenta acostumbrados, después de que los costes de edición hubieran sido
amortizados, lo cual ocurriría sólo tras la venta de
mil ciento noventa ejemplares. Melville se tomó
un par de días para pensárselo, e inexplicablemen-

te para los Harper (sin duda un chasco), aceptó la mezquina oferta sin que se sepa bien el motivo. Aplazó sin embargo la entrega definitiva de la novela, la reabrió e insertó tres capítulos algo postizos en los que dibujó una amarga sátira del mundo literario en que se veía obligado a sobrevivir y ajustó ficticiamente las cuentas a sus editores y detractores, sobre todo a uno de éstos llamado Duyckinck. La novela se resintió por ello pese a que esos capítulos contienen pasajes brillantes, hasta el punto de que en años recientes se han hecho ediciones de *Pierre* con los añadidos de la venganza o humillación suprimidos. Los Harper, al encontrarse con un volumen bastante más extenso de lo esperado, le subieron el precio a $1.25 desde el dólar inicialmente previsto, y a Melville su porcentaje hasta veinticinco centavos por libro, lo cual quiere decir que en realidad se lo mantuvieron en la misma pactada miseria. Como era de esperar y temer, *Pierre* recibió críticas aún más romas y ruines que *Moby-Dick* (Duyckinck se cebó, pero haciéndose el sueco respecto a su retrato: una vileza, debería haberse abstenido), a la que, dicho sea de paso, los hermanos H no sólo no habían apoyado ni defendido tras los primeros ataques, sino que le habían lanzado innecesarios y solapados reproches desde su revista *Harper's New Monthly Magazine,* comportándose también en eso como pésimos editores e inscribiéndose en los anales del extravío, ya que su deber era proteger a su autor y su libro. Y así, con la infortunada *Pierre* empezó el declive de Melville como novelista, que nunca publicó en el género nada comparable a sus anteriores logros, aunque sí algunos de los mejores relatos de la historia de la literatura, como *Bartleby* y *Billy Budd,* éste sólo póstumamente y en una versión sin redondear que terminó poco antes de su muerte, llegada cuarenta agraviados años más tarde de la aparición de *Moby-Dick.*

Salvando todas las infinitas distancias de mérito, yo sufrí en un aspecto mayor desprecio que el gran Herman Melville, pues cuando entregué *Todas las almas* al editor que la publicó en su día y que aún la retiene contra mi voluntad haciendo valer un ventajoso contrato que obtuvo por mi candidez, consideración y amistad de entonces, su oferta fue aún más ofensiva que la de los hermanos H al señor M por *Pierre* (ay Señor, esas iniciales), dado que mi anterior novela, *El hombre sentimental,* había recibido en general buenas críticas en España y Francia y había alcanzado ventas más que suficientes para cubrir el anticipo percibido en su día y proporcionar no pocas ganancias a ese editor cuyo nombre prefiero que no figure en estas páginas. Pese a lo saneado de mis cuentas, pese a haber transcurrido casi tres años desde *El hombre sentimental* y ser *Todas las almas* unas ochenta páginas más larga e ir a venderse por tanto a más alto precio, el editor en cuestión me ofreció en su anticipo un veinticinco por ciento menos que por el libro de tiempo atrás. En su momento lo achaqué a su proverbial roñería y a su concepción feudal del negocio, que seguramente influyeron; pero ahora, a la luz de más escandalosos y tacaños acontecimientos posteriores y de la perspectiva adquirida, no puedo pensar que mi caso fuera muy distinto del de Herman Melville ni que se me tratara mejor que a él (lo cual habría sido una injusticia suplementaria para el creador de la ballena), sobre todo si a la ofensiva oferta se añade que el editor encargó a uno de sus empleados más capaces que me escribiera una larga carta poniendo a la novela toda clase de objeciones —inducidas e inspiradas por el patrono, que ya me había adelantado algunas vacuas e indescifrables por teléfono, carecía de elocuencia—, tan retorcidas como sandias a mi parecer. Si no lo hizo él mismo debió de ser por su esquinado carácter y su tendencia al emboscamiento y a parapetarse, y porque, mucho más cercano al tendero que al intelectual pese a intentar aparentar lo contrario, no solía sentirse cómodo a la hora de razonar y argumentar (para esas funciones mal dotado, en suma) y prefería la cazurrería y el disimulo. Con una ingenuidad ya impropia de mi edad de entonces, atendí a las objeciones como si fueran veraces y meditadas, e incluso hice caso de una de ellas; las demás las descarté, por rebuscadas y erróneas, aunque no fuera ni sea yo la persona indicada para rebatir ni negar los seguros defectos de mis libros. Y creyendo que trataba con un amigo y aun con una figura paterna —santo cielo—, le escribí al editor que 'por ser vos quien sois', estaba dispuesto a aceptarle el mismo anticipo que por la novela de tres años antes y ochenta páginas menos, pero no uno inferior. Feudal como era, debió de tomárselo como una insubordi-

nación y una afrenta, sin duda le parecí un revoltoso ingrato. No me di cuenta de que probablemente
lo que quería era quitárseme de encima como autor
o más bien minar mi confianza, así que, al igual
que Melville, acabé aceptando condiciones leoni-
nas e inaceptables (debió de suponerle un chasco, y
eso que mi porcentaje no era el cincuenta ni el veinte que hirió como un arponazo al padre de Moby-
Dick, sino el habitual y ridículo diez por ciento de
nuestros días); y aún las acepté más veces con obras
posteriores y con una buena fe tan preocupante
que sólo puede concluirse que era y no sé si todavía
sigo siendo un eminente pardillo o primo. He de
inferir al cabo del tiempo, por tanto, que *Todas las
almas* gustaba poco y parecía floja a su editor y que
la publicó a regañadientes y por si acaso, aunque
ahora no haya modo de que la suelte ni la libere de
la opresión que bajo su medieval rodilla padecen
todos mis títulos sometidos a ese avinagrado sello
editorial (no veo la hora de perderlo de vista).

La novela no tuvo sin embargo mala fortuna por inmerecido que fuese, si bien tampoco ha
faltado quien la calificase de porquería y aun del
peor libro de todos los tiempos, lo cual no carece
de mérito. Se ha traducido en todo caso a nueve
idiomas y habrá vendido hasta hoy unos ciento
cuarenta mil ejemplares en diferentes ediciones y
lenguas, y de cada uno de esos ejemplares ha cobra-
do su muy suculenta o ventajosa parte ese editor
—sin duda a regañadientes y por si acaso—, con
alguna excepción reciente (las cifras son según él,
desde luego: a qué otras tiene uno acceso). Pero de

los maestros antiguos como Herman Melville puede aprenderse hasta en sus horas bajas y resentidas, y no vale la pena correr el riesgo de dañar más un texto por hacer figurar en él largamente a quien ni siquiera merece que se recuerde aquí completo su nombre. Por mucho que a mí y a mis libros afecten sus hechos y sus omisiones y mañas, no tiene sentido dedicar más espacio a este empresario que a los hermanos Harper, al fin y al cabo editores de verdad y capaces de ecuanimidad literaria. La sola alusión a este otro H ensombrece estas páginas y las torna algo sórdidas y a mí nublado y rencoroso y propenso a los desmanes verbales, y después de todo, entre él y aquellos H del XIX hay como mínimo la misma distancia que entre el pobre señor M de entonces y este otro M que aquí está hablando.

Dentro de la sordidez siempre hay, con todo, algún elemento cómico y aprovechable, y si he empleado el adjetivo 'avinagrado' no ha sido sino por amor a la exactitud y por ceñirme a la verdad estrictamente. He sabido hace no mucho, por algunos visitantes ocasionales de la editorial (pero quizá bromeaban), que en todas sus dependencias se notaba un día y otro un olor fuerte, persistente y de lo más desagradable. Al inquirir a los empleados sobre su origen, no tuvieron por lo visto éstos empacho en comunicar a los visitantes estupefactos (extranjero tal vez alguno de ellos, para mayor boca abierta) que el patrono y la patrona, su dicharachera esposa, habían colocado bajo los muebles y las estanterías, semiescondidos y siguiendo al pie de la fórmula las recomendaciones de algún chamán, loco impuro o hechicero, unos cuencos o platitos con sal y vinagre para ahuyentar y neutralizar mediante semejante mezcla mis supuestos vudúes contra su empresa —al parecer cualquier éxito o premio mío son allí vividos como maldición y desgracia y rechinar de dientes; si ellos supieran—, o quizá los de mi pobre abuela habanera muerta, mujer bondadosa y risueña como apenas he conocido luego. Lo que no he logrado averiguar, de ser todo esto en serio, es si el aspecto de lo que contenían los recipientes era el de un humedecido engrudo de color blanco sucio o el de un líquido orinalesco con la sal disuelta e invisible, o acaso —si era sal gorda— flotante en granos. Fuera como fuese y en todo caso, una peste y un asco. Gente muy racional, argumentativa y sana, en modo alguno primitiva ni totémica ni convulsionaria. Ignoro si los brebajes habrán sido ya retirados para alivio del personal, las visitas y los colaboradores, en vista de su eficacia nula durante estos últimos tiempos mucho más avinagrados que salerosos, hasta el punto de que empieza a conocerse a la empresa con un juego de palabras quizá demasiado infausto. Y dicha sea la verdad, yo creo que tampoco es eso.

Otros editores más gratos, derechos y equilibrados acogieron la novela en el extranjero, aunque con ella siempre hubo algún cambio menor o pequeño obstáculo, asumidos y superados por suerte, respectivamente. Así, Gilles Barbedette, de Rivages, un magnífico y entusiasta editor que lo sabía todo de Nabokov y a quien echo enormemente de menos seis años después de su muerte por el lento y asesino virus a la injusta edad de treinta y seis, juzgó que el título tal cual traducido al francés, *Toutes les âmes,* no quedaba bien en esa lengua, en la que es verdad que no existen dos palabras como las españolas 'ánima' y 'alma', que permiten dejar para la primera casi todas las peores connotaciones menos laicas. Tras no mucho pensar (buscar un nuevo título para lo que ya lo tiene supone hacerse violencia un poco), decidí que se llamara *Le Roman d'Oxford,* que él aprobó y que había sido mi manera de referirme a la novela mientras la escribía, en mis cartas o conversaciones con Eric Southworth y Daniella Pittarello, las únicas dos personas que estuvieron al tanto de mis maquinaciones desde el principio (en la casa de Daniella P en Venecia, frente a la espalda de la Scuola di San Rocco y el canal o Rio delle Muneghette, escribí de hecho buena parte de su texto). Así la llamaba, 'la novela de Oxford', cuando bajaba del segundo piso y le comunicaba a Daniella un día tras otro, con voz grave y una media sonrisa en los labios: 'Non so come continuare', y ella me solía contestar: 'Dai, dai'. Y así la seguí llamando todavía un tiempo una vez terminada, hasta el punto de que cuando por fin entregué el manuscrito a Vinagrera & Salero para su consideración y posterior desdén, en la portadilla figuraba como título provisional *N de O* tan sólo, y no pasó a llamarse como se llama hasta que el poeta Álvaro Pombo, una noche, y sin haberla leído, me dijo con autoritarismo: 'Una novela que pasa en Oxford ha de titularse por fuerza *Todas las almas,* trate de lo que trate', y le hice caso. Entonces nos veíamos a menudo, ahora ya casi nunca.

En Alemania no pareció convencer tampoco ese título, sin embargo, a la editorial Piper de Munich que la contrató, y le añadieron un innoble subtítulo cuya degradación no supe calibrar en su día al desconocer el alemán: *Alle Seelen oder die Irren von Oxford,* que al parecer significa *Todas las almas o los locos de Oxford* (quiero creer que el equivalente no es aún más abominable e infame, es decir, 'chavetas' o 'chiflados'; he sido inexacto cuando antes dije que asumí todos los cambios). Por fortuna, en la nueva edición de la casa Klett-Cotta de Stuttgart el libro recuperó su nombre más sobrio y menos chaveta.

En cuanto a Inglaterra, ahí los problemas fueron de otra índole, pues ocurrió que tras la decisión en firme de comprar la novela, tomada por el arriesgado y resuelto Christopher MacLehose de la editorial Harvill —entonces parte integrante del gigantesco grupo Collins, ahora independiente como en sus orígenes y otra vez con su antigua denominación de The Harvill Press—, el contrato correspondiente tardaba en llegar más de la cuenta, inquietantemente. Por fin me atreví a inquirir al respecto con nerviosismo, pues no ha de costar esfuerzo imaginar la ilusión que me hacía ver por primera vez un libro mío en la lengua de la que yo había traducido unos cuantos bien difíciles desde el primero descriptivo-campestre (pero no avícola, por suerte), y obtuve la extraña respuesta de que Harvill se hallaba a la espera de la 'habilitación legal' por parte de los abogados de la gran compañía, quienes estudiaban con detenimiento el texto antes de dar vía libre a su contratación definitiva, 'al tratarse de un *roman à clef'* y no poder la editorial exponerse a que le cayera algún pleito en el futuro. En palabras del propio MacLehose, a quien aún no conocía, había que asegurarse de que no había en mi libro ningún delito 'intencionado ni involuntario'. Así que de nuevo vi cómo la realidad pugnaba por incorporar la novela a su esfera, y me sentí obligado a comunicarle a Harvill, en una carta del 23 de febrero de 1990, que en modo alguno era *Todas las almas* una novela en clave ni una narración autobiográfica sino una novela a secas y una obra de ficción; que no había en ella ningún retrato cabal de ningún miembro de la SubFacultad de Español de la Universidad de Oxford ni de ninguna otra persona real, viva o muerta, con la excepción de John Gawsworth, quien precisamente había sido tomado una vez más por lo más ficticio y menos preocupante del libro; que 'algunos personajes tienen, a lo sumo, una mezcla de rasgos procedentes de más de una persona real y —principalmente— de mis propias invención o imaginación'; que 'las situaciones y hechos descritos en la novela no son reales, y, por otra parte, pocas cosas se aseveran en ella. Por poner un ejemplo, la escena en la que el personaje llamado Alec Dewar interroga a un bailarín ruso es sólo producto de la imaginación del narrador y como tal está presentada. Mucho de lo que aparece en el libro son sólo suposiciones o conjeturas por parte de ese narrador, con quien —por cierto— no sería posible identificar al autor, ya que yo soy, por ejemplo, soltero y sin hijos'; añadía que 'por supuesto todo esto no necesariamente impide que los lectores *crean* poder reconocer o identificar a algunos personajes del libro con personas reales, pero no veo cómo esto pueda ser evitado. Como ustedes saben, la gente tiende a pensar que hay mucha más autobiografía en las novelas de la que suele haber'; y aún me permitía aportar un argumento (débil) en contra de la posibilidad de una demanda: 'Por último, mi opinión es que resulta improbable que ningún miembro de la SubFacultad de Español intente pleitear conmigo o con Collins Harvill por causa de esta novela. Sería ridículo, por no decir escandaloso, ver a hispanistas (esto es, a personas que han dedicado su vida al estudio y la promoción de la literatura española) atacando a un libro español o impidiendo su publicación en inglés'. Y les sugería que consultaran con Ian Michael, quien en carta privada había sostenido justamente que no cabía hablar de novela en clave, y en su calidad de jefe del departamento bien podía distinguirlo y saberlo. (Me abstuve de mencionar su broma, en la misma carta, de llamar a los colegas por los nombres de los personajes.) Christopher MacLehose me contestó agradeciéndome las explicaciones y las precisiones, que sin duda ayudaban a allanar el camino si bien no alteraban 'la situación legal', por lo que prefería esperar la contestación de Ian Michael a la consulta que efectivamente ya se le había hecho.

Es fácil suponer que en seguida me puse en contacto telefónico con éste para persuadirlo si hacía falta, y debo decir con agradecimiento que, teniendo en aquel momento oportunidad de exigirme alguna contrapartida o prebenda por su solicitado informe habilitador —un abono para las corridas de San Isidro, un papel destacado en una novela futura, una visita guiada por los más delictivos barrios de Madrid, un despiadado ataque en la prensa a algún profesor rival—, no lo hizo. Me dio una vez más la impresión de que todo lo relativo a este libro representaba para él un grato desvío de sus rutinas y por lo tanto una gran diversión. Pero si no me pidió nada a cambio —y eso habla de su buena fe—, sí aprovechó la situación —y eso habla de su malicia, pero la habría tenido casi cualquiera en su lugar— para asustarme

y alarmarme durante un rato. Las leyes antidifa-
mación o antilibelo británicas, como todas las de
ese país, se regían en exceso por los precedentes y
así eran demasiado amplias y vagas para conside-
rarse uno jamás a salvo. Y en ese sentido bastaba
con que los allegados de alguien —por ejemplo
los alumnos o colegas de un profesor— creyeran
reconocer a ese alguien en el personaje de una novela 'con resultado de odio, desprecio, descrédito
o irrisión' para que el ser real pudiera interponer
demanda contra el escritor y la editorial y le fuera
inicialmente admitida a trámite. '¿Pero eso cómo
puede evitarse, si depende de la lectura de los lectores y no de la escritura del escritor? Cualquier lunático puede creer lo que quiera, ¿no? Cualquier
paranoide reconocerse, ¿no?' Pensaba en aquella
mujer que se me había ofrecido como asistenta
en un telegrama poético, me había dado órdenes
por teléfono y se había visto retratada en un mayordomo o en un ascensor. 'No se puede evitar',
contestó Ian Michael muy satisfecho con la pecu-
liaridad de las leyes de su país, 'no hay nada que
hacer.' '¿Entonces?', dije yo viendo ya mi texto para
siempre proscrito de Inglaterra. E insistí: '¿Y cómo puede saberse si la arbitraria identificación ha
causado odio o irrisión? No veo el modo.' 'No puede saberse a ciencia cierta, ya que eso depende
sobre todo de la percepción del damnificado', respondió Ian, y añadió muy ufano: 'Nada que hacer.'
La palabra 'damnificado' no me hizo ninguna gracia. '¿Entonces?', volví a preguntar ya con menos
esperanza que curiosidad. 'Entonces hay que estu-

diar las posibilidades reales de que aquellos colegas que los lectores de Oxford pudieran creer reconocer, con resultado de odio, descrédito, irrisión o
desprecio, emprendiesen un litigio contra ti, su
damnificador.' Hizo una pausa para dotar de mayor dramatismo al dictamen de su estudio, y me
molestó que me llamara 'damnificador', además
sin pruebas. 'He consultado la cuestión con Eric',
dijo, 'y ambos estamos de acuerdo en lo principal:
no creemos que ningún colega fuera a embarcarse
en una cosa así, con una excepción', y aquí mencionó el nombre de uno de ellos, 'que tal vez podría creer verse retratado en el personaje llamado
Leigh-Peele. No es que otros no pudieran creer
verse en otros retratos, todos somos vanidosos y a
mí mismo me parece reconocerme algo en ese Aidan Kavanagh irlándes, aunque nunca he mostrado las axilas en público como él', y aquí no pudo
evitar soltar una risa breve al recordar sin duda la
escena de la novela en la que ese Aidan Kavanagh
bailaba alocadamente en una discoteca vestido
con un chaleco de color verde Nilo sobre una extraña camisa sin mangas y al alzar los brazos dejaba ver dos matas tupidas de vello axilar para es-
panto y escándalo del narrador. 'Ninguno de los
demás es lo bastante rico para litigar', prosiguió,
'pero él acaba de heredar no sabemos aún cuánto
dinero de unos parientes lejanos y solterones (quizá gente de iglesia, ya averiguaremos cuánto), y
podría sentirse tentado a hacerlo. Así que lo mejor es que suprimas al personaje de la versión inglesa, al fin y al cabo es muy anecdótico y le de-

dicas sólo un párrafo, o que por lo menos le cambies el nombre para no inducir a una posible y falsa asociación. Y no estaría de más que escribieras un prefacio protectorio como el que hizo Masterman tiempo atrás.' No sabía quién era Masterman y tampoco quise saberlo entonces. 'Te lo mandaré. En lo que a mí respecta, escribiré a Harvill con mi veredicto y creo que con eso se considerarán legalmente habilitados para la publicación. No te tienes que inquietar.'

Algún tiempo después, en mayo, tuvo Ian la amabilidad de enviarme copia de su carta al señor Guido Waldman de Harvill. Señalaba que ni la edición española ni la francesa del libro lo describían como *roman à clef,* y que si la edición inglesa tampoco lo presentaba ni lo promovía como tal, no veía motivo de preocupación. Indicaba la conveniencia de eliminar a Leigh-Peele y no se abstenía de recordar que nada podría impedir a los lectores de Oxford establecer identificaciones erróneas, 'pero ese es un problema tanto para Iris Murdoch, A N Wilson, Colin Dexter, Evelyn Waugh en el pasado o cualquier novelista que utilice Oxford como escenario, cuanto para Javier Marías'. Adjuntaba —y me adjuntaba a mí— el famoso prefacio defensivo de Masterman, tan largo que, la verdad, siempre me dio pereza leerlo y jamás lo leí. Concluía con una frase adornada que Harvill podía citar en la contracubierta o solapa si lo juzgaba oportuno y atribuir a David Serafín, esto es, al pseudónimo ya nada secreto con el que Ian Michael firmaba sus novelas policiacas del Inspector Bernal.

Así que *Todas las almas* salió por fin en Inglaterra en 1992 con el natural título de *All Souls* y con el episódico personaje del doctor Leigh-Peele convertido en 'Dr Leigh-Justice' en vago recuerdo a aquel actor secundario inglés de mi infancia entera, James Robertson Justice: demasiado resentimiento hacia la censura para que un autor español esté hoy dispuesto a suprimir pasajes de un libro, y por el mismo motivo me negué a atender una discreta sugerencia relativa a un par de mínimas chanzas pontificias, amén de que me cuesta especialmente renunciar a las bromas. En cuanto al prefacio protectorio, me limité a anteponer una 'Nota sobre el texto' parecida a la que llevan todas las películas en sus títulos de crédito finales, aunque me temo que, bien leída, constituía una irónica contradicción en sí misma y venía a decir por tanto algo distinto de lo que se entendía y se entiende en primera instancia. Así rezaba: 'Dado que tanto el autor como el narrador de esta novela pasaron dos años en el mismo puesto de la Universidad de Oxford, quizá no esté de más que el primero tome la palabra un momento antes de cedérsela hasta el final al segundo, para decir que cualquier semejanza entre cualquiera de los personajes de *Todas las almas* (incluyendo al narrador, excluyendo a "John Gawsworth") y cualquier persona viva o muerta (incluyendo al autor, excluyendo a Terence Ian Fytton Armstrong) es pura coincidencia, y lo mismo puede afirmarse respecto a la historia y las anécdotas y los hechos. El Autor.' Levemente distinta fue la redacción en inglés, pero creo que ni

AUTHOR'S NOTE

Given that both the author and narrator of this novel spent two years in the same post at the University of Oxford, some statement may be in order on the part of the former, before he finally yields the floor to the latter, to the effect that any resemblance between any character in the novel (including the narrator, but excluding "John Gawsworth") and any other person living or dead (including the author, but excluding Terence Ian Fytton Armstrong) is purely coincidental as is any resemblance between any event in the story and any historical event past or present.

J.M.

la traductora ni los editores repararon en la contradicción, que así fue a la imprenta tranquilamente. En medio de la confusión creciente entre lo real y lo inventado, sí reparó en cambio la traductora, Margaret Jull Costa a la que tanto debo, en las citas de Lawrence Durrell que reproduje en *Todas las almas* y también aquí antes, sobre su deslumbrante amigo de juventud John Gawsworth, y le parecieron tan inverosímiles o demasiado *ben trovate* que las tomó por apócrifas y por mí acuñadas; por suerte le cupo un resquicio de duda para consultármelo, y así pudo citar verbatim del libro de Durrell *Spirit of Place* en vez de traducir laboriosamente del español al inglés las frases que yo había traducido previamente de esa lengua a la mía.

Fue entonces, a partir de la publicación en Inglaterra, cuando las averiguaciones que no busqué y también los hechos y las coincidencias incrementaron su ritmo que ya no ha cesado ni quizá cese nunca, y cuando tuve la sensación a veces de que hay que llevar cuidado con lo que uno inventa y escribe en los libros, porque en ocasiones se cumple. Y si ese ritmo no cesa nunca como preveo, es muy posible que una parte de mi vida —pero es sólo una parte— se vea para siempre condicionada y regida por una ficción, o por lo que me ha ido trayendo y me ha de traer aún esta novela.

Antes de eso, sin embargo, había ya sucedido algo muy llamativo, aunque más para el hombre que me escribió desde Londres que para mí mismo. Unos días después del 11 de noviembre de 1991, en que estaba fechada, recibí una carta de un tal Anthony Edkins que vivía en Deronda Road. En ella me decía que nos habíamos visto una vez en Madrid en casa de Álvaro Pombo, pero que, al haber sido muy de refilón, tal vez yo no lo recordara (y en efecto, apenas lo recordaba pese a mi no mala memoria). Ahora había leído —en español, claro está— *Todas las almas,* y se había quedado atónito al llegar al capítulo sobre John Gawsworth que aquí he reproducido íntegro. 'Gawsworth, a quien nunca conocí en persona', escribía, 'fue el primer editor que me aceptó un poema (justamente, da la casualidad, cuando estaba a punto de emprender mi primer viaje a España en 1951). Era el director de la *Poetry Review* en aquella época; me escribió, a mano, una carta de cinco carillas. (Acabo de localizar y releer esa carta, fechada el 13-3-51, desde Shepperton en Middlesex, y veo que al parecer mantuvimos una conversación telefónica.)' Aunque no dejaba de ser una gran coincidencia, quizá excesiva, hasta aquí no había en realidad demasiado de extraordinario, dado que Gawsworth, en su actividad incansable hasta que se quedó errabundo y pasivo, debió de conocer a infinidad de personas relacionadas con la literatura, tanto consagradas como noveles. Pero el siguiente párrafo de la carta de Edkins sí hacía comprensible su perplejidad e incluso su miedo (o era el mío al leerlo), ese temor tolerable y breve que nos asalta cuando vemos casar las cosas con demasiada exactitud e inesperadamente, el temor a que el mundo esté más en orden de lo que nos gusta creer, o mejor ordenado por nosotros mismos. 'A continuación mencionas, y reproduces', proseguía Edkins, 'la máscara mortuoria de Gawsworth hecha por Oloff de Wet, alguien a quien yo conocí aquel mismo verano en el Café Gijón de Madrid. En lo que fue para mí una mala época, me mantuvo a base de bocadillos de jamón y pernod durante una semana o más, a cambio de lo cual yo había de escuchar sus fantásticas pero fascinantes historias.' Y acababa entre exclamaciones: '¡Así que ahí estaba yo, la semana pasada, leyendo una novela de alguien a quien conocía —aunque muy ligeramente—, que me confrontaba con dos personas que, no habiendo vuelto a cruzarse jamás en mi vida, fueron para mí de gran importancia hace cuarenta años!'

No tuve dudas acerca de la autenticidad de la carta ni de la veracidad de Edkins, aunque alguien que hubiera querido gastarme una broma no podría haberlo hecho mejor. A la increíble coincidencia se añadían algunos detalles irónicos que a un individuo menos ingenuo quizá habrían inducido a sospechar: no sólo mi corresponsal había tenido algún trato tanto con Gawsworth como con De Wet, sino que los había conocido por separado y nunca había establecido vínculo alguno entre ellos, unidos sin embargo en la muerte del primero; su contacto con uno y otro se había producido el mismo año de 1951, en que también se había iniciado su duradera relación con España y en que se daba la circunstancia de que había yo nacido en Madrid, no lejos del Café Gijón, el lugar en que De Wet lo había protegido y alimentado durante una semana o más; por último, Edkins vivía en una inverosímil calle llamada Deronda, y aunque sé y sabía que *Daniel Deronda* es el título de una famosa novela inglesa del siglo XIX, la verdad es que el nombre, en este contexto, parecía un burlón y poco trabajado anagrama de Redonda, la isla antillana de la que Gawsworth fue rey.

Le contesté en seguida; le pedí una fotocopia de la carta del rey sin reino, si era tan amable de enviármela; le comentaba que lo único que hasta aquel momento había sabido de Oloff de Wet era el nombre, que aparecía como 'Hugh Olaff de Wet' en el panfleto conmemorativo de la muerte de Gawsworth que me había proporcionado la foto de su máscara de yeso. 'Y si tiene tiempo y no le importa recordar en voz alta', añadía, 'me gustaría saber más de De Wet, qué clase de hombre era, a qué se dedicaba, qué tipo de «fantásticas pero fascinantes historias» solía contar, qué edad tenía y qué se le había perdido en Madrid por entonces.' Desde la salida de la novela, le decía, me habían llegado unos cuantos datos dispersos más sobre Gawsworth, pero esta era la primera vez que recibía noticias de alguien que hubiera estado en contacto más o menos directo con él. Cuando pienso en esta observación no puedo por menos de reírme un poco para mis adentros, tantas cosas han cambiado al respecto en los poco más de seis años transcurridos desde mi lectura de aquella carta, y teniendo como tengo ahora en mi casa lo que ya me he acostumbrado a llamar 'la habitación de Gawsworth'.

La generosa respuesta de Edkins fue del 8 de diciembre. Me enviaba la fotocopia solicitada. 'Y en cuanto a Oloff de Wet, pues...', decía, 'podría pasarme horas hablando de él, aunque lo traté solamente una semana; más adelante me encontré con dos personas que lo habían conocido: uno, un muy famoso librero de segunda mano de aquí de Londres, Bernard Stone (quizá lo conozcas), y el otro, como el propio Oloff, uno de aquellos primeros aviadores mercenarios, un americano llamado Jim Tuck, que murió hace un par de años... En 1951, De Wet tendría unos treinta y ocho; era su primera visita a España desde la Guerra Civil, en la que había combatido a favor de la República (tras haber sido rechazado por el bando de Franco, probablemente porque antes había volado para Haile Selassie contra Mussolini en la guerra de Abisinia), con la que sin embargo tuvo conflictos más adelante, y sólo se salvó de ser ejecutado en Valencia gracias a la intervención de Cisneros en persona.' (Edkins se refería a Ignacio Hidalgo de Cisneros, a cuyo mando estaba la aviación republicana.) 'Trabajó luego para el Deuxième Bureau y los alemanes lo detuvieron en Praga, así que se pasó la guerra entera en una celda para condenados a muerte... Publicó dos libros (y también libros para niños, creo). El primero, sobre sus correrías aéreas en la Guerra Civil española, titulado *Cardboard Crucifix*' (esto es, *Crucifijo de cartón*, título horrible donde los haya), 'publicado por Blackwood en 1938 y en América por Doubleday como *The Patrol is Ended*' (esto es, *La ronda ha terminado);* 'nunca he conseguido hacerme con un ejemplar de esta obra, ni tampoco leerla; Bernard Stone me prometió prestármela, pero nunca cumplió. Fue a través de Stone como me enteré de que Oloff había muerto, en los primeros años setenta, según creía. El segundo libro es *The Valley of the Shadow'* (esto es, *El valle de la sombra),* 'Blackwood, 1949, con una reedición en rústica de 1956, que es la que yo tengo, sobre su experiencia alemana; se desprende de la propaganda que había aparecido en el programa de televisión de la BBC *Esta es su vida,* ¡así que desconocido del todo no podía ser por entonces! Hubo un tiempo en el que confiaba en escribir una novela cómica con Oloff de protagonista, pero la lectura de su libro sobre la celda de la muerte más bien me desanimó...' A continuación proponía que nos viéramos la próxima vez que viniera a Madrid y que seguramente sería por Pascua y entonces me contaría más. También sugería que le pidiera a Pombo el original de otra novela suya inacabada que incorporaba episodios de aquel otro proyecto abandonado e inspirado en De Wet. Podía reconocérselo bajo el nombre y la máscara del personaje llamado Hugo van Renssaler... Pero seguro que Pombo lo habría extraviado, como había hecho en otras ocasiones.

Mi espíritu puede ser detectivesco a veces y por tanto deductivo, pero desde luego no es nunca periodístico ni erudito. Me doy cuenta de que ni siquiera busco ni rastreo mucho aquello que me provoca curiosidad o interesa, sino que más bien me limito a registrarlo o encajarlo y me quedo quieto y espero, como si creyera que sólo lo que venga de todas formas, sin depender de mi esfuerzo, val-

drá la pena o será merecido. A veces pienso si no
será una manera de protegerme, o de defender mi
cotidianidad y mis escasas y salvadoras rutinas: si
ya me vienen tantas cosas, buenas y raras y malas,
sin que yo lo procure apenas, quizá un comportamiento activo inundaría mi vida de cosas buenas y
raras y malas, a lo cual no estoy dispuesto, ni aunque fueran todas fantásticas. (O a lo mejor entonces no me llegaría nada.) Si fuera supersticioso
—sólo lo finjo por diversión de tarde en tarde—,
creería estar en posesión de una extraña fuerza tan-
gencial a mi voluntad y magnética que atrae los
acontecimientos y las coincidencias y hace cumplirse muchos deseos no expresados ni mentalmente, y en ese caso lo de la sal y el vinagre no sería
tan insensato, considerando que ahí esa descabe-
zada fuerza se les habría vuelto en contra a los vi-
nagrosos. Lo único es que resulta evidente la inefica-
cia de la primitiva solución salina. Quizá deberían
probar otros remedios y se me ocurren unos cuantos. Que por mí no quede, dar ideas.

Lo cierto es que no llamé a Pombo a pedirle que rebuscara aquel manuscrito sin duda perdido entre la marabunta de sus papeles (lo habría
fastidiado tan ingrato encargo), ni corrí a Londres
al encuentro de Bernard Stone (ya tenía mis propios Stone, y hasta mis Alabaster) ni a entrevistar-
me con Edkins de Deronda sin esperar a Pascua, y
cuando éste por fin vino a Madrid y nos vimos un
rato en mi casa, ni siquiera se me ocurrió tomar
notas ni grabar la conversación con los datos que
pudo proporcionarme sobre De Wet y Gawsworth

(tampoco tenía grabadora, no sé qué bobadas digo, eso me justifica un poco), más del primero que había sido su mentor durante una semana al menos. Así que ya no recuerdo gran cosa, y no voy a escribirle ahora para darle otra vez la lata y forzarlo a redactar unos cuantos folios en mi beneficio (no es tan importante este libro, ni siquiera para mí mismo). Pero quizá no recuerdo gran cosa porque no fue gran cosa lo que de viva voz me contó a la postre, y también es lógico: por mucho que a sus veintipocos años lo impresionara el antiguo piloto mercenario, habían transcurrido cuarenta desde aquel breve encuentro o pupilaje madrileño.

Era Edkins un hombre de más de sesenta, algo tímido, muy discreto y afable, con un habla precavida, un sentido del humor mitigado y un vago aire de pasada bohemia, dejada por la edad ya a sus espaldas. Sus ojos eran confiados, y su nariz y su barbilla afilados, que lo asemejaban bromistamente a su anfitrión y amigo Pombo, hacían pensar más en el Fagin de Dickens que en el propio Daniel Deronda, por muy judío que éste fuese. Me regaló dos folletos con poemas suyos y alguna versión de Cernuda, y de cuanto me dijera sobre De Wet ya sólo me acuerdo de esto: era un hombre seguro de sí mismo y jovial y llamativo para el Madrid de 1951, pues lucía un pendiente en una oreja y no sé si coleta rubiácea a la manera pirata, sobre un ojo un parche negro o bien monóculo ahumado, adornado el rostro por bigote solo o tal vez bigote con barba, se difuminan los rasgos de las personas en nuestra memoria visual siempre oscilante. Pese a ir bien trajeado y con corbata, era raro que no lo detuviera cada noche la policía franquista, con aquel aspecto, debía de resguardarlo ser extranjero o acaso poseía algún tipo de salvoconducto, contactos hampones y diplomáticos desde luego no le faltaban. La razón por la que había vuelto y se encontraba en España, donde había matado y había estado a punto de ser pasado por las armas, era disparatada si se trataba de la verdadera y no más bien de una fantasía o patraña para entretener al muchacho mientras éste se tomaba sus bocadillos de jamón con pernod regados: se proponía convencer a Franco de crear y organizar en los Cárpatos guerrillas de partisanos que hostigaran a los soviéticos (la verdad, un poco a distancia). Sus motivos confesados, sin embargo, no eran exactamente políticos ni mucho menos ideológicos, sino que confiaba en que, una vez derribados los regímenes comunistas, cuanto a partir de 1917 se había confiscado en Rusia y los países satélites fuera restituido a sus legítimos propietarios, entre los cuales se encontraba su mujer de entonces, rusa —o quizá fue la única—, cuya familia había al parecer perdido con la Revolución de Octubre el mejor y más caro hotel de Moscú, de nombre Metropol si no me falla la memoria en exceso. Cuando él fuera director y dueño consorte del Metropol, decía, podría llevar por fin sin obstáculos la azarosa y espumeante vida a que estaba destinado y de la que por lo demás no se privaba. Larga juventud y aún más larga existencia había de prometerse, si para llegar a eso, y como primer paso,

tenía que persuadir a un adoquín como Franco de
financiar a unos partisanos improvisados que brin-
caran por los Cárpatos (y además sin saber idiomas, si habían de ser en su mayoría españoles).
Y desde luego con el pendiente en la oreja sólo habría logrado que el dictador de mofletes abúlicos
y mandíbula retraída lo mirara de arriba a abajo y
anotase con aprensión pequeñoburguesa y norma-
tivo asco en la esquina de una tarjeta en blanco:
'Afeminado'.

Veo la escena si llegó a producirse, o la veo
aunque no llegara, pero quién sabe, tal vez De
Wet removió cielo y tierra con sus amigos de las
embajadas y los submundos y consiguió una brevísima audiencia, diez o doce minutos para expo-
ner sus planes al enemigo mayor de la Unión So-
viética, y se las ingenió para que no supiera o
recordara éste el rechazo de sus leales a aquel piloto voluntario al comienzo de la guerra, ni los servicios prestados entonces por el *refoulé* a la República, ni sus años condenado a muerte en las
prisiones de la Gestapo ni sus tempraneros vuelos
contra Mussolini en Abisinia. Veo a Franco disfra-
zado de almirante, sentado con los pies bien plan-
tados en el suelo del talón a la punta como si no
fueran articulados y carecieran de movimiento —los
largos zapatos blancos, los calcetines blancos dejando ver demasiado sus tobillos escuálidos—, con
una leve satisfacción provincial por tener ante sí a
un extranjero, o aún es más, a un británico que venía
a solicitar su ayuda. Veo a Hugh Oloff de Wet con
su español imperfecto y su jovialidad contagiosa

estrellándose contra su interlocutor ladrillo inca-
pacitado para el humor y para la benevolencia y el
entusiasmo, silencioso y vegetativo, observando
el estrafalario aspecto del mercenario más que es-
cuchándolo, distraído por su verborrea vehemente
como por un murmullo que no lo atañera. Y probablemente, cuando De Wet terminara de explicar
su visionaria estrategia —sin mencionar el Hotel
Metropol codiciado ni a su ya obtenida esposa,
eso es seguro—, el dictador se quedaría mirándolo
con la vista opaca y seguiría callado un rato como
si desconociera las reglas del diálogo y ante él hubiera el otro de continuar hablando eternamente,
o como si de él no pudiera esperarse nunca —no
más que de un tótem o de una armadura— que
dijera o contestara nada concreto ni abstracto. Se
llevaría un dedo a la sien despoblada, más en señal
de vaciedad o ausencia que de calibración o duda;
se sorbería con dificultad la nariz como un garfio
que parecía destilante siempre; se miraría de reojo
los resplandecientes botones dorados de la boca-
manga y —acaso— por fin hablaría con los dientes cerrados largos y sin apenas mover los labios:

'Y dígame, ¿cómo hace para sostener en el
ojo sin que se le caiga ese cristal que lleva tan re-
dondo?'

Era la clase de cosa que llamaba la atención del dictador en aquel tiempo que empezaba
ya a ser aplacado, aunque lo atravesara aún la
muerte, y lloviera sal, y esparciera calaveras, machacado el tiempo. Su capacidad de comentario era
casi nula, y se sabe que años más tarde, tras asistir

a unas furiosas danzas del bailarín folklórico Antonio para él y sus invitados, y al ser conducido el
artista a su palco para que lo cumplimentara (ávido
el intérprete de los dictatoriales parabienes o elogios), lo más que acertó el usurpador a decirle fue
lo siguiente: 'Hay que ver. Parece usted de goma.'

De Wet sabe muy bien que debe respon-
der la pregunta, aunque el tiempo de la audiencia
esté a punto de terminarse y las cuatro frases sobre
su monóculo ahumado puedan desviarlos del asunto irremediablemente y consumir el delgado resto,
los dos o tres minutos aún concedidos.

'Oh, es cuestión de práctica, Excelencia. En-
trenamiento y disciplina, como todo. Acaba uno for-
taleciendo tanto los músculos orbitales que al final
ni siquiera se acuerda de que lleva una lente puesta.'

'Comprendo: un esfuerzo', contesta fríamente el almirante falso, y nota De Wet que esperaba
algo más, probablemente que junto con la explicación él se quitara y volviera a colocar el monóculo
un par de veces sin titubeos ni fallos, que le regalara
una demostración in situ de sus músculos orbitales
desarrollados; pero De Wet no piensa destaparse el
ojo ni por el Metropol siquiera, eso es algo muy íntimo, y tampoco prevé que el dictador llegue a pe-
dírselo aunque entiende claramente ahora que sería
ese su deseo, un hombre acostumbrado a que se
lo interprete, a no tener que solicitar ni requerir las
cosas, acaso es de los que sólo saben lo que les place
cuando se lo han sugerido y les han formulado la
idea posible de sus crueldades o antojos, bienveni-
dos todos. Franco Bahamonde se queda callado otra

vez durante demasiados segundos, y De Wet aprovecha para intentar recuperar a sus partisanos:

'Así, ¿qué le parece el proyecto, mi general? ¿Lo ve plausible? ¿Lo estudiará? Hostigaríamos sin cesar, seríamos una pesadilla para las autoridades soviéticas, que viven excesivamente tranquilas. Han machacado el tiempo, han machacado esos países.'

Pero el marino de feria que jamás navegó más que en barcos de recreo sólo está interesado en lo que tiene delante, sólo en eso, tal vez ni se ha enterado de en qué consiste la propuesta pueril e insensata del mercenario, nada más introducirlo el ujier lo consideró un presumido europeo y un inglés mamarracho.

'Y dígame', por fin le dice tras un nuevo silencio y con el máximo de inexpresividad en sus ojos chicos y como mal lavados, 'ese pendiente, ¿le hace daño? Porque lo lleva usted pinchado en el lóbulo, ¿no es así? No es de clip, es de alfiler, ¿verdad? Llaman de clip a los que no perforan, según he oído en la radio. Yo escucho bastante la radio, para enterarme.'

De Wet se coge el lóbulo instintivamente con el pulgar y el índice, más que un pendiente es un aro, y en efecto no es de pinza. Se acaricia el lóbulo y se acaricia el aro, y otra vez comprende como por infusión o por mesmerismo que el dictador no quiere solamente una respuesta, sino ver el adorno de cerca como se admira un fenómeno de menor orden, sin duda lo escandaliza y lo contraría que lo luzca un hombre, pero también siente una mínima curiosidad indolente por lo que desaprueba, quiere comprobar con sus ojos a qué punto llega la desvergüenza de ese sujeto afectado que se ha colado hasta su despacho con recomendaciones inexplicables, rodarán cabezas en Gobernación y en las embajadas, rodará la de Pemán o la de Camilo, rodará la de Starkie, también la de algún procurador y un maestresala. O la de su yerno.

'Sí, señoría, lo llevo atravesado, es un antiguo distintivo militar de familia', trata de justificarse De Wet; 'la mía es de origen sudafricano, y allí en Sudáfrica no está mal visto. Es tradición familiar, ya le digo, lo conservo por lealtad. Mi abuelo se lo puso para ganar batallas.'

'Pero ustedes no son negros', dice el dictador mirándole a De Wet fijamente la coleta rubia. 'No de piel, no son negros.'

'No, no somos negros, Excelencia, está a la vista.'

'Yo he conocido negros', comenta pensativo Franco.

'No lo dudo, mi general. Su señoría habrá viajado mucho', contesta De Wet cada vez más desorientado respecto a la dirección en que se está moviendo. Sabe que de un momento a otro se abrirá la puerta y el ujier lo conducirá a la calle, sus partisanos al limbo y el Metropol secuestrado.

'Viajar lo que se dice viajar, no tanto', reconoce el impostor del almirantazgo. Y añade lacónico: 'Tengo experiencia. Los negros se ven de lejos.' Luego se queda una vez más callado, pero parece que esté buscando unas palabras o su ordenamiento, no que ya dé por concluido su turno.

O quizá estaba haciendo memoria muy reciente, porque a continuación vuelve e insiste: 'Así, ¿dice usted que no le hace daño ese abalorio?'

'No, mi general, no me hace daño, lo llevo desde muy joven y también es cuestión de acostumbramiento, nuestras orejas no son distintas de las de las mujeres, ¿verdad?'

'Es verdad que son parecidas. Pero eso según se mire', dice el farsante marinesco enigmáticamente, pero acaso no haya enigma sino más bien simpleza; y a la vez que lo dice, de forma tan instintiva como De Wet poco antes, se lleva el pulgar y el índice a una de sus orejas elefantinas, De Wet se da cuenta entonces de lo grandes que las tiene —parecen plantas de pies incrustadas en las sienes— e intenta imaginarse un arete realzándole una de ellas, pero rechaza la visión en seguida, por irrespetuosa y por repugnante. El dictador mantiene el cuello erguido como si esperara algo, tiene casi sesenta años, se le arrugará muy pronto. Sigue con los pies verdaderos tan blancos totalmente horizontales y aposentados sobre la alfombra, como si en vez de zapatos calzara unas planchas. Da la impresión de que no estaría dispuesto a levantarse ni siquiera a incorporarse por nada del mundo, así que De Wet opta por aproximarse, ponerse de perfil e inclinar un poco el busto para mostrarle mejor los mecanismos de su abalorio, aquello no es tan íntimo como lo del ojo, no le importa contentarlo en eso.

'Si quiere verlo Su Excelencia con más detalle', dice.

'Acérquese más para acá. Para acá', le ordena el Jefe del Estado estirando el cuello que será de tortuga, con su voz desganada siempre. De Wet se coloca aún más de perfil y se acerca, pero entre ambos está la gran mesa de trabajo casi vacía, la Jefatura no gasta en papeles. 'A ver, véngase por este lado', le dicta el dictador indicándole que la bordee, 'que no veo bien ese distintivo guerrero que usted dice.' De Wet obedece y queda así a la derecha del sillón del general, y como éste no piensa moverse y él es hombre de talla, con un movimiento ágil se acuclilla para dejar su engalanada oreja a la altura propicia, esto es, a la de los ojillos velados que escudriñan el apéndice ahora a poquísima distancia, parece que le estuviera cuchicheando al oído o fuera a lamerlo, nota De Wet en la cara el aliento de Franco Bahamonde como un sibilante ronquido estable. 'Hay que ver. Se punza usted la carne, se la tiene que hacer papilla', dice éste como si emitiera un dictamen. 'Sé que los negros también se punzan. Pero no todos. Los moros no, no lo hacen.'

Fue entonces cuando se abrió la puerta que dio paso al ujier: había transcurrido el tiempo. Se detuvo en seco al ver la inesperada escena, en la que el navegante ficticio parecía estarle susurrando un secreto a aquel inglés fachendoso, o bien confesándose, algo insólito en el imaginario almirante, que nunca se confiaba a nadie. El ujier carraspeó con soltura (la dan ciertos oficios) y anunció a Su Excelencia que lo estaban aguardando para ir a la becerrada. De Wet se alzó sobresaltado y retrocedió en tres zancadas hasta colocarse de nuevo ante la mesa. Entonces el dictador taurófilo le hizo con la mano un gesto inequívoco de despedida, un gesto blando y cercano a lo afable, y le dijo:

'Adiós. Que tenga usted suerte en su empeño.'

De Wet entendió. No valía la pena hacer el menor intento. El gesto había sido equívocamente afable, las palabras cortantes aunque contuvieran un buen deseo, en un solo instante aquel hombre era capaz de pudrir la sangre y hacer brotar la sombra más sombría, 'Blaw for Blaw', para él golpe por golpe. O no, por cada uno devolvía demasiados, es propio de los inseguros. El antiguo piloto se cuadró y dio las gracias por el honor concedido, el tiempo dedicado y la atención prestada. El dictador no le contestó, se dirigió al ujier y le dijo:

'Garralde, acompañe al señor de Bet y luego vuelva por aquí.'

De Wet giró sobre sus talones y se encaminó hacia la puerta abierta, pero antes de que la cruzara lo detuvo aquella voz desnutrida:

'No me ha dicho qué batallas fueron esas que ganó su abuelo en África.'

El mercenario le dio la cara y volvió a cuadrarse:

'Con su permiso, señor: Vechtgeneraal Christiaan Rudolf de Wet. Estuvo en Majuba, Ladysmith, Waterval, Paardeberg, Poplar Grove, Sanna's Post, Bloemfontein, Magersfontein, Roodewal, Koedoesberg, Mafeking, Reddersburg, Tweefontein, Mushroom y Río Vet entre otras, no las ganó todas. Se distinguió especialmente en la guerra de guerrillas, y algo se me habrá pegado.'

Con esta última observación hizo el postrer intento que ya había descartado. Fue inútil, como estaba previsto. El comodoro quimérico no respondió nada a eso. Sólo murmuró fríamente, o el tono era desdeñoso, o quizá cazurro, o quizá desconfiado:

'Esos nombres no me son conocidos.'

'La Guerra Boer, señor', le aclaró De Wet en inglés traducido. 'Duró tres años.' Iba a añadir 'Como la suya, como la nuestra, señor', pero se abstuvo.

'Ah. La Guerra de los Boers', dijo Franco lentamente a la vez que empezaba a anotar en su tarjeta también lentamente, allí donde un rato antes había escrito 'Afeminado'. Y lo que ahora anotó fue esto: 'Aventurero amanerado. Degeneración de una familia.' Y añadió con la voz luego: 'Su abuelo entonces fue un expedicionario.'

'No, señor, con su permiso, señor. Yo soy británico, pero mi abuelo era boer. Llegó a ser comandante en jefe del ejército boer contra los ingleses. Después se torcieron las cosas y emigró la familia.'

A Franco Bahamonde debió de parecerle anómalo y despreciable que el nieto del comandante en jefe tuviera la nacionalidad enemiga, y bajó la vista para seguir anotando, y ahora anotó con más viveza lo siguiente: 'Con esa coleta asquerosa, tu único lugar posible está en el ruedo de la becerrada.' Alzó luego la vista tapando con la mano lo que había escrito, aunque no había posibilidad de que De Wet alcanzara a distinguirlo desde la puerta, donde aguardaba haciendo girar su sombrero entre las manos, se había vestido muy pulcramente. El dictador repitió el gesto de despedida como quien da la venia, pero más distraído, y De Wet aún le oyó musitar: 'La Guerra de los Boers y qué más. Esa la seguí yo de chico en la prensa. Me habrían sonado los nombres. A mí no me la das tú con queso, coletudo.'

De Wet fue conducido a la calle por el ujier Garralde, de cara enrojecida y pelo rústico y compacto, y mientras recorría pasillos y descendía escaleras observado de reojo, pensaba que al menos había aprendido una palabra española nueva en aquella audiencia saldada con tan rotundo fracaso. 'Punzar', no la conocía; ahora se le había quedado en la lengua ('Punzar, punzar', se le repetía) y además la había entendido, por el contexto. Y fue quizá merced a aquel ujier tan chismoso como De Wet logró que no lo detuviera cada noche la policía por su aspecto aventurero y amanerado para el Madrid del 51, ni en el Café Gijón con su discípulo Edkins ni en El Molino Rojo ni en Pasapoga ni en El Biombo Chino ni en Conga, ni en El Avión ni en el J'Hay ni en el Tarzán (antes Satán) ni en Chicote, ni tampoco en House of Ming ni en Las Palmeras siquiera, si es que todos existían ya o todavía, o en mejores sitios y en la mejor compañía de toreros y de actrices: debía de salir todas las noches hasta las mil y gallo, con la nocturnidad madrileña no hay dictadura que acabe. Tal vez el ujier Garralde, tal vez él sí afeminado pese a servir al anafrodita Franco (que no lo habría sospechado en su vida ni lo habrá sabido en su muerte), no pudo evitar contarle a su novio de la pasma la increíble escena del dictador confiándose a aquel hombre rubio y alto acuclillado, con coleta y pendiente y parche, y hablándole tan al oído que habría podido chuparle el lóbulo. Muy capital aquel extranjero, para tanto secreto cuchicheado, convenía estar a buenas y no importunarlo sino al contrario, facilitarle las correrías durante su estancia en Madrid corta o larga. O quizá no era invertido Garralde ni tenía ningún novio sino una mujer atosigante, pero podía estar sobornado por algún ministro predilecto que viniera de visita a menudo, un Girón o un Solís o un Camilo Alonso Vega (don Camulo lo llamaban; si es que estaban por entonces esos, que yo no me acuerdo ahora ni pienso levantarme a mirarlo), e irse de la lengua en regular agradecimiento; o acaso por el yerno único del megalómano arponero (ya casi nadie se acuerda, pero le ponían cachalotes moribundos a tiro para hacerle creer que él los pescaba como un Ahab de cabotaje, una vez más pobre Melville), de quien se decía que procuraba enterarse y espiarlo todo para mejor dar coba a su suegro, y también se rumoreaba que no tenía el menor reparo en frecuentar los ambientes más juerguistas y más turbios (llenos de aventureros y aun de amanerados, incluidos Riscal, el Copacabana), pese al anafrodita estricto que lo sometía a vigilancia. Así que quizá acabó siendo el pendiente, y no ninguna influencia, el salvoconducto aquí del mercenario, Hugh Oloff de Wet su nombre, o puede que uno solo de sus nombres.

Pero si no me abalancé sobre el teléfono para llamar al desordenado Pombo, ni salí escopetado hacia Barajas para coger el primer vuelo a Londres, ni tomé la precaución de comprarme un aparato que grabara las palabras de Edkins cuando lo tuviera enfrente, tampoco me quedé quieto del todo, y puse en estado de alerta a algunos libreros ingleses de segunda mano o de anticuario (Bertram Rota y Bernard Kaye, los Stone de Titles en Oxford, Ben Bass hoy desaparecido) para que se acordaran de mí si un día se cruzaba en su camino un ejemplar de cualquiera de los dos raros y aun recónditos libros que De Wet había escrito.

Y en justa correspondencia a las muchas encomiendas librescas que a lo largo de los años me había hecho don Juan Benet (más bien todas enrevesadas, como si quisiera siempre ponerme a prueba), me permití yo encargarle que me rastreara posibles menciones del piloto pirata en su magnífica biblioteca sobre la Guerra Civil, de hecho una de sus especialidades. Al cabo de una semana, sin duda picado por la curiosidad y por el desafío bibliográfico (debí de plantearle la cosa en los términos más hirientes y eficaces: 'A ver, don Juan, tanto presumir toda la vida de tus conocimientos

bélicos. A ver qué demostración nos haces'), Benet
me mandó desde su casa de Zarzalejo en el campo,
donde guardaba el material sobre la guerra del que
se sentía tan orgulloso, el siguiente informe escrito
a mano, bajo el burlón epígrafe 'Nota para el licenciado Marías':

'Acerca de Oloff de Wet he encontrado algunas referencias en la bibliografía de la Guerra
Civil. Jesús Salas Larrazábal lo menciona en dos
de sus obras, en *La guerra de España desde el aire,*
Ariel, Barcelona, 1972, y en *Intervención extranjera en la guerra de España,* Editora Nacional, Madrid, 1974. En la primera se menciona a De Wet
en relación con la creación, por la nueva Subsecre-
taría del Aire, de al menos quince grupos de caza
y bombardeo que empiezan a operar con material
importado en septiembre de 1936. Según Salas,
De Wet pilotaba un Nieuport 52 en esas fechas.
También existe alguna referencia aislada a De Wet
en Alcofar Nassaes, *La aviación legionaria en la guerra española,* Euros, Barcelona, 1975. En cambio
no he encontrado ninguna mención suya en Bill
Alexander, *British Volunteers for Liberty* que pre-
tende suministrar una lista muy extensa de los vo-
luntarios británicos, casi todos encuadrados en el
British Battalion en el que sirvió el autor. Tampoco
en documentos y memorias de brigadistas y compañeros de viaje británicos.

Estas referencias se deben, sobre todo, a la
publicación por Oloff de Wet de *Cardboard Crucifix,* Blackwood, Londres, 1938, que no he logrado encontrar y creo que no se ha traducido ni pu-

blicado en castellano. Un excelente caso de *recherche*, veamos una vez más de qué eres capaz, veamos tus habilidades. Por lo que deduzco, se trata de un relato autobiográfico de su experiencia en España como piloto de guerra y testigo bien situado del nacimiento del arma aérea republicana. Un fragmento bastante extenso (catorce páginas) de *Cardboard Crucifix* se incluye en *The Civil War in Spain* de Robert Payne (no confundir con Stanley G Payne, historiador del fascismo español), Secker & Warburg, Londres, 1962. Ese fragmento no es gran cosa: una estampa periodística del Madrid en el revolucionario otoño del 36, unas impresiones acerca de su vuelo en el Nieuport y unos rápidos perfiles de figuras destacadas de las Brigadas Internacionales.

Zarzalejo, enero de 1992.'

Enero de 1992, justo un año antes de su muerte. Ninguno podíamos imaginarla entonces, tampoco él, nadie sabe nunca el orden de eso.

Creo recordar que la siguiente vez que nos vimos fui tan impertinente e ingrato como para hacer de menos sus pesquisas y hallazgos (pero ese era el estilo siempre con Benet, tendíamos los amigos a darnos por descontada la competencia y a no reconocernos mérito unos a otros más que en alguna ocasión contada, lo cual la hacía tanto más señalada e inolvidable: la misma escuela que en mi familia, una escuela humorística y áspera —se necesita una poca de gracia— que, según he visto, la mayoría de los demás escritores no tolera, obligados con demasiada frecuencia a la adulación recíproca y empalagosa y aun a la pleitesía: Maestro Tal y Maestro Cual y Maestro Fatal, se apostrofan algunos para ayudarse con sus complejos, en público y en letra impresa, de inferioridad los complejos) y echarle en cara la poca carne y la poca especia que me había servido, con muchos datos inútiles por ser ya de mí conocidos. Pero en realidad me guardaba de felicitarlo abiertamente con la vista puesta en mi inminente turno y desempeño, pues en su informe había aprovechado para lanzarme a su vez un desafío, que me reiteró en persona y ante testigos, como había hecho yo con el mío: 'A ver, gran sabueso de los Baskerville, Arsenio Lupin de las letras, a ver, joven Marías, ¿no presumes de que no hay libro que se te resista por inencontrable que sea? Ahí te quiero yo ver con este Oloff de Wet que parece el nombre de un perfume; a ver si eres capaz de traernos por aquí un ejemplar de ese *Cardboard Crucifix* del que nos sales ahora con que estabas tan al cabo de la calle.' Así que don Juan me había vuelto la misión e indagación en contra. 'Yo ya he cumplido. Es tu turno', dijo, 'y espero que no tengas la desvergüenza de presentarte a la próxima cena sin ese libro bajo el brazo.' Siempre estábamos así, retándonos como críos con cosas inofensivas y baladíes (o alguna que otra no tanto), una diversión y un estímulo y sobre todo una continuidad y un aplazamiento, algo quedaba pendiente siempre y había que volver a verse. Por supuesto que yo no era el único ni mucho menos, los mismos emplazamientos se traía él con todo el mundo, con Azúa o con Molina Foix o con Hortelano o Daniella y su famoso episteme o con Mercedes o los ingenieros o Peche, con cuantos amigos merecieran su afecto encarnado en su ironía.

Uno de estos duelos desinteresados e idiotas propició un breve texto memorable suyo en una carta de aquellos años míos de Oxford, y sólo por darlo a conocer aquí merecerá la pena este libro (aunque no citaré verbatim del todo, para evitar quisquillosidades). Me había él retado a adivinar quién era su nueva *bête noire* de aquellos días (noviembre del 84), y yo le había respondido adivinándosela a la primera ('sus iniciales son las mismas que las de Jaime Salinas', le había dicho) y arrojándole una batería de jeroglíficos menores en forma de personas a las que me había referido asimismo sólo por sus iniciales; también le había anunciado que le tenía adquirido un pequeño regalo excelente que le sería de gran provecho, para dárselo en mi primer viaje a Madrid, 'un ingenioso instrumento', así lo había llamado según se deduce de su respuesta. Benet se había dejado el bigote no hacía demasiado tiempo, y aunque tanto llegamos a acostumbrarnos que ahora no se hace fácil recordarlo totalmente afeitado, por aquel entonces aún estábamos los amigos ponderando la osada novedad pilosa y dudando entre su aprobación o bien rechazo y condena y subsiguiente envío a la barbería. Lo cierto es que en el entretanto le había yo comprado un minúsculo y ridículo peine visto en una tienda especializada de Londres, diseñado específicamente para el acicalamiento e higiene de tales aditamentos, según se decía en tiempos más indirectos.

'Efectivamente se trataba de J S', me reconocía en el segundo párrafo de su carta, 'un perfecto imbécil de los que mezcla piedad y arrogancia al estilo Xirinachs. No he acertado una sola inicial de las tuyas, pero para salir al paso y desmentir mi "reconocido embotamiento" he decidido adivinar que el "ingenioso instrumento" que vas a regalarme no es ni más ni menos que un pequeño peine. Naturalmente estás en una situación óptima para desmentirlo e incluso adquirir un nuevo pequeño regalo para demostrar que no se trata de un pequeño peine, pero a cambio yo seguiré toda mi vida persuadido de que originalmente se trataba de un pequeño peine (no te doy más indicaciones porque con eso basta para tu sonrojo), y que si tú actúas deshonestamente en este grave asunto y das el cambiazo al pequeño peine, yo también ocultaré las razones que me han hecho desenmascarar al peine. Porque además, si lo estudias con un poco de atención, pronto concluirás que no se puede tratar sino de un pequeño peine.'

Hube ahí de reconocerle sus dotes adivinatorias o su perspicacia, y eso que me fastidió enormemente que me destripara el misterio de mi pequeño peine especializado, que en su día le entregué sin cambiazo pero ya muy reventado y de mala gana y hasta con despecho. Se lo vi utilizar a menudo en los siguientes años, de vez en cuando lo sacaba en una reunión en presencia mía y se repeinaba el bigote con delicadeza un ratito haciéndose el distraído, sin duda para restregarme aquel

brillante triunfo deductivo suyo. (Según el humor
yo me hacía el loco o lo complacía dándome por
aludido y diciéndole: 'Está bien, don Juan, ya me
acuerdo, fue una diana, déjalo ya, no te queda en-
redado un solo pelo'.) Muy propio de él este dis-
frute recurrente y retrospectivo.

Pero volviendo al 92. Mi amor propio en
entredicho, alerté en seguida a más libreros, a G
Heywood Hill y a Bell, Book & Radmall y a Ve-
ronica Watts seguramente, y a algún otro especializado en asuntos militares, aunque no conocía
mucho ese campo; también a Eric Southworth y a
Ian Michael en Oxford, por si se daba la casualidad increíble de que se toparan con el maldito
Crucifix en alguna librería de lance; y supongo
que a Roger Dobson, un sabueso verdadero e infatigable, pero que alternaba rachas de magnífica
fortuna con otras de absoluta pérdida del olfato y
consiguiente inanición libresca, así que todo dependía de que mi encargo lo pillara en medio de
la de un signo u otro. A todos di un presupuesto
más bien alto para lo que podía costar en principio un olvidadísimo libro del 38 sobre la Guerra
Española, por un autor que casi nadie conocía y a
casi nadie interesaría y cuyo nombre, al igual que
ocurrió en su momento con Gawsworth (pero más
explicablemente), no aparecía en ninguna enci-
clopedia, diccionario o bibliografía de literatura,
aunque sí hubiera menciones a él en algunos estudios sobre la Guerra Civil, según la consulta de
Benet, si bien no desde luego en tantos como habría cabido esperar, dado su singular desempeño

pionero en el aire de esta península —lutos tras otros lutos y otros lutos—, o en el viento que se llevó las semanas.

Y fue el hoy desaparecido Ben Bass, de Greyne House en Avon, quien a las pocas fechas obró el milagro y me envió una nota con su letra florida inquiriendo si me interesaban sendos ejemplares del *Crucifijo* y del *Valle,* el otro volumen de Oloff de Wet sobre su encarcelamiento por la Gestapo, que tenía ya a mi disposición por treinta y cinco y trece libras, respectivamente, más franqueo y empaquetado. Un poco caro el *Crucifijo,* no perdí un minuto con el deplorable correo; lo llamé por teléfono inmediatamente preguntándome por qué diablos me consultaba y no los había mandado al instante y, antes de la siguiente cena con don Juan Benet y otros amigos, obraban ya en mi poder ambos títulos, con los que me presenté muy ufano bajo el brazo en el restaurante y listo para resarcirme, tantos años más tarde, de la humillación sufrida por mi minúsculo y ridículo y desenmascarado peine. Recuerdo la cara de Benet de fingido chasco al soltar yo los libros sobre la mesa con un movimiento del pulgar y el índice como si fueran naipes ('A saber qué bajezas habrás cometido para conseguir estas rarezas tan rápido, joven Marías', eso dijo con fastidio y desconfianza), sustituida en seguida por una expresión de curiosidad ávida y el experto hojeo de las piezas cobradas. Bastantes meses después el gran cazador Ben Bass (a quien habría que rastrear ahora) fue capaz de encontrarme un segundo ejemplar de la subtitulada

The Story of a Pilot in Spain, que pude así regalar a don Juan para enriquecimiento de su colección y en postergados agradecimiento y premio a su generosa búsqueda y a su nota para el licenciado. (Aún estoy a la espera de que alguien dé con un tercero, para regalárselo a Edkins.) Llegó a leerlo, no mucho antes de su muerte —pero aún no sabíamos—, y al igual que el extracto citado por Robert Payne, no le pareció gran cosa. Nunca podré saber si fue esa su opinión verdadera o si trató de restar mérito literario al personaje por mí descubierto y rebajar con ello mi irritante proeza cinegética. El posible interés literario de Hugh Oloff de Wet, por otra parte, no tenía por qué andar parejo en modo alguno con el biográfico y novelesco. Pero de los textos hablaré más adelante si acaso.

Ninguno de los dos ejemplares logrados —ni el de Benet ni el mío— conservaba la sobrecubierta, de manera que no había en ellos datos sobre el autor ni descripción editorial de la obra. Pero sí llevaba su sobrecubierta en buen estado *The Valley of the Shadow,* once años posterior a *Cardboard Crucifix* —la Guerra Civil bien acabada y el tiempo bien machacado, la Segunda Mundial ya concluida— y dos anterior a la segunda y extraña estancia en Madrid del escritor piloto en el 51, cuando entre todos los sitios posibles del mundo frecuentaba el Café Gijón de los literatos españoles desocupados —o es que entonces a nadie la faltaba el tiempo que poco existía, ni siquiera a Benet, que con sus veinticuatro años por allí andaría a ratos—, e intentaba que entre todos los gober-

. H. OLOFF DE WET

" . . . comes from English military stock
. . . he served nine months as a pilot
and Intelligence officer in the army of the
Negus.   Forced to leave Abyssinia on
account of a duel, he offered his services
to General Franco.   Not being accepted,
he joined the Reds, and for three months
served as a fighter pilot.   During this time
he began his work for the Deuxième
Bureau . . ."

Continued on back flap

9/6

This extract, described by Mr de Wet as "founded on fact," though "in various respects slightly inaccurate," is taken from the *Völkischer Beobachter's* report of his trial in the People's Court at Berlin, when he was found guilty and condemned to death.

In *The Valley of the Shadow* Mr de Wet gives his own version of his experiences as a secret agent of France in Prague, and of his capture and imprisonment by the Gestapo. It is almost incredible that he should have survived successively the attentions of his gaolers and inquisitors, his own attempts to escape and suicide, and finally, for four years, a death sentence delivered in the earlier part of the war.

The book is more than an unforgettable record of the horrors of prison life in Nazi Germany. It shows the triumph of the human spirit over brutality, torture and — almost worse — the suspense and deadening routine of captivity. Mr de Wet lost neither his courage nor his sanity in an ordeal which lasted for six years. He has lived to write a terrible but inspiring book.

nantes posibles del mundo le financiara su proyecto partisano en los Cárpatos el depredador pero roñosísimo Franco. Y en la solapa anterior de esa sobrecubierta venían una fotografía y no escasos datos, aunque ya aportados en su mayoría por el protegido Edkins desde el primer instante. No todos, sin embargo.

Tiene De Wet en la foto un indudable aspecto de militar británico pese a su origen boer —si es que esa extracción era cierta y quizá no lo era—, con su bigote poblado y curvo y muy bien arreglado, acaso con un pequeño peine inseparable especializado que le serviría incluso para mantener altas las guías. La larga mosca sobre la barbilla desentona un poco, confiriéndole un aire mosquetero o cardenalicio —o de Buffalo Bill o Custer— impropio de un soldado serio de su tiempo, sugiere un lado extravagante y coqueto que sólo llevado a su extremo o a la impunidad del país extranjero podría dar paso a una indecente coleta, que aquí ni se le adivina. Tampoco luce parche ni monóculo ahumado, y en cuanto al pendiente famoso, a menos que le adornara la oreja derecha que se ve apenas y en sombra, no parece que para el retrato hecho por el Estudio Weitzmann de Londres se atreviera a colgárselo. Va vestido de civil —lo que sería él entonces— y muy bien trajeado, elegante la corbata y el paño de la chaqueta excelente, tanto que hasta a la vista se nota su tacto. Parece algo mayor que los treinta y seis años que quizá tenía, pero más por el tipo de físico recio y el respetable peinado con raya que porque se le adviertan estragos de su temeraria vida. Viéndolo así de aplomado nadie diría que había estado preso tanto tiempo ni que había padecido tormento. Los ojos claros poseen una penetrante mirada propia de ojos oscuros, y ninguno de los dos se ve tuerto; sus facciones son muy correctas, un hombre bien parecido al que no cuesta imaginar de uniforme ni tampoco en siglos pasados, sobre todo en el XVII como corsario o noble o como ambas cosas en combinación nada infrecuente, o en el XIX más lejos, al otro lado del océano en el salvaje Oeste. Sobre la foto la firma, se distingue mal por el fondo oscuro.

El texto de esa solapa comienza con entrecomillados y unos puntos suspensivos con los que también acaba, para a continuación, ya en la otra y posterior solapa, explicar la procedencia de las citas: 'Este extracto, descrito por Mr de Wet como "basado en los hechos", aunque "en varios aspectos ligeramente inexacto", está sacado de la noticia del *Völkischer Beobachter* relativa a su proceso ante el Tribunal del Pueblo en Berlín, cuando fue declarado culpable y condenado a muerte.' Y prosigue, ya en tono de mayor propaganda: 'En *The Valley of the Shadow* Mr de Wet ofrece su propia versión de sus experiencias como agente secreto al servicio de Francia en Praga, y de su captura y encarcelamiento por la Gestapo. Es casi increíble que sobreviviera sucesivamente a las atenciones de sus carceleros e interrogadores, a sus propias tentativas de huida y suicidio, y finalmente, durante cuatro años, a una pena de muerte dictada en la primera fase de la guerra.' El último párrafo es aún

Schriftl. Berlin SW 68, Zimmerstr. 87/41 : Ruf 11 00 22, Sprechftd. 12—13 Uhr, Drahtanschrift: „Beobachter" München, Schriftleitung München 13, Sachtraße 70 · Ruf 2 96 01 Sprechftd.: 11—12 Uhr Schriftltg. Wien VII Seidengaße 3—11, Ruf B 28—5—41 Der „VB" erscheint tgl. Bezugspreis Ausg. A/N. 2,60 zuzügl. 42 Pf. Bestellgeld bei Auftrag d. unsere Zweigftellen mit. N/N. Lieferungsbld. 12 Uhr am Vortage des Erscheinens. Ausl.-Ausg. A/N · Postscheckkonto 4454

Der Fall de Wet

Berlin, Januar 1941.

Das Volksgericht handelte in zweitägiger Sitzung gegen d Mjährigen britischen Staatsangehörigen fest und verurteilte ihn zum Tode. De Wend als bezahlter Spion im Dienste des franischen Deuxième-Büros und hatte den Auft Militäranlagen auszuspähen. Er wurde der deutschen Spionageabwehr auf dem Reichsgebiet verhaftet.

Die Verhandlungen Percy William Olaf de Wet fanter Ausschluß der Öffentlichkeit statinem Vertreter des „Völkischen Beobters" war Gelegenheit gegeben, de'erhandlung beizuwohnen. Aus niegenden militärischen Gründen de allen Verhandlungsteilnehmern Schweigegebot auferlegt. Über dier Schweigepflicht unterliegenden D: kann hier nicht berichtet we. Darüber hinaus interessiert jedoch die Person des Angeklagten nach dallgemein menschlichen und politisa Seite hin tieferes Interesse.

Die Umstände, der denen der Verurteilte seine gegdie Sicherheit des Reiches gerichtelTätigkeit ausübte, sind kennzeichnelfür eine gewisse internationale Atphäre, in der die Grenzen zwischerolitik und Abenteuer fallen und datelligence Service von der Hochstapi nicht zu unterscheiden ist.la kann aber kein Zufall sein, daß der feindliche Nachrichtendienst Vorliebe solcher Elemente für seinrbeit bedient. Was uns daher bei Rückblick auf diesen Prozeß vorlm bemerkenswert erscheint, ist dies Man scheint in dem unsichtbareßampf gegen das Reich nur Mena brauchen zu

der Spion, der sich seine gefährlichen Geheimnisse nur schwer entreißen läßt. Beide Deutungen sind möglich. De Wet entstammt einer englischen Offiziersfamilie. Sein Vater war Marinekommandant auf einer der Kanalinseln, die sich jetzt in deutschem Besitz befinden. Auch der Sohn wurde für die Soldatenlaufbahn bestimmt und bezog eine Kadettenschule, deren Examen er aber nicht bestand. Er sagt, er wollte dieses Examen nicht bestehen, da es nicht seine Absicht war, in ein Infanterieregiment einzutreten. Man darf ihm das vielleicht glauben, denn er legte bald danach das Pilotenexamen ab und trat als Leutnant in die Royal Air Force ein. Nach kurzer Zeit quittierte er jedoch den Dienst. Die Gründe dafür sind dunkel. De Wet behauptet, ihm seien die vielen ärztlichen Untersuchungen, die er wegen einiger Automobilunfälle über sich ergehen lassen mußte, unangenehm gewesen und er habe darum den Dienst aufgegeben.

In der Folgezeit tauchte de Wet auf allen Kriegsschauplätzen auf. Zunächst war er neun Monate lang als Pilot und Nachrichtenoffizier in der Armee des Negus tätig. Er mußte Abessinien dann wegen eines Duells verlassen und bot General Franco seine Dienste an. Der lehnte sie ab und de Wet stellte sich daraufhin den Roten zur Verfügung. Er war drei Monate Kampfflieger. In dieser Zeit knüpfte er die ersten Beziehungen zum Deuxième-Büro, dem französischen Gegenstück zum englischen Intelligence Service. Noch ist er aber kein bezahlter Agent, sondern will einem der Offiziere des Deuxième-Büros nur aus Freundschaft

---

d Schiffe

...digkeiten"

...inanzminister fordert en lawinenhaft — Pfund

...allen Erwartung eines schnellen und leich... en Sieges vom Zaun brachen, der nun am ...Mark Englands frißt. Und bald werden ...e erkennen müßen, daß alles Bisherige ...ur ein Vorspiel war im Vergleich zu dem, ...ts Britannien erwartet!

...ulgarischer Abgeordneter mahnt:

„Bulgariens Platz ist an der Seite Deutschlands"

Sofia, 7. Februar.

...Der Abgeordnete Deni Roftoff trat vor ...r Kammer für die Notwendigkeit ...

más propagandístico del libro y no vale la pena detenerse en él ni traducirlo. Pero sí vale la pena hacerlo con esa noticia del *Völkischer Beobachter* de Berlín, fechada el 8 de febrero de 1941, y que aparece reproducida parcialmente en alemán en las páginas VI y VII, después del índice, de la portadilla, de una muy siniestra ilustración en amarillo y negro que representa a un hombre esquelético y con grilletes, sentado en el suelo de una celda con los ojos cerrados —debido al propio De Wet el dibujo—, y de una frase entrecomillada que ocupa toda una página y con la que se abre el volumen como si fuera un lema o una cita poética o bíblica que yo no reconocería: '*And still death passed me by*', eso dice, 'Y aún la muerte me pasó de largo'; aunque forzando un poco también podría entenderse que la palabra *still* fuera ahí un adjetivo y no un adverbio, y el lema significara entonces: 'Y la callada muerte me pasó de largo'. No lo creo, porque en la primera posibilidad ese 'aún' tiene en el caso de Hugh Oloff de Wet demasiado sentido, si en Berlín había sido condenado a muerte por segunda vez en su vida, después de Valencia cinco años antes: por los republicanos con quienes luchaba en España y por los nazis que combatía en Alemania, o lo que es lo mismo, en breve plazo por ambos bandos enemigos. Ninguna de esas dos muertes habría sido callada. La ilustración descrita, que figura asimismo en la sobrecubierta, no es la única del libro, que cuenta con un total de cuatro, todas en amarillo y negro y todas siniestras y todas del autor mercenario y preso. Estas habilidades gráficas fueron el primer dato que quizá explicaba o justificaba aquella extraña tarea por la que yo supe de su existencia —o sólo de su nombre mal escrito—, el ejecutor de la máscara mortuoria del poeta Gawsworth y rey Juan de Redonda y mendigo Armstrong, seguramente su coetáneo, que también pilotaba aviones en aquellos años a las órdenes de la Royal Air Force por el Norte de África y el Oriente Medio.

Esa noticia del *Völkischer Beobachter* en su edición septentrional, amablemente prestada por el Foreign Office de Su Majestad según una nota a pie de página, es traducida por De Wet al inglés al comienzo de *The Valley of the Shadow*, y reza así más o menos:

'EL CASO DE WET.

Berlín, a enero de 1941.

A lo largo de dos sesiones en sendos días, el Tribunal del Pueblo procedió contra el natural de la Gran Bretaña De Wet, de veintiocho años de edad, y lo condenó a muerte. De Wet era un espía a sueldo al servicio del Deuxième Bureau francés, siendo su misión la localización y descubrimiento de instalaciones militares. Fue detenido por el contraespionaje alemán en territorio alemán.

El juicio de Percy William Olaf de Wet' (he aquí una forma inédita del nombre, quizá debida a su condición de espía: pero carecería de sentido conservar el apellido) 'se celebró a puerta cerrada. Se permitió a un representante del *Völkischer Beobachter* estar presente durante la vista. Por razones obvias de seguridad militar, se hizo prestar juramento de silencio a todos los participantes en el proceso. Nada de esa índole puede por tanto ser objeto de esta crónica. Pero enteramente al margen de las materias secretas, la persona del acusado es digna de atención desde un punto de vista humano general y también político.

Las circunstancias en que el condenado ejerció sus actividades contra la seguridad del Reich son características de ciertos ambientes internacionales en los que la línea divisoria entre la política y la aventura se difumina y el Servicio de Inteligencia se hace indistinguible de la estafa. No puede sin embargo ser casual que el Servicio de Inteligencia enemigo prefiera reclutar a sus agentes entre elementos tales. Al examinar este proceso, lo más destacable es esto: en esta batalla subterránea contra el Reich parece recurrirse tan sólo a aquellos cuya falta de principios e inestabilidad moral parecerían hacerlos idóneos para su trabajo.' (Son llamativos los comentarios edificantes a cargo de un órgano nazi, pero más aún en la crónica de un juicio por espionaje, como si la condena moral por parte de los traicionados pudiera ser matizada u optativa en tales casos.)

'Quienes tomaron parte en el proceso han tenido que sopesar mentalmente si este De Wet, que se mantuvo de pie ante ellos retorciéndose una barba rala y quijotesca' (es de suponer que en su detención le habrían requisado el peine), 'era un loco aventurero o un astuto, despiadado, calculador espía resuelto a ocultar sus peligrosos secretos. Ambas cosas pueden ser ciertas. De Wet proviene de una estirpe de militares ingleses.' (Esta afirmación dejaría en patraña al célebre abuelo boer.) 'Su padre fue oficial de marina, comandante en una de las islas del Canal, ahora en poder alemán. El hijo estaba también destinado a una carrera militar e ingresó en una escuela de cadetes, a cuyo examen, sin embargo, no se presentó. Él dice que fue porque su intención no era entrar en un regimiento de infantería. A esto es posible darle crédito, porque poco después, habiendo sorteado el examen para piloto, ingresó en la Royal Air Force. Abandonó ese servicio al poco tiempo, y los motivos son oscuros. De Wet mantiene que los muchos reconocimientos médicos a que hubo de someterse a causa de algunos accidentes de automóvil habían sido desagradables, y que por esa razón renunció al servicio.' (Ante tanto disparate, no cabe descartar que De Wet se dedicara a bromear y a tomar el pelo a sus jueces y acusadores durante todo el proceso; imposible saber si ellos se dieron cuenta, aunque es de desear que sí por el bien del Tercer Reich hoy difunto; quien desde luego no se la dio fue este corresponsal del *Völkischer Beobachter,* que lo consigna todo al pie de la letra con bastante esmero y no parece percatarse de la probable *nonchalance* o cinismo del espía aventurado. Si fue ese el caso, pensé al leer el galimatías.)

'Posteriormente De Wet hizo acto de aparición en todos los teatros bélicos. Primero sirvió durante nueve meses como piloto y agente de Inteligencia en el ejército del Negus. Obligado a salir de Abisinia por causa de un duelo, ofreció sus servicios al General Franco. Al no ser aceptados, se unió a los Rojos, y sirvió durante tres meses como piloto de caza. En esta época inició su trabajo para el Deuxième Bureau, el equivalente francés del Servicio de Inteligencia británico. Pero aún no como agente a sueldo, sólo por amistad con los responsables del Deuxième Bureau. ¿No es posible que De Wet haya sido desde hace mucho tiempo miembro del Servicio de Inteligencia británico, encargado de una misión que le exigiera el papel de mercenario extranjero? De Wet lo niega y dice que una vez ofreció sus servicios, los cuales fueron declinados. ¿Está diciendo la verdad? Y si es la verdad, ¿por qué fue rechazado? ¿Lo consideraron vanidoso y estúpido los británicos, y, a causa de sus ataques de embriaguez, no apto para su empleo? Puede ser así, y puede ser de otra manera. En cualquier caso De Wet abandona su papel de piloto rojo español para actuar como traficante de armas para un tal Zajarov. A continuación escribe dos libros relacionados con sus experiencias, titulados *Cardboard Crucifix* y *The Patrol is Ended.*' (A estas alturas parece obvio no sólo que era el periodista quien se hallaba bajo los efectos de un ataque de embriaguez aventurera y no sabía explicar el embrollo, sino que se sentía hechizado por la figura loca o astuta del reo, acerca del cual se hace demasiadas preguntas poco prácticas o directamente absurdas, llevándose la palma a la más necia aquella que reza: '¿Está diciendo la verdad?' Claro que tampoco es mala inferencia pensar que la vanidad pudiera ser un impedimento grave para el desempeño de las labores de espionaje. En algunos momentos da la sensación de que su propia fascinación por De Wet lo irrita y lo lleva a revolverse aleccionadoramente en su contra, pero su debilidad por él se aparece diáfana cuando puntualiza y precisa que en sus inicios el espía espiaba sólo por amistad con los mayores espías del espionaje de Francia. Con todo, la frase más admirable del párrafo es aquella que avanza con ecuanimidad y cautela: 'Puede ser así, y puede ser de otra manera'.)

'Durante un corto periodo De Wet llevó una vida tranquila ejercitando sus dotes como pintor.' (Vuelve aquí a asomarse el autor de la máscara.) 'Al estallar el conflicto entre Alemania y Checoslovaquia, él entonces en su vigésimoquinto año, dejó la paleta a un lado y corrió a Praga, donde ofreció al gobierno de Beneš sus servicios como piloto. Aquí renovó una amistad de París: la amistad con una bailarina del sudeste de Europa, una mujer que ha dejado tras de sí varios corazones destrozados y de la que poco puede descubrirse. No se sabe con certeza si era una aventurera erótica o bien de carácter político ella misma. En cualquier caso, cuando De Wet fue detenido ella no sólo era su confidente sino su colaboradora. En el curso del interrogatorio se suicidó, y De Wet, que hasta la muerte de su cómplice había confesado su responsabilidad plena, empezó a tratar de defenderse.' (No cabe duda de que al cronista no le resultaba indiferente del todo el ornamento literario; y si bien su formación narrativa y prosística debía de ser barata y las más de las veces le dictaba expre-

siones gastadas o la sequedad de la mentira, también
es innegable el acierto enigmático que en ocasiones
alcanza, con sus originales eufemismos y su inesta-
ble sintaxis: 'No se sabe si era una aventurera erótica o bien de carácter político ella misma.' Eso no se
iguala fácilmente.)

'Es bien sabido que durante su estancia en
Praga De Wet llegó a estar estrechamente relacionado con cierto funcionario checo que, al establecerse el Protectorado en Bohemia, huyó a Alsacia
y allí se convirtió en un enlace del Deuxième Bureau. De Wet se desplazó a visitar a este hombre
varias veces desde Praga, pasándole de contrabando
oro e información, y fueron estas y otras actividades para el Deuxième Bureau las que finalmente lo
hicieron aterrizar en las manos de las autoridades
alemanas.

A la conclusión del juicio De Wet dio las
gracias al Presidente del Consejo de Alta Traición
por la corrección del proceso, y además por el derecho de completa libertad para defenderse. Escu-
chó la sentencia de muerte con indiferencia, y con
una cortés inclinación de cabeza abandonó la sala,
cuyo tribunal contaba, en calidad de jueces legos,
con tres oficiales de alto rango militar y de partido.' (Es de suponer que la Gestapo no quiso azares
y envió a tres peces gordos para asegurar y realzar la
condena.)

'Se ha hecho todo lo posible para dilucidar
los actos y el carácter del acusado. Su delito es ma-
nifiesto. Su carácter, sin embargo, permanece aún
envuelto en el misterio. Educado en dos culturas

(De Wet asistió a un colegio francés y habla el francés con preferencia sobre su propia lengua materna), este vástago de una familia interesante —está emparentado con el General de Wet de los boers— está destinado a ser ahora un errabundo hacia la nada.' (Y aquí, propiciando ese adjetivo delator y frívolo, 'interesante', aparecía en cambio el abuelo o tan sólo antepasado boer, que quizá no era a la postre patraña. De él he encontrado también un retrato y un libro, pero es mejor acabar primero con el relato de la condena berlinesa a muerte, cuyo final se aleja ya leguas de lo que debería ser una crónica de tribunales, para adentrarse decididamente en el territorio de la meditación y el lamento.)

'Es inteligente y está dotado de talentos varios, es intrépido y capaz de sentimientos nobles, y sin embargo termina su vida en un caos de incertidumbre y en la compañía de hombres y mujeres dudosos, todos los cuales, aunque bailen en sus labios patrióticas frases, carecen de patria ellos mismos y viven del dinero extranjero. El ideal de esta sociedad es el legendario Coronel Lawrence, pero ninguno de ellos alcanza su ideal. A mitad de camino todos sufren un accidente. La vida no los quiere y los vomita hasta la bilis' (y así son como un lujo costoso y superfluo que se expulsa de la vida en seguida como si fuera humo, como si fuera vaho): 'desarraigadas ramas de un árbol que una vez floreció fructífero; desperdigados miembros de una raza cuya forma de vida se ha tornado infame.'

Hasta aquí el redactor del *Völkischer Beobachter*, que curiosamente mencionaba a Lawrence de Arabia como el inalcanzable modelo del desastroso De Wet y otros de su calaña, cuando el propio Lawrence pereció en un oscuro accidente o suicidio de moto en 1935, a la edad de cuarenta y seis años, mi edad de ahora.

Acabada la traducción de la crónica alemana, toma entonces la palabra De Wet antes de dar verdadero comienzo a su relato, y lo anuncia brevemente de esta forma:

'Así rezaba según ellos la historia de "un errabundo hacia la nada". Aunque basada en los hechos, era en varios aspectos ligeramente inexacta, y algunas de sus deducciones erraban con mucho el blanco. Y, por difusos que puedan haber sido estos fallos, ofendían a la verdad sin embargo; ofendían a otra cosa, a algo más profundo y perdurable que ella: algo para lo que no me proponía entonces encontrar un nombre: o quizá no podía.

Lo que sigue es mi versión de la historia de mí mismo, y de otra, de aquella que me prestó compañía "a las puertas del Averno" durante un breve tiempo...'

Hace el tiempo pasado o perdido que los libros antiguos no sean ya sólo sus textos y sus cubiertas, sino lo que fueron dejando en ellos sus lectores previos, señales o comentarios o exclamaciones o maldiciones o fotos o dedicatorias o ex-libris, o una carta o una hoja o una firma o una gota o una quemadura o una mancha o sus meros nombres de propietarios. Y de la misma manera que aquellos de Ewart y Graham y Gawsworth hablaban de su pequeña historia, también uno de los dos ejemplares de *Cardboard Crucifix* conseguidos contenía entre sus páginas algo, dos o tres recortes viejos. Era el de Benet sin duda, pues lo que yo conservo son fotocopias y no el papel de periódico amarillento y desmenuzado. Así que no sólo obré honradamente en el grave asunto del interceptado peine, sino que tampoco caí en la tentación comprensible de quedarme con lo que pertenecía al ejemplar segundo que le destinaba y no había traído el mío más callado. Yo me porto bien casi siempre, y a veces hasta hago el primo, puede verse. Pero tampoco soy ningún santo.

Alguien los había guardado desde 1941 —o el anuncio desde antes—, aunque en ninguno se ve fecha ni tampoco cabecera. Pero por el tamaño del

'MAD DEVIL DE WET'

Gestapo Thought He Was 'Crazy'

By GRAHAM STANFORD

THEY called Percy William Olaf de Wet "a brave and curious man" before they sentenced him to death in the German People's Court for spying for the French Secret Service.

Percy de Wet would enjoy that description. I can imagine his lips curling sardonically as he heard the words. For no soldier of fortune that ever left England lived a more lurid, fantastic life than this tall, handsome "devil-may-care."

He was known in the hotels and bars of every capital in Europe. He was known in the world's strange places and among the world's strange people. He sought adventure and he always found it. Now his latest and greatest adventure has ended in disaster. But I doubt whether de Wet cares much, for he had the fatalism of all soldiers of fortune. It is reported that he accepted the verdict calmly, and de Wet's strange friends will be glad of that.

I do not know much about the boyhood of de Wet. His mother, Mrs. P. W. de Wet, who lives in St. Albans, would not talk about it when I spoke to her last night. This restlessness sent him chasing across the European and Eastern stage in later years—Abyssinia, Spain, and Europe when it became the seething melting-pot for the present war.

★

WHERE all the trouble was, there was de Wet—a rather swaggering figure with a flowing moustache and a black shade over one eye. No one ever knew quite what he was doing. But he always lived well, was always giving parties, and telling the most extraordinary stories of his adventures.

Just after the Munich Agreement in 1938 de Wet was in Prague. Those were feverish days in Central Europe. Spies clustered around every bar, and no one knew whether to trust his neighbour.

Prague quickly learned of de Wet's presence. He took a suite of rooms gave champagne parties which were attended by beautiful women and a strange group of men.

Some say that the Gestapo investigated the activities of de Wet, but came to the conclusion that he was just another "crazy Englishman."

He got to know a beautiful Russian woman It is reported that he married her, and that she was arrested, as his accomplice when the Gestapo got on his trail. It is also reported that she afterwards committed suicide.

★

HE was familiar to newspaper men. To some of us he offered information—"inside information."

He was proud to say that he was "on the inside." But you could not always take this man too seriously.

He had a fine time in Abyssinia.

He went to Addis to fly for the Emperor—he and that world-famous figure Herbert Fauntleroy Julian ("The Black Eagle of Harlem"), who was a strapping African Negro who enjoyed putting seven sorts of fear into the hearts of the natives.

My colleague Noel Monks met him at the Hotel Imperial—surely the most cosmopolitan war hotel of all time. Then de Wet and "The Black Eagle of Harlem" were apparently rivals for the favours of the Emperor. Both of them had gone there to fly But apparently the Emperor had only one communicating plane and most of their time was spent on the ground.

★

YES—de Wet enjoyed the Abyssinian scene. It had all the things he loved—colour, adventure, uncertainty.

The Germans say that he had to leave Abyssinia because he fought a duel. I cannot substantiate that story, but I can well imagine that it is true, for de Wet ran into "scrapes" wherever he went.

He was in Spain, too, along with the rest of that brave and laughing crowd of men who will follow a fight to the ends of the earth. He flew against Franco. He used to say that he lost an eye in an air fight.

Later he wrote a book about his adventures, called "Cardboard Crucifix."

But no one quite knew de Wet. Perhaps no one will ever know until this war is over and the full story comes to be written. Some thought him a pleasure-seeking fool. He certainly played the part.

It is possible that this was merely a mask, that behind that swaggering demeanour was a keen, agile brain working for the cause that he thought right.

The Germans described de Wet as "intelligent, unafraid, and talented."

He was all of those things. He was, in fact, one of the old-time soldiers of fortune who, throughout history, have left Britain to seek adventure.

BLACKWOOD

The Imprint of a Good Book

CARDBOARD CRUCIFIX

The Story of a Pilot in Spain. By OLOFF de WET.
8/6 net.

A *remarkable book, alive, absorbing, intriguing.* The author is an artist in human motives, emotions, and most vigorous action. Horrors tread delicately, almost casually, among feats of unstudied heroism.

THE BLIND ROAD
By FOREPOINT SEVERN,

A SAIL TO LAPLAND
By DOUGLAS DIXON, author of

NO KNOWLEDGE OF SPY

LONDON, Feb. 7— (P). —British officials asserted tonight they had no knowledge of the activites of Percy Williams Olaf De Wet, 38-year-old Englishman sentenced to death in Germany as a spy.

The press recalled here his book "Cardboard Crucifix," which was published in 1939 and dealt with the Spanish civil war.

mayor de ellos hay que concluir que el caso De Wet fue en su día y en el país del protagonista tan conocido y reseñado como llegó a serlo la novela famosa de Wilfrid Ewart veinte años antes. E igualmente olvidado al poco, con mayor celeridad si cabe, supongo: a De Wet lo condenaron en plena Guerra Mundial, y entonces cualquier noticia debía de ser efímera, ahogadas las de una hora por las de la siguiente y las de un punto del globo por las del otro extremo, como ocurre en nuestros tiempos vividos tan pasajeramente como si cada segundo fuera bélico, no sé si este libro tiene cabida en ellos, acaso requiera paciencia y pausa; o quizá sí la tenga y sea propio de estos tiempos tan sólo, pues todo en él es también pasajero según se relata, y si un lector se preguntara qué diablos se le está contando o hacia dónde se encamina este texto, sólo cabría contestar, me temo, que se limita a recorrer su trayecto y se encamina hacia su final por tanto, lo mismo, por lo demás, que cuanto atraviesa o se da en el mundo. Pero no creo que quien hasta aquí haya llegado se haga ya tales preguntas.

El primero y principal recorte traía no tanto una noticia cuanto una semblanza firmada por un tal Graham Stanford que a juzgar por sus comentarios habría tratado a De Wet personalmente, si bien no parecía demasiado apenado ni enfurecido por su inminente futuro guillotinado. Los dos titulares dicen así:

'"EL DIABLO LOCO DE WET".

La Gestapo lo consideró "chiflado".'

Y así reza el resto de la evocación o retrato:

'De Percy William Olaf de Wet dijeron' (otra vez el nombre nuevo, o era el de la temporada) 'que era "un hombre valiente y curioso" antes de condenarlo a muerte en el Tribunal del Pueblo alemán por espiar en favor del Servicio Secreto francés.

A Percy de Wet le divertiría esa descripción. Puedo imaginar sus labios esbozando una mueca sardónica al oír tales palabras. Porque ningún mercenario que saliera jamás de Inglaterra' ('ningún soldado de fortuna', literalmente) 'vivió una vida más refulgente y fantástica que este "balarrasa" alto y apuesto.

Era conocido en los hoteles y bares de todas las capitales de Europa. Era conocido en los lugares extraños del mundo y entre la gente extraña del mundo. Buscaba la aventura y la encontraba siempre.

Ahora su última y más grandiosa aventura ha terminado en desastre. Pero dudo que a De Wet le importe mucho, porque tenía el fatalismo de todos los mercenarios. Cuenta la crónica que encajó el veredicto con calma, y los extraños amigos de De Wet se alegrarán de eso.

No sé mucho acerca de la infancia de De Wet. Su madre, Mrs P W de Wet, que vive en St Albans, no quiso decir nada al respecto cuando anoche hablé con ella.

Este carácter inquieto lo llevó en años posteriores a recorrer sin descanso el escenario europeo y oriental: Abisinia, España, y Europa cuando se convirtió en el hervidero abigarrado de la actual guerra.

Donde había conflicto, allí estaba De Wet, una figura más bien jactanciosa con un profuso mostacho y un parche de cristal negro en un ojo. Nadie sabía nunca del todo lo que estaba haciendo. Pero siempre vivía bien, siempre estaba dando fiestas y contando las más extraordinarias historias de sus aventuras.

Inmediatamente después del Pacto de Munich de 1938 De Wet estaba en Praga. Fueron aquéllos días febriles en Centroeuropa. Los espías se arracimaban en torno a cada bar, y nadie sabía si confiar o no en su vecino.' (Este párrafo parece indicar que quizá los muy reprobados 'ataques de embriaguez' de De Wet no obedecían sino al cumplimiento a rajatabla de ciertos requisitos indispensables en la profesión de espía, pues el retratista Stanford podía haber dicho 'en torno a cada hotel' o 'a cada café' o 'a cada night-club' o incluso 'a cada burdel', y en cambio dice claramente *around every bar.)*

'Praga no tardó en enterarse de la presencia de De Wet. Cogió una suite de varias habitaciones, daba fiestas con champagne a las que asistían hermosas mujeres y un extraño grupo de hombres.

Algunos cuentan que la Gestapo investigaba las actividades de De Wet, pero que llegó a la conclusión de que no era sino "un inglés chiflado" más.

Conoció a una hermosa mujer rusa. Se dice que se casó con ella, y que fue detenida como cómplice suya cuando la Gestapo empezó a seguirle la pista. También se dice que más tarde se suicidó.' (Una mujer rusa con la que acaso contrajo matrimonio aparecía aquí: tal vez la propietaria legítima del Hotel Metropol de Moscú; pero si se había 'suicidado' durante los interrogatorios de la Gestapo, entonces una de dos: o no lo había hecho y no había muerto y estaba aún viva en 1951, o bien De Wet se casó dos veces y ambas con rusas. Ninguna de las dos cosas parece probable, menos aún que aspirara a poseer y regentar el Metropol de Moscú en su calidad de probo viudo heredero.)

'Era bien conocido de los periodistas', prosigue Stanford. 'A algunos de nosotros nos ofrecía información: "información confidencial".

Le gustaba presumir de estar "en el ajo". Pero uno no podía nunca tomarse a este hombre demasiado en serio.

En Abisinia lo pasó estupendamente.

Fue a Addis Abeba a volar para el Emperador: él y aquella mundialmente famosa figura, Herbert Fauntleroy Julian ("El Águila Negra de Harlem"), un fornido negro africano que disfrutaba metiendo siete clases de miedo en el corazón de los nativos.' (A decir verdad, los disparates recogidos por el redactor alemán del *Völkischer Beobachter* resultan un puñado de sensateces al lado de la semblanza inglesa, sobre todo a partir de esta aparición estelar y aérea del Águila Negra de barrio, cuyo nombre verdadero no puede sonar más falso ni novelesco, tanto que seguramente era en efecto el auténtico: hay que tener en cuenta que en 1941 todavía no había demasiadas películas sobre la guerra que pudieran inspirar demencias a los reporteros populares. Pero Herbert Fauntleroy Julian; a quién se le ocurre.)

'Mi colega Noel Monks lo conoció en el Hotel Imperial, sin duda el hotel de guerra más cosmopolita de todos los tiempos. Por entonces De Wet y "El Águila Negra de Harlem" rivalizaban según parece por los favores del Emperador. Los dos habían ido allí para volar. Pero por lo visto el Emperador no disponía más que de un avión con comunicación por radio y ambos se pasaban en tierra la mayor parte del tiempo.

Sí, De Wet disfrutaba del escenario abisinio. Encerraba cuanto a él le gustaba: colorido, aventura, incertidumbre.

Dicen los alemanes que hubo de abandonar Abisinia por haberse batido en duelo. No puedo dar fe de esa historia, pero bien puedo imaginar que sea cierta, porque De Wet se metía en "embrollos" allí donde iba.

También estuvo en España, junto con el resto de ese valeroso y risueño grupo de hombres que irán en pos de la contienda hasta el último rincón del globo. Voló contra Franco. Solía decir que había perdido un ojo en un combate aéreo.

Más tarde escribió un libro sobre sus aventuras, llamado *Cardboard Crucifix.*

Pero... nadie conocía a De Wet del todo. Tal vez no lo conocerá nadie hasta que haya terminado esta guerra y llegue a escribirse la historia entera. Algunos lo consideraban un tonto en busca de placeres. Desde luego interpretaba el papel.

Es posible que esto fuera tan sólo una máscara, que detrás de aquel jactancioso porte hubiera un cerebro agudo y ágil trabajando por la causa que le parecía justa.

Los alemanes describieron a De Wet como "inteligente, sin miedo y con talento".

Era esas tres cosas. Era, de hecho, uno de los mercenarios de antaño que, a lo largo de la historia, han salido de Gran Bretaña para buscar la aventura.'

Hasta aquí Graham Stanford en su periódico desconocido. En cuanto a los otros dos recortes, el más escueto es curioso, y curioso es también que lo guardara alguien:

'SIN CONOCIMIENTO DE ESPÍA.

Londres, 7 de febrero.

Funcionarios británicos han afirmado esta noche no tener conocimiento de las actividades de Percy Williams Olaf de Wet' (una leve variación en el nombre nuevo, con casi seguridad simple errata), 'inglés de veintiocho años de edad condenado a muerte en Alemania por espía.

El caso hizo recordar aquí su libro *Cardboard Crucifix,* que se publicó en 1939 y trataba de la Guerra Civil española.'

El tercer recorte es un anuncio del *Crucifijo* puesto por la editorial, Blackwood. De él lo único curioso es lo que no le pertenece, esto es, la nota escrita a mano, en vertical, a la izquierda. No es del todo inteligible, para mí al menos, pero por lo que entiendo esa mano debió de ser la de alguien que conocía a De Wet personalmente, alguien cercano o de la familia, ya que se refiere a él como a 'Hugh', su primer nombre de pila al parecer poco usado, hasta Edkins lo llamaba 'Oloff' de viva voz y en sus cartas. Mirando bien y más mirando, la primera línea dice: *'Hugh has just written. I thought it might'* (es decir, 'Hugh acaba de escribir. Pensé que podría'; aunque no me atrevería a jurar que *'just'* sea lo que pone). La frase no se continúa en lo que resta de la segunda línea, sino que probablemente el recorte era más largo y la anotación empezaba y seguía más 'abajo', esto es, en la parte posteriormente cortada y perdida. Así que en esa segunda línea —más oscura, el trazo de la pluma más grueso— sólo acierto a leer, me parece, las últimas cuatro palabras: '... *daughter are quite well*' ('... hija estén perfectamente bien'). Nada distingo de la tercera línea, la que corresponde a la despedida y la firma. Alguien le enviaba el anuncio a alguien diciéndole algo así como 'Para que veas lo que Hugh acaba de escribir. Pensé que podría interesarte. Espero que tu mujer y tu hija estén perfectamente bien.' Imposible saber a quién perteneció ese ejemplar antes de pasar brevemente por las manos de Ben Bass y las mías y ser de Benet, y a partir del 5 de enero de 1993 ya quién sabe.

Del primer recorte, de la más bien jovial y poco luctuosa semblanza a cargo del periodista Stanford, hay algo destacable además de la retahíla de elementos novelescos, desde las suites, el champagne, las mujeres hermosas y los bebedores espías rondando los bares praguenses hasta el carácter presuntuoso, hedonista, enigmático y pendenciero del retratado (una combinación de Beau Brummell, Barbanegra Teach y la Pimpinela Escarlata, habría encontrado hueco en la *Historia general de los piratas)*, pasando por su mujer y cómplice rusa y desde luego por la fulgurante figura del muy fabuloso y temible y fatuo Fauntleroy Julian o Terror de los Aires de Addis Abeba. Se trata del tiempo verbal en que está redactada la estampa o noticia, tiempo pretérito como si De Wet ya hubiera muerto, ya hubiera sido ejecutado. Aunque falta la fecha, ésta debió de ser cercana a la del juicio en Berlín, y sin embargo Stanford, quizá involuntariamente y a buen seguro sin gran pesadumbre, equipara con ese tiempo verbal elegido la condena a muerte con la ejecución de la sentencia. Tal vez sabía que según quiénes sean los acusadores y jueces, entre ambas cosas no puede haber diferencia. (La hubo contra pronóstico una vez en el 39, y por eso estoy aquí yo dando la lata.) Pero a De Wet aún la muerte le pasó de largo, como le había pasado a Ewart cuando más tocaba a esa muerte fijarse en él y detenerse, arrojado a los frentes de barro con su ojo único y defectuoso.

Fuera verdad o fingimiento y adorno en el caso del mercenario, ambos eran tuertos aparentemente, Ewart por herencia materna según se ha contado, De Wet en cambio por herida española de guerra de acuerdo con su versión según Stanford. Pero como comenté hace unas páginas, vino también a mi encuentro un libro del presunto abuelo o quizá tío-abuelo, el Vechtgeneraal Christiaan Rudolf de Wet, que como es natural versa sobre la guerra en la que tanto intervino, y se titula *Three Years War* o *La guerra de los tres años* (tres años co-

mo la nuestra, en que el viento se llevó las semanas y la muerte no supo andar despacio, o así lo dijo Miguel Hernández; y casi nunca pasó de largo), de 1902 la edición inglesa. Es ahí donde se ve su retrato, que si no ofrece tanto como un parecido con su descendiente degenerativo, sí permite reconocer en ambos algún aire de familia, o digamos que nadie se extrañaría de su posible parentesco al verlos, algo hay común en la forma de nariz y ojos, más viejo el viejo, con profusa barba en lugar de amanerada mosca, la mirada más suave o más vencida, podría ser un Barbarroja aplacado (también habría encontrado él asiento en la *Historia general de los piratas* que sigo leyendo a ratos, cuando me asaltan los de la cultura actuales más próximos a los rateros y disfrazados de patronos); no habría cumplido aún los cincuenta, y quién sabe si habría luchado con sus guerrillas en algún encuentro contra aquel tío-abuelo de Wilfrid Ewart que después de Jartum se fue a la guerra sudafricana como si no hubiera tenido aún bastante, Sir John Spencer Ewart su nombre, es más que probable que los dos tío-abuelos se vieran las caras o más bien las figuras lejanas que sí se temen, o las que avanzan fieras con sus rostros imaginados, y se apuntaran para dispararse una bala caliente o fría que no llevó en todo caso su esquela con los nombres la del uno el del otro; no sería extraño porque en la hoja de servicios de este Ewart mayor figuran topónimos que De Wet el afectado joven soltó a la carrera ante el pescador de cetáceos para impresionarlo y hacerse respetar un poco, sin preocuparse de amoldar su pronunciación a la dicción española en que el dictador y él habían estado instalados hasta aquel torrente angloholandés: Magersfontein, Koedoesberg, Paardeberg, Poplar Grove, Bloemfontein, Waterval Drift, Río Vet. Y además Driefontein, Blaauwberg, Roodepoort, Wittebergen, Slaapkranz, Retief's Nek.

De todas esas batallas o escaramuzas habló también Conan Doyle en uno de sus libros 'serios' que él prefería tan tontamente a los de su Sherlock Holmes: *The Great Boer War,* de 1900, una historia del conflicto documentada y parcialmente basada en su propia experiencia sobre el terreno como médico voluntario durante cinco meses (quiso primero alistarse, pero en todos los cuerpos le dijeron que era demasiado viejo para el servicio; no había cumplido cuarenta y un años), aunque no tan seria ni tan extensa como la que escribió más tarde en seis volúmenes, bajo el título *The British Campaign in France and Flanders* o *La campaña británica de Francia y Flandes,* sobre la Primera Guerra Mundial de Stephen Graham el ordenanza y Wilfrid Ewart su capitán. En *La gran Guerra de los Boers* Conan Doyle menciona una sola vez al Mayor Ewart que acompañaba a Lord Kitchener como en Jartum, pero en cambio dedica numerosas páginas a las hazañas y ardides de los dos De Wet, pues había un segundo general así llamado, aunque de menos mando, el hermano Piet de Wet; y alguna bala llevó su esquela con ese apellido, porque en uno de aquellos sonoros sitios cayó y no volvió a levantarse un hijo de éste, Johannes de Wet, y fue hecho cautivo un hijo del Vechtgeneraal, Jacopus de Wet. Conan Doyle, dicho sea de paso, volvió sobre el asunto algo después, en 1902, con su más breve libro *The War in South Africa: its Cause and Conduct* o *La Guerra de Sudáfrica: su causa y su conducción,* para salir al paso de los muchos embustes que sobre la supuesta brutalidad de las tropas británicas se estaban publicando por doquier, con la propia Inglaterra a la cabeza. Nada de esto le impidió admirar la astucia estratégica y la audacia táctica del gran De Wet, y según se desprende de sus memorias, el mayor reproche que hubo de hacerle desde un punto de vista ético militar —'una de sus acciones menos deportivas, o la única', escribió— fue la quema de las sacas de un tren correo británico asaltado y saqueado en la Estación de Roodewal, que ensombreció el aire con millares de pavesas flotantes de papel chamuscado. Algo no demasiado grave para un jefe guerrillero, a decir verdad, al que por lo demás el creador de Holmes inmortalizó en una escueta semblanza al comienzo del capítulo XXVII de *The Great Boer War:*

'Christiaan de Wet, el mayor de dos hermanos de ese apellido, estaba por entonces en la edad viril, con algo más de cuarenta años. Era un hombre barbado, fornido y de mediana estatura, poco cultivado pero dotado de mucha energía y sentido común. Su experiencia militar se remontaba a Majuba Hill, y participaba ampliamente de ese curioso odio racial que resulta comprensible en el caso del Transvaal, pero inexplicable en un ciudadano del Estado Libre de Orange al que el Imperio Británico no ha infligido ninguna ofensa.'

Y a continuación viene lo llamativo: 'Cierta debilidad en la vista lo obligaba a la utilización de lentes
tintados, y ahora había vuelto esos lentes, con su
par de ojos especialmente observadores tras ellos,
hacia las dispersas fuerzas británicas y la ya largamente expuesta vía férrea.' Y un poco más adelante
insiste en aquel detalle que no puede uno dejar de
asociar con el monóculo o parche de cristal ahumado de su seguramente mentiroso pero quizá no tan
falso descendiente mercenario: 'Los lentes tintados', dice (o puede que 'sombreados'), 'se volvieron
en primer lugar hacia la aislada aldea de Lindley.'

Sin duda el ojo sin visión de Ewart fue herencia, y tal vez lo fue el de De Wet asimismo, pese a sus fascinantes historias fantásticas, según las
definió Anthony Edkins: ambos soldados tuertos,
en la lucha de trincheras el uno y en los combates
aéreos el otro, lo menos recomendable para evitar
que la muerte atraviese el espacio con su ojo único
y el tiempo con sus herrumbrosas lanzas. También
mi padre hace años que no ve con uno de sus ojos
que cuando están sin gafas se aparecen aún más
azules, y por eso le decía mi madre cada vez que se
las quitaba: 'Así se te pone cara de alemán'. Pero él
no luce parche ni monóculo alguno, ni tampoco
se ha puesto en la vida unos lentes tintados ni
sombreados ni ahumados, yo sí los llevo oscuros de
vez en cuando. Padezco cierta debilidad en la vista
a la que no doy importancia porque quizá ya no la
tenga en estos tiempos, aunque en el pasado era
causa lenta pero segura de ceguera y dolor finales,
no sé si de muerte. Por no salir de los hombres de

letras, esa debilidad amargó la existencia de James
Joyce, quien hubo de operarse once veces sin apenas mejoras y a quien por ese motivo se ve en muchas fotos con un parche abultado y negro sobre el
ojo izquierdo, si bien hay quien dice que se lo co-
locaba menos por necesidad que por hacerse el
original y el amanerado. Yo sé lo que es eso, llevar
un ojo tapado: de niño y durante unos meses de
mis ocho o nueve años llevé así el izquierdo porque al derecho se lo diagnosticó 'perezoso', y a fin
de obligarlo a trabajar y a esforzarse y por así decir
a recuperar terreno, me cubrían aquel con el que
mejor veía y que tendía a encargarse solo de la
tarea entera de mirar y ver. Recuerdo que detesta-
ba aquella gasa o vendaje o parche sobre mi ojo
bueno y me parece que hacía trampa y me quitaba
el apósito durante los recreos para luego volver a
mal colocármelo; por fortuna el tormento no duró mucho tiempo y quizá se deba a eso, a mi impaciencia y desobediencia de entonces, que hoy
siga siendo perezoso el malo, yo creo, en todo caso
menos activo y perspicaz que el otro. La superiori-
dad de éste la achaqué siempre a ser zurdo, y del
mismo modo que mi mano izquierda era más fuerte
y hábil que la derecha, no me resultaba extraño
que se observara esa prevalencia por todo el cuerpo. Tuve la suerte de que no se intentara corregir
mi zurdera en una época en que era casi precepti-
vo hacerlo, no habría soportado que se me hubiera atado a la espalda el brazo izquierdo, y haberme
sentido manco y tuerto: el colegio al que fui, el *Estudio,* era liberal y laico y clandestinamente mixto,

un disimulado apéndice o resto de la Institución Libre de Enseñanza de tiempos de la República, antes de que el viento se llevara las semanas; y en cuanto a mis padres, eran asimismo liberales y habrían tenido mucho trabajo, ya que también era zurdo mi hermano Julianín desconocido y lo es mi hermano Álvaro, tres de cinco. Cuando aprendí a escribir los primeros nombres y entre ellos el mío, ponía las letras de derecha a izquierda como los árabes, y aunque yo leía 'XAVIER' —así me llamaron, con *X*, y así lo escribía de niño y así lo escribió siempre mi madre—, lo que en verdad se leía o leían todos menos yo era 'REIVAX', y cuando ella no me daba el visto bueno entre risas yo no entendía el porqué y protestaba, ya que para mí yo había escrito en su orden todas las letras sin dejarme una ni equivocarme, y además seguía leyendo 'XAVIER' donde al parecer ponía 'REIVAX' según la convención de los otros, y en cambio leía 'REIVAX' donde decía mi madre que sí ponía por fin 'XAVIER'.

A veces pienso que para alguien que empezó escribiendo y leyendo en ese sentido inverso —y esta tendencia sí me la corrigieron naturalmente—, el tiempo ha de ser distinto que para la mayoría que nunca ha intentado ir de atrás adelante sino siempre ha marchado de delante atrás, o no ha tratado de empezar por el fin sino acomodarse a él, esto es, a su espera y su temor y llegada; y a veces pienso que tal vez por eso transito a menudo por lo que en varios libros he llamado 'el revés del tiempo, su negra espalda', tomando de Shakespeare la misteriosa expresión y por dar algún nombre al tiempo que no ha existido, al que nos aguarda y también al que no nos espera y no acontece por tanto, o sólo en una esfera que no es temporal propiamente y en la que quién sabe si no se hallará la escritura, o quizá solamente la ficción. Puede que por eso perciba a menudo el pasado como futuro —o lo vea cuando no era sino eso, futuro— y el futuro como pasado: lo que ha de venir como si ya hubiera ocurrido y llegado, y aún es más, como si ya no tuviera demasiada importancia al haberse iniciado incluso su olvido o difuminación, tan pasado o perdido se acaba por hacer todo el tiempo. Quizá lo sea sólo el que ha transcurrido y puede contarse o así parece, y que por eso es el único ambiguo o el único que permite la ambigüedad, como escribió hace ya treinta años don Juan Benet. Y también hizo entonces otra afirmación enigmática que yo no he leído hasta hará treinta meses en el viejo artículo que la contiene y respecto a la cual ya no puedo preguntarle nada: '... a mí me parece que es el tiempo la única dimensión en que pueden hablarse y comunicarse los vivos y los muertos, la única que tienen en común ...', eso dijo. No lo entiendo, no lo entiendo del todo pero sé que él no escribía gratuitamente, aunque sí a veces arbitrariamente como todos los buenos. No lo entiendo a no ser que piense más bien en ese revés o esa negra espalda por la que discurre la voz antojadiza e imprevisible que sin embargo conocemos todos, la voz del tiempo cuando aún no ha pasado ni se ha perdido y quizá por eso

ni siquiera es tiempo, esa voz que oímos perma-
nentemente y que es siempre ficticia, yo creo, como tal vez lo es y lo ha sido y lo será hasta su término la que aquí está hablando.

Quizá en ese tiempo que en tantas ocasiones ha invadido el mío —quiero decir el que tengo
asignado según la convención de los otros— sí se
confundan la ficción y la realidad, o las realidades
no sólo improbables e inverosímiles, sino incom-
patibles. Quizá en ese tiempo pueda una novela
inmiscuirse en la vida, y no sería extraño que en él
Sir John Spencer Ewart hubiera apuntado con su
carabina a los lentes tintados de Christiaan Rudolf de Wet en Paardeberg o en Río Vet, o acaso
fue George Steabben quien lo tuvo en su punto de
mira en Magersfontein o en Retief's Nek, siglos
antes de morir en México de un certero tiro en la
frente durante la balacera célebre de Constantino
y Leovigildo a las puertas del Salón Phalerno; no
sería extraño que el abrecartas con la inscripción
de los años y el río sangriento, '15 Yser 16', lo hubieran tallado Stephen Graham o Wilfrid Ewart
en sus trincheras de lodo y sin treguas, o que Hugh
Oloff de Wet esculpiera la máscara mortuoria del
poeta monarca John Gawsworth mendigo, o que
aquella bala fría del Año Nuevo o la Nochevieja
no se enfriase lo bastante rápido para iniciar la curva
y errar el blanco, o que el portero Tom y el portero Will de la Tayloriana sean uno y el mismo viajando adelante y atrás por su territorio eterno, 'Buena suerte profesor', con su mano festiva y servicial
en alto. Es posible que en esa dimensión o tiempo

mi amigo Eric Southworth muriera hace siete años
a manos de los Galdosistas (en verdad triste sino)
y que mi amigo Aliocha Coll esté aún apurando
su último vaso de vino, y que fueran Conan Doyle
el patriótico médico ejemplo de los reclutas, y Lawrence de Arabia el inalcanzable ideal de los aventureros, justo ellos quienes más elogiaran el malogrado talento del novelista veterano de guerra que
no vio venir bala ni esquela con su ojo ciego en el
pandemónium de Ciudad de México; puede que
por allí haya transitado siempre aquel balcón del
piso cuarto del Hotel Isabel que no existe, y la novia
alemana del austriaco Ödön von Horváth que vio
repetirse la misma muerte accidental imposible de
su padre y su amado en el curso de una sola vida,
la suya, los dos partidos por un rayo y el más joven en el Año Nuevo, y que fuera allí donde Toby
Rylands disfrutara sus farras o *binges* con un gracioso príncipe de Haití o de Honduras, de Antigua
o Barbuda o Belice o de Montserrat la volcánica, o
quizá de Redonda que no está habitada; puede
que en esa dimensión o tiempo resida y sestee ese
reino entero que a veces aparece en los mapas y
otras no figura, como corresponde a un lugar que
existe y a la vez es imaginario, the Realm of Redonda, the Kingdom of Redonda con su aristocracia
intelectual de falsos nombres españoles y sus cuatro reyes, y que tras la abdicación en mi favor del
tercero yo sea el cuarto de esos reyes desde el 6 de
julio del 97, King Xavier o todavía King X mientras esto escribo y también con ello el albacea literario y el legal heredero de mis predecesores Shiel

y Gawsworth, o Felipe I y Juan I: es difícil resistirse a perpetuar una leyenda, sería mezquino negarse a encarnarla; en esa nebulosa flotarán mi recuerdo y mi olvido alternados de una cicatriz en un muslo como un cráter quemado y suave que vi y besé a diario durante tres años lejanos, y seguramente el ocasional pensamiento o memoria ya casi ficticia de quien la llevaba ('Ah sí, vivió aquí conmigo una vez un joven, era madrileño, me pregunto qué habrá sido de él, hace ya tanto tiempo'), y en esa penumbra humeará invisible el parentesco adquirido con el actor Robert Donat a través de sus objetos míos, pitillera en nuestros bolsillos y alfiler en nuestras corbatas o en mi solapa; y quizá De Wet siga pilotando su Nieuport en ese dominio o en ese viento, quién sabe si el mismo avión que se aleja alto y vivo mientras cae el enemigo al infierno (pero podría ser un Polikarpov y no un Nieuport, y así no ser él quien da caza y mata); y puede que ese aventurero coincidiera en España con el otro de sus correrías más viejo, el Deán Rojo, el bandido Deán de Canterbury por cuyo acompañamiento inventado e involuntaria causa estuvo la muerte a punto de no pasarle de largo a mi padre y de dejarme a mí sin existencia. Quizá también transita por el revés del tiempo la vida no vivida y truncada de mi hermano mayor Julianín tan pequeño, y el yo que yo habría sido o no sido sin mi nacimiento. Y qué, si no hubiera nacido.

No nació por ejemplo un primogénito de mi familia a quien alcanzaba una maldición y a quien así se esperaba para verla cumplida ente-

REALM of REDONDA

This Volume is from
the Bookshelves of

M. P. SHIEL, (1865-1947)

[H.M. King Felipe I, 1880-1947]

and

JOHN GAWSWORTH (1912-   )

[H.M. King Juan I, 1947-   ]

REALM of REDONDA

EX LIBRIS

JOHN GAWSWORTH (1912-   )

(H.M. King Juan I, 1947-   )

*The Realm
of
Redonda*

H. M. FELIPE I
(M. P. Shiel, 1865-1947)

H. M. JUAN I
(John Gawsworth, 1912-1970)

H. M. JUAN II
(Jon Wynne-Tyson, 1924-   )
(abdicated 1997)

H. M. XAVIER I
(Javier Marías 1951-`   ))

. . . .

ra. Y aunque ya he contado esta historia en dos ocasiones —una como ficción en un cuento con falsos nombres, 'El viaje de Isaac' su título, otra como hecho real en un artículo con los verdaderos nombres, se llamó sobriamente 'Una maldición'—, no será mucha la gente que la recuerde o la haya leído, y tiene aquí en cambio su lugar más apropiado o así lo creo, como si por una vez, y sin yo preverlo en 1978 ni en 1995, hubiera seguido el precepto de la eminente cuentista Isak Dinesen, a quien traduje en mis tiempos de Oxford y según la cual 'sólo si uno es capaz de imaginar lo que ha ocurrido, de repetirlo en la imaginación, verá las historias, y sólo si tiene la paciencia de llevarlas largo tiempo dentro de sí, y de contárselas y recontárselas una y otra vez, será capaz de contarlas bien.'

Una de mis abuelas procedía de ese mismo Mar Caribe en el que está Redonda cuando aparece en los mapas o se la fotografía. Era cubana nacida en La Habana, se llamaba Lola Manera y era la madre de mi madre Lolita. En realidad tanto ella como su padre, mi bisabuelo, eran más bien todavía españoles de Cuba, por decirlo de forma comprensible e inofensiva. Se llamaba mi bisabuelo Enrique Manera y creo que su segundo apellido era Cao ('del indio Cao, lugarteniente de Moctezuma', solía proclamar con el índice en alto la hermana menor de mi abuela, la tita María con *folies de grandeur);* era militar y poseía tierras en La Habana.

Siendo joven y soltero, regresaba a su casa una mañana a caballo cuando se le cruzó un pordiosero mulato que le pidió una limosna. Él se la denegó, siguió adelante y espoleó su montura, pero el mendigo pudo aún detenerla cogiéndola de la brida y le anunció al jinete entonces su maldición, bastante barroca y de precisión más que notable: 'Tú y tu hijo mayor, y el hijo mayor de tu hijo mayor, los tres moriréis cuando estéis en un viaje lejos de vuestra patria, y no cumpliréis los cincuenta años ni tendréis jamás sepultura.' Mi bisabuelo no hizo caso y apartó al mendigo de un manotazo, contó la anécdota en casa durante el almuerzo y después la olvidó (pero alguien la recordó y por eso ha llegado hasta mí la historia: quizá un aya negra o una madre aprensiva, son las mujeres no jóvenes siempre las depositarias, como son también las transmisoras). Esto sucedía en 1873 y Enrique Manera tenía veinticuatro o veinticinco años, dos menos en todo caso que cuando publicó en Sevilla una novelita que encontré hace no mucho —los libros siempre viajando hacia mí, o no perdonándome el conocimiento—, *El coracero de Froeswiller*, subtitulada *Recuerdos de la Guerra Franco-Prusiana* y estampada en la calle del Rosario 4 por la imprenta y litografía de Ariza y Ruiz, según consta en la portadilla. Su arranque es en verdad a la antigua: 'Era el 15 de julio de 1870, y acababa de sonar las once de la noche en todos los relojes de las iglesias de París. La capital del imperio francés presentaba, en el momento de dar comienzo nuestra narración, un aspecto sumamente extraño é inusitado.' Al parecer no fue la única en llegar a las prensas, he ahí un precedente familiar novelístico mío, un precedente antillano.

Mucho más tarde, en 1898, cuando ya llevaba media vida casado con una Custardoy de la que había tenido siete vástagos (por eso el nombre falso del cuento fue 'Isaac Custardoy'), mi bisabuelo Manera decidió no ver ondear las barras y estrellas sobre su isla, así que vendió apresuradamente sus propiedades y se embarcó rumbo a España con toda su familia —su país que acaso no conocía sino de nombre—, incluidos mi risueña abuela Lola con sus siete u ocho años, la grandilocuente tita María con alguno menos y el primogénito con bastantes más, llamado también Enrique. Los médicos le habían desaconsejado tan radical medida, ya que padecía de vértigo Ménière y la travesía encerraba graves riesgos para su salud. Pero el militar Manera no estaba dispuesto a asistir al triunfo y enseñoreamiento del Comodoro Schley y así no hizo caso, como no lo había hecho del mendigo mulato veinticinco años atrás. En medio del Atlántico sufrió un mortal ataque de esa enfermedad que lo fulminó en cubierta. Iba a cumplir los cincuenta, murió ya lejos de su tierra —y aun de la segunda que no conocía— y su cadáver fue arrojado al océano con una bala de cañón.

Veintitrés años después, en 1921, su hijo mayor Enrique Manera Custardoy, hermano de mi abuela y tío-abuelo mío por tanto (también un tío-abuelo guerrero, como Ewart y De Wet), participó en la Guerra de Marruecos con el rango de coronel y como ayudante del General Fernández Silvestre, que comandaba las tropas españolas en su gran desaire. Como es sabido pero casi nadie recuerda ya, éstas huyeron en desbandada en lo que se ha conocido como 'el Desastre de Annual'. En medio de la dispersión y derrota ante los cabileños de Abd-el-Krim, Fernández Silvestre, un hijo suyo y el Coronel Manera quedaron aislados de los restos del grueso, completamente desamparados pero con una camioneta a su disposición. El general, con gesto antiguo, se negó a abandonar el campo de su caída, y mi tío-abuelo, con gesto más antiguo aún, se negó a abandonar a su superior y caído amigo. Convencieron entre ambos al joven Silvestre de que intentara salvar la vida y huyera con el vehículo; y allí se quedaron ellos, a esperar el fuego largo y la muerte larga. No se supo más. Sus cadáveres nunca fueron hallados, y lo único que se encontró de Manera fueron sus gemelos de campaña y sus correajes de coronel, que yo llegué a ver en la casa de mi abuela de la calle de Cea Bermúdez (otra vez gemelos, pero estos no eran de puño). Se teme que fueran empalados y descuartizados. Manera tenía cuarenta y seis años, mi edad de ahora, y estaba lejos de sus dos tierras, la colonial Habana que lo vio nacer y el Madrid que lo vio partir hacia aquella guerra colonial del África para someterse a su maleficio heredado. Sepultura no tuvo ni la tendrá jamás. Dejó solamente viuda, esto es, mujer.

La elaborada maldición se había cumplido con tanta exactitud y cabalidad en sus dos primeras amenazas que parecía imposible que no fuera a cumplirse también en la tercera generación. Así que tras la muerte temprana, remota y sin rastro de Manera Custardoy en Annual, alguien de la familia —quizá un aya supersticiosa o una madre aprensiva, acaso mi propia abuela, hermana del maldecido— esperó con una mezcla de consuelo y temor que el difunto hubiera dejado embarazada a su cónyuge antes de su leal partida y expedición funesta en compañía de Fernández Silvestre. Esperó un mes o dos, pero no hubo nada. Nunca hubo un hijo mayor del hijo mayor, y pensar en un vástago espúreo es demasiado socorrido y trivial. Si nada se hubiera cumplido. Si todo se hubiera cumplido. Hubo otro Enrique Manera al que yo he conocido, pero no descendía directamente del coronel muerto en Marruecos, sino de un hermano menor de éste. Alcanzó el grado de almirante —no falso como el ballenero Franco sino de verdad—, y solía contar sus hazañas de la Guerra Civil: había hundido un submarino ruso con sus propias manos y había sido fusilado por los rojos, grave circunstancia de la que había salido ileso gracias a su corta estatura, según relataba. El pelotón o los milicianos habían apuntado a un grupo de condenados, en su mayoría mucho más altos que él, y así las balas habían pasado rozándole el pelo, por encima de su cabeza. Cayó como los demás al oír las descargas y durante horas se fingió muerto aprovechando la sangre de sus compañeros que lo ensangrentaba, hasta que se hizo de noche y vio despejado el campo —no enterraban, no enterraban, le negaban la sepultura— y entonces salió de entre los cadáveres y volvió a hacerse el vivo y logró escapar. De ser verdad todo esto, tal vez la maldición intentó cumplirse hasta el fin pese a verse

privada de su último objeto: si no en el tercer primogénito en línea directa que nunca existió, sí al
menos en aquel de su sangre que recibió el mismo
nombre que le habría tocado en suerte a quien ningún nombre tuvo porque no alcanzó a ser, y sin
embargo estaba anunciado y previsto por un pordiosero mulato de la ciudad de La Habana desde
1873: en un nieto, en todo caso, del imprudente y
culpable Manera Cao. Pero es obligado dudar de
la veracidad de este intento, si otra de las heroici-
dades había consistido en echar a pique a puñeta-
zos un submarino de los bolcheviques. Lo cierto
es que no hubo quien padeciera la prescrita tercera muerte, antes de cumplir los cincuenta y lejos
de la propia tierra y sin jamás merecer sepultura.

En aquel cuento de 1979 que titulé 'El viaje
de Isaac' un amigo de la familia Custardoy se preguntaba al respecto con estas o parecidas palabras:
el hijo mayor del hijo mayor había sido profetiza-
do como también la forma de su acabamiento;
pero nunca había nacido, no había llegado a nacer
ni a ser engendrado, y sin embargo el mendigo mulato y el desdichado Manera que se cruzó en su camino tenían ya concebida su existencia y sabían
de él en 1873. ¿Dónde había estado aquel ser o concepto desde entonces y dónde quedó tras la muerte del que sería su padre de acuerdo con la profe-
cía, tras la muerte guerrera y de gesto antiguo en
Marruecos que descartaba su nacimiento por los
siglos de los siglos y para siempre jamás? En algún
lugar tenía que estar. El amigo intentaba resolver
el enigma, y al final, 'cuando ya iba a morir', se

dice en el cuento, 'escribió en una hoja sus pensamientos: "Adivino que voy a morir, emprenderé el último viaje. ¿Qué va a ser de mí? ¿A dónde iré? ¿Iré a alguna parte? ¿A dónde iré? Atisbo la muerte porque he estado vivo y he sido engendrado y además he nacido, porque estoy vivo aún; la muerte así es imperfecta y no todo lo abarca, no puede impedir que exista en el tiempo otra cosa distinta de ella, que desde allí se la espere y desde allí se la piense: no es sólo sujeto como querría, sino también objeto del pensamiento y la espera, y tiene que transigir. Sólo le pertenece del todo quien no ha llegado a nacer; más aún, quien no ha sido engendrado ni concebido y así no ha entrado nunca en el tiempo ni lo ha atravesado durante un solo segundo ni tiene que salirse de él para perturbarlo. El que no se concibe es quien muere más. Ese ha viajado sin cesar por la senda más tortuosa, por la más intrincada y la más invisible y la más callada: por la senda de la eventualidad. Ese es el único que no cumplirá ningún año ni ningún día ni tendrá patria ni sepultura jamás. Ese es Enrique Manera, el que falta. Yo, en cambio, no soy".'

No, no nació aquel Manera a quien se vaticinó y se esperaba para concluir una maldición que quedó incompleta por su inexistencia, y tal vez pendiente (y acaso ha habido alguna vez nada que no quedara inconcluso); y quizá ese ausente todavía transita por el envés y la negra espalda y abismo del tiempo junto con todo lo que no ha ocurrido y lo que sí ha sucedido sin dejar sin embargo una huella ni un rastro ni humo ni vaho, y con lo acontecido que no puede reproducirse y ya no es posible y está descartado por tanto, y también con lo que aún se debate entre el recuerdo afilado y el tuerto olvido, como esa cicatriz de un muslo que se difumina y vuelve y se afirma y se esfuma, como si quisiera perdonarme su conocimiento ('Escucha, ven, mira, en mí hay esto y quizá prefieras no llegar a verlo. Aún estás a tiempo de no verlo, y si no lo ves no lo habrás visto nunca'). Por ese revés del tiempo acaso transite todo, lo que está en el conocido tiempo y lo que él no conoce ni es por él registrado ni tomado en cuenta. Por esa negra espalda pueden también desfilar los hechos cuyos relato y memoria acaban por convertir en ficticios, tal vez por allí ya divaga la travesía marítima de mi abuela Lola hace un siglo con sus siete u ocho años risueños desde La Habana a Madrid para que aquí pudiera nacer mi madre Lolita y después yo de ella, y tal vez ronda por ese abismo la niña que mi madre esperaba y quería en aquel cuarto de sus alumbramientos y que no nació porque nací yo en su lugar, pese a aguardar ya a la niña un nombre elegido y pensado, Constanza, y seguramente su imaginado rostro. Y acaso hubo entonces de perderse Cuba para que se efectuara aquel viaje en barco que arrastró a mi bisabuelo isleño hasta el fondo del océano envuelto en una bandera y con una bala de cañón sobre el pecho para mejor hundirlo ('Pese yo mañana sobre tu alma, sea yo plomo en el interior de tu pecho y acaben tus días en sangrienta batalla: caiga tu lanza'). Y quién sabe si no se perdió la isla entonces para satisfacer la maldición privada y ocasional de un limosnero, y por cien mil motivos más de esta índole que atañen sólo a los individuos.

Es todo tan azaroso y ridículo que no se entiende cómo podemos dotar de trascendencia alguna al hecho de nuestro nacimiento o nuestra existencia o de nuestra muerte, determinados por combinaciones erráticas tan antojadizas e imprevisibles como la voz del tiempo cuando aún no ha pasado ni se ha perdido, cuando aún no es ambiguo ni tan siquiera es tiempo, esa voz que todos conocemos y oímos como un murmullo según avanzamos o así creemos, porque es la voz lo que en realidad avanza; o cómo puede concederse ninguna importancia a nuestro paso frágil e insignificante que bien pudo no darse por una mentira o testimonio falso o bien sí darse por la fantasía y el odio excesivos de dos delatores al servicio de Franco —dos futuros catedráticos, lo fueron ambos en recompensa, o ya lo era uno— que fabricaron acusaciones demasiado improbables y novelescas contra quien no podía ni soñar todavía ser mi padre ni el padre de nadie; cómo podemos tomar en serio nuestro aliento siquiera, que debemos al ataque de una anticuada enfermedad o vértigo sobre la cubierta de un barco que viajaba al exilio, o a la maldición caprichosa y barroca que un mendigo mulato lanzó a un jinete despreciativo más allá del océano hace ciento veinticinco años, en una isla de otro continente; o que perdemos, ese aliento, por una bala que extravió el entusiasmo de una Nochevieja en México en aquel continente, o por el árbol que arranca de cuajo el rayo y cae sobre la cabeza de un extranjero que aguardaba para entrar al teatro poco antes de emigrar a ese continente y en él salvarse; o aún más simple, por haber puesto punto final a una página y ya no querer escribir la siguiente; o aún más inocuo, por aparecer una tarde de diciembre en casa el único hijo que faltaba, el cuarto; o aún más daño, por la llegada a traición de una enfermedad fulminante que deja sin dueño a un titirimundi y lo detiene y lo arrumba hasta el fin del tiempo o del mundo que remedaba y representaba el juguete con su débil rueda que ya no gira. Apaga la luz, y luego apaga la luz. Y apágala.

Y sin embargo no cabe sino ser ridículo y dar importancia al producto de esas combinaciones sin jerarquía, a cada uno de ellos y al nuestro —o será mejor decir al que somos—, a los ya cancelados y a los presentes y aun a los ficticios si no queremos que nuestro paso sea del todo idiota además de frágil e insignificante. Y así nos pasamos la vida fingiendo que somos únicos y escogidos, cuando somos conmutables y el indiferente resultado de una rifa de feria alicaída y mustia. Se hace necesario ese fingimiento, lo malo es que nuestros actos o nuestra desdicha o suerte acaban por hacernos olvidar a la mayoría que sólo se trataba de eso y en eso estábamos, sólo en el fingimiento. Hay quien llega a convencerse de que nació destinado a algo de lo que consigue o padece, como si el padecimiento o el logro le hicieran comprender su historia y aún más, el motivo o causa de su nacimiento, es la causa, es la causa. Lo que digo aquí lo he dicho ya antes en una novela, pero no me importa: todo ha de ser dicho una vez y otra para que no se pierda, hasta que ya no se diga nada y ya más no haya: son los atajos y los retorcidos caminos de nuestro esfuerzo los que nos varían y acabamos creyendo que es el destino, acabamos viendo toda nuestra vida a la luz de lo último o de lo más reciente, como si el pasado hubiera sido sólo preparativos y lo fuéramos comprendiendo a medida que se nos aleja, y lo comprendiéramos del todo al término. Y así cree la madre que hubo de ser madre y la solterona célibe, el asesino asesino y la víctima víctima, como cree el gobernante que sus pasos lo llevaron desde el principio a disponer de otras voluntades y se rastrea la infancia del genio cuando se sabe que es genio; el rey se convence de que le tocaba ser rey si reina y de que le tocaba erigirse en mártir de su linaje si no lo logra, y el que llega a anciano acaba por recordarse como un lento proyecto de ancianidad en todo su tiempo: se ve la vida pasada como una maquinación o como un mero indicio, y entonces se la falsea y se la tergiversa. Y el que muere joven se verá para siempre como un joven muerto, hasta en sus retratos de vivo que se contaminan.

No fui yo en realidad quien lo dijo (salvo la última frase), sino un personaje de la novela llamado el Único o Solus, un rey de verdad aunque fuera ficticio, y no un rey literario de un reino fantástico que sin embargo figura en los mapas a veces, y cuando aparece es una desabrida roca negruzca sin habitantes o habitada sólo por los alcatraces, esa diminuta isla no lejana de Cuba cuyo nombre viene de una iglesia de Cádiz y que es tan sólo el territorio o recipiente superfluo de lo imaginario. Quién sabe si no habrá desaparecido en el fondo del mar como mi bisabuelo Manera, tras las erupciones tremendas del volcán Soufriere el pasado año en la isla mayor y vecina de Montserrat, donde nació Shiel o Felipe I el primer monarca, casi reducida como él a cenizas en una urna y ahora quizá dispersas (no hay nadie en Redonda para mandar noticias). Es un reino que se hereda por ironía y por letra y nunca por solemnidad ni sangre, el del sucesor Juan II que me ha elegido al cumplir sus setenta y tres años y el de Juan I o el poeta mendigo que se convirtió en una especie de anacronismo para vivir de la caridad y dormir en los bancos de los parques en sus últimos días de la muerte larga, y que seguramente lanzó más de una maldición en su isla natal, la más grande de nuestro continente, desencadenando con ellas quién sabe qué combinaciones —o fueron y serán infiernos—, para morir luego en un hospital, olvidado y sin un penique, con su verdadero y recobrado nombre de Terence Ian Fytton Armstrong, *'a poet'* según el funcionario Vinten o el informante Lewis que certificaron su muerte. Esa voz maldecidora o poética no calla sin embargo del todo y murmura ahora en mi casa, en lo que vengo llamando desde hace tiempo 'la habitación de Gawsworth', como si fuera el cuarto de un mayordomo, o más bien el de un fantasma.

Pero nada podrá hacerme creer que este fue mi destino ni que lo será ningún otro, ni que hubo causa para mi nacimiento.

The Islands Redonda and Nevis in the West Indies

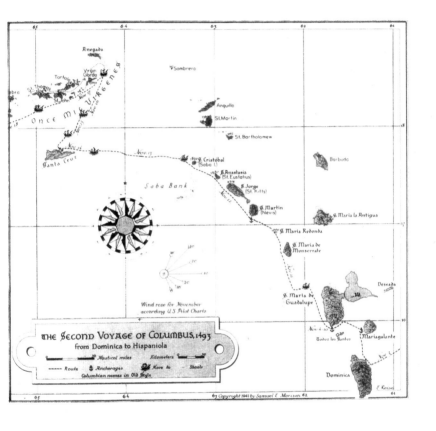

A Chart of the Antilles, or Charibbee, or Caribs Islands by L. S. De la Rochette, MDCCLXXXIV (1784).

Note the view of Montserrat from the southeast in the upper right which clearly shows Redonda, "Called by the Sailors Rock Dunder" as indicted on the map below.

REDONDA
A LEEWARD ISLAND

ADMINISTERED BY ANTIGUA
16° 56' N. by 62° 21' W.
Height: 971 ft.
Remnant of a volcanic cone

— CHRONOLOGY —

From the First Century of our Lord, Visited by the Arawaks and Caribs as a way station, and known by the latter as OCANMANRU.

1493 — Named Sta. Maria Rotonda by Columbus

1865 — Redonda quarried for phosphates. Two cableways carried between 578 and 5778 metric tons of phosphates per year. Island claimed by Matthew Dowdy Shiell.

1872 — Redonda annexed by Antigua

1880 — M.P. Shiel (The Purple Cloud) crowned King Felipe I of Redonda by Bishop Mitchinson

1890 — Fred W. Morse and Prof. Hitchcock visit Captain H. See: *Popular Science Monthly* vol. 46, pp. 78-87. Nov. 1894

1899 — Hurricane destroyed the buildings

1912 — Last shipment of phosphate made

1914 — Mining ceased

1929 — Caretakers left after a hurricane

1930 — American Phosphate Company gave up lease

1947 — M.P. Shiel dies in England
Poet John Gawsworth becomes King Juan I

1956 — A freelance Smithsonian expedition

1958 — collected specimens for the U.S. National Museum

1961 — Dr. R.A. Howard collected botanical specimens for Harvard University.

1970 — King Juan I dies
Jon Wynne-Tyson becomes King Juan II.

1978 — Antigua installed caretakers and a post office on Redonda. Stamps issued.

1979 — 13th April - King Juan II, the Duke of Nera Rocca and a group of natural scientists plant an ecological flag over Redonda.

— LEGEND —

1. Anchorage in 6 fthms., black sand, just off underwater rockfall. Head to the north.
2. Landing Rock. Set stern boat anchor.
3. Post office. Buy stamps and mail letters.
4. Old Jetty. Disused and in ruins.
5. Gully. Only ascent; treacherous with loose rocks. Site of main cableway and old seawater ballast pipe.
6. Ruins of southern cableway head.
7. Cableway anchorage chains.
8. Cableway cable wheels.
9. Cableway bucket remnants.
10. Stone bread baking ovens (in good condition).
11. Cistern for saltwater cableway ballast.
12. Cisterns.
12A. Cistern for manager's house. (Rotonda)
13. Site of barracks for 130 men.
14. Remnants of steel boiler.
15. Manager's house and office.
16. Blacksmith's shop.
17. Old garden walls.
18. Water cistern and catchment ruins.
19. King Juan II's ecological flag planted April 13, 1979 (Good Friday) Green for vegetation, Brown for soil and Blue for sea.
20. Horizontal mine adit.
21. Ruins of northern cableway head.
22. Site of auxiliary cableway.
23. Road used to head-carry 84 pound baskets of phosphates when auxiliary cable failed.

— NOTE —

Based on a preliminary map prepared by Admiral Desmond Nicholson, Duke of Antibal, and as amended by A. Reynolds Morse, Duke of Nera Rocca and Grand Duke of Redonda, utilizing contours of Redonda from old topographical map of Montserrat

NEVIS — 25 miles
ANTIGUA — 35 miles
MONTSERRAT — 15 miles

CARIBBEAN SEA

N

Contour Interval - 50 ft.

Publication: Athenaeum Books
Design: DHc-4669
In Honor of M.P. Shiel
Redonda Centenary - July 20, 1865

Algún tiempo ha de pasar todavía hasta que hable más claro esa voz o letra y yo pueda contar lo que cuenta, alguna distancia he de tomar con acontecimientos recientes y por eso prefiero esperar un poco y hacer una pausa, aún es todo demasiado cambiante. No quedan sólo por contar los atajos o retorcidos caminos por los que ha caído sobre mi nombre ese fantasmal y literario título que ya no sé si me traslada a lo que para mí fue ficción tan sólo hace nueve y aun catorce años o si es ésta la que se incrusta en mi vida y la hace por tanto algo más irreal y quimérico, además de indecisa y absurda y un poco calamitosa. No sólo queda relatar el 'acceso', con ser la historia intrincada y tal vez pintoresca, y también cómica desde luego. Ni sólo las disparatadas características y vicisitudes de ese reino, que por imaginario que sobre todo sea no se libra de lo que todos han conocido a lo largo de la historia: usurpadores, impostores, intrigas, lunáticos, traiciones, 'súbditos', mecenas, rebeliones, cronistas, validos falsos, disputas 'dinásticas' en las que yo no participaré a buen seguro, sólo me faltaría discutir ahora acerca de 'legitimidades' por carta, o sobre 'linajes', más aún sobre los que en realidad no son tales al no importar aquí nada los parentescos; también ha habido algún hecho de sangre, creo. Y una modesta leyenda que me han dicho ahora que encarne. Tendré que nombrar a mis propios pares, pues debe continuar el juego. Quizá pronto Duke of Savolta o Duke of Norte, Duke of Caronte o Duke of Babel, o Duke of Tigres acaso. Duke of Región ya no es posible.

Cuando de tarde en tarde he insinuado o revelado algún dato suelto de lo que ocurría o yo averiguaba a mis amigos o amigas (a los que no se burlarían ni me desaprobarían), en todos he visto un gesto de incredulidad que jamás los ha abandonado del todo, ellos conocen mi tendencia a la fabulación y a la broma, ellos mejor que nadie, y no podían estar seguros de que no me estuviera inventando cuentos. Dudo que ese gesto de incredulidad se esfume definitivamente tras leer estas páginas y ver las imágenes que he intercalado, aunque en cada uno de ellos tuviera ese gesto su propio carácter y apareciera mezclado con actitudes distintas: en Eric Southworth con jocosidad e ingeniosas ideas y glosas; en Mercedes López-Ballesteros con leve preocupación por los aspectos más sombríos de la ficción invasora y con el encantamiento infantil de quien disfruta un relato arbitrario; en Daniella Pittarello con una frágil ironía para superar su perplejidad teórica y así dar paso a su juvenil espíritu que cree en las coincidencias; en Anna Sala, 'Anna', con expectación y aprensión, como si temiera que estas aventuras pudieran cambiar mi vida o hacerme daño, y así con el contento enturbiado de estar asistiendo al proceso de una fábula; en Ruibérriz de Torres cuyo apellido yo llevo como también Custardoy y Manera y Cao, con sorna que sin embargo no borra su curiosidad, no hasta el punto de decirme que me calle y que no le venga con sandeces; en Manolo Rodríguez Rivero con una especie de distanciamiento crítico que en el fondo oculta una comprensión perfecta de la extravagancia fomentada y humorística inglesa y de la tentación que los escritores sienten a veces de diluirse en sus propias páginas; en Julia Altares, cómo decirlo, se mezcla la incredulidad con juerga y con planes fantásticos y con el máximo aliento; o será con *binges,* más adecuadamente. Todos son buenos compañeros de juego, todos se preocupan algo y no saben si darme crédito, pero al menos me escuchan y me piden más datos, que hasta ahora les he dosificado y repartido al máximo. Mi agente Mercedes Casanovas, a la que sin saber si me tomaría por loco hube de contar con rubor la historia hace meses, por ver si estaba dispuesta a administrar los derechos de Shiel y Gawsworth en nombre mío, no acaba de hacerse a la idea, creo, de estar metida en lo que hace menos de un año era para ella sólo el recuerdo vago de una novela, aunque actúa con profesionalidad risueña y ha debido ya tramitar nuestro primer contrato para una edición de la novela de Shiel *The Yellow Danger* o *El peligro amarillo,* de 1898 o de hace un siglo. Sólo mi hermano Miguel, tras enarcar las cejas y sacarse la pipa de la boca un instante, abandonó el gesto de incredulidad en seguida y recibió mis noticias con naturalidad absoluta, no en vano me conoce desde que yo era niño y ahora él ya sí tiene memoria. Es curioso que me vea envuelto en todo esto sin haberlo buscado ni procurado —o sólo con mi escritura—, cuando mi corazón es republicano y me inquietan las islas. Pero también en las repúblicas hay lo mismo que en los reinos, impostores e intrigas y lunáticos y rebeliones; y hechos de sangre. Y leyenda. Tal vez yo sea el lunático.

Me atrevo a pensar que el motivo de esas disputas sobre lo imaginario no es aquí tanto el sueño o figuración de un reino de literatura o de papel y tinta (ningún usurpador ni aspirante ha sido escritor de veras, principal y sobreentendida exigencia) cuanto la localización geográfica y existencia material de un territorio que lo acompaña, esa isla de Sotavento; sobre todo porque, según parece, cuando la Reina Victoria se anexionó Redonda en 1872 a través del gobierno de Gladstone para adelantarse a los Estados Unidos que pretendían hacer lo propio con vistas a aprovechar el fosfato de alúmina de su pobre suelo rocoso, la Oficina Colonial británica, ante las reclamaciones del padre de Shiel primero y del propio Shiel más adelante, no puso nunca objeción al título de rey de éste y le aseguró que podía utilizarlo ('King of Redonda') siempre y cuando no intentara rebelarse contra el poder colonial y careciera su reinado de sustancia. Por lo demás, es discutible que la reclamación de Shiel pudiera depender de las leyes británicas, y la propia Oficina Colonial albergó dudas sobre la validez de su vindicación y derechos sobre una isla deshabitada.

Redonda la descubrió Colón en su segundo viaje, el 10, 11, 12 o 13 de noviembre según las fuentes. Dice así su hijo natural Hernando Colón en su *Vida del Almirante:* 'El domingo 10 de noviembre el Almirante hizo levar anclas, y salió con la armada; y fue a lo largo de la costa de la isla de Guadalupe, hacia el Noroeste, con rumbo a la Española. Y llegó a la isla de Montserrat, a la que por su altura dio este nombre; y supo por los indios que consigo llevaba que los caribes la habían despoblado, comiéndose a la gente de ella. De allí pasó a Santa María la Redonda, así llamada por ser tan redonda y lisa que parece que no se puede subir a ella sin una escala; era llamada Ocamaniro por los indios', nombre que, dicho sea de paso, es casi un anagrama de Manera Cao, al menos coinciden todas las consonantes, que son la sustancia de las palabras.

También la mencionó el célebre historiógrafo y humanista Pedro Mártir de Anglería, nombrado cronista de Indias, en sus *Décadas de orbe novo,* escritas en latín y a la manera de Tito Livio a partir de 1511, y de lo que dice antes, al extenderse sobre la vecina Madaninó, se colige que Colón no desembarcó en Redonda, si bien, como todo lo que avistaba, la consignó, bautizó e incorporó a la Corona de España: 'El Prefecto' (así llama Pedro Mártir al almirante, con reminiscencia clásica), 'acuciado por el deseo de ver a los compañeros que el año anterior había dejado en La Española en su primer viaje para reconocer la isla, navegaba dejando atrás todos los días infinidad de islas a derecha e izquierda. Se divisó por el septentrión una isla grande. Tanto los que habían sido llevados en el primer viaje a España como los rescatados de los caníbales afirmaron que sus habitantes llamaban a esa isla "Madanino"; en ella sólo viven mujeres. En el primer viaje había llegado a oídos de los nuestros la fama de esta isla; se creyó que, en determinadas épocas del año, los caníbales acudían a ellas no de otro modo que la Antigüedad refirió que los Tracios pasaban a las Amazonas de Lesbos, y que de la misma manera enviaban a sus padres a sus hijos una vez criados, mientras retenían consigo a las hembras. Dicen que estas mujeres tienen grandes galerías subterráneas, en las que se refugian si alguien se acerca a ellas en otro tiempo que no sea el convenido; desde allí se protegen con flechas, que se afirma que disparan con extrema puntería, si sus perseguidores se atreven a forzar la entrada con violencia o con artimañas. Esto dicen, esto recibe. A esta isla no pudo arribarse por soplar de ella el bóreas, pues seguían ya al volturno.' Esta isla, que también aparece como 'Matinina' y 'Matininó', se supone que es la parte oriental de la de Guadalupe. Y así prosigue Pedro Mártir de Anglería: 'En el curso de su navegación, a cuarenta millas de haber dado vista a Madaninó, pasan de largo no lejos de otra, que los indígenas que llevaban decían que estaba pobladísima y que abundaba en todas las cosas necesarias para vivir; ya que estaba provista de altas sierras, la llaman Monserrate. Entre otras cosas que se pudieron colegir al hablar con los que llevaban, así por palabras como por señas, se enteraron de que los caníbales iban con frecuencia de cacería para alimentarse de hombres, a más de mil millas de distancia de sus costas. Al día siguiente se avista otra, a la cual, dado que era redonda, el Prefecto le dio el nombre de Santa María la Redonda... Les dicen que todas estas islas son de admirable hermosura y fertilidad.' Las *Décadas,* y por lo tanto estas citas, fueron vertidas al inglés y al alemán tan pronto como en 1555 y 1582 respectivamente.

Y de primerísima mano es la referencia del doctor Diego Álvarez Chanca, sevillano, médico de los Reyes y de la princesa doña Juana la Loca, que a petición propia fue 'en calidad de físico en la segunda armada que Colón preparaba para las Indias'. La prosa no era su fuerte, pero esto dice en una carta dirigida al Cabildo de Sevilla: 'Fuimos junto con la costa d'esta isla e dixeron las indias que llevábamos que no hera abitada, que los de caribe la avían despoblado e por esto no paramos en ella.' Se trata de Montserrat, y a continuación viene Redonda: 'Luego esa tarde vimos otra, a esa noche, cerca desta isla fallamos unos baxos por cuyo temor sorgimos, que no osamos andar fasta que fuese de día.' Parece desprenderse que si no llegaron a poner pie en la isla, seguramente por ser Redonda tan inaccesible, sí pasaron toda una noche a su abrigo, por culpa de unos bajíos.

Una mención mucho más reciente y en otra lengua es la del historiador y profesor de Oxford primero —si no de dónde— y luego de Harvard Samuel Eliot Morison, quien, además de escribir en 1942 una importante biografía del Almirante con la que ganó un Premio Pulitzer, dirigió la Harvard Columbus Expedition, que en el otoño de 1939 e invierno de 1940 recorrió con dos goletas las rutas del navegante con el objetivo de describir al detalle cuanto Colón encontró, vio e hizo en sus viajes, punto por punto y paso a paso. En esa biografía dijo: 'Siguiendo con rumbo general al noroeste, la flota pasó junto a una pequeña, escarpada y redondeada pero inaccesible roca de menos de una milla de largo, que Colón llamó *Santa María la Redonda*. Redonda conserva hasta hoy su nombre y su importancia como marca, pero nunca ha valido la pena habitarla.' Menos aséptica es sin embargo su cita en otro libro tardío, de 1974: 'A continuación vino una isla redonda y minúscula, *Santa María la Redonda;* ésta no ha sido nunca poblada, aunque un americano chiflado declaró una vez ser rey de ella.' La palabra inglesa para 'chiflado' no podía ser otra en el original que *crazy,* la misma que según la prensa inglesa aplicó a Hugh Oloff de Wet la Gestapo en su día. Si el profesor Morison aún viviera y supiera.

Acostumbrado a los robos y saqueos y plagios y al espionaje continuo del actual mundo universitario, que lleva a los profesores a no soltar prenda sobre sus proyectos e investigaciones hasta que ya no son tales y están sepultos y a buen recaudo en archivable letra impresa, mi amigo Eric Southworth me pregunta a veces si no temo que alguien, al dividir yo estas páginas en dos volúmenes, se 'apropie' de los 'personajes reales' mientras escribo o pienso o espero el segundo tomo, y por ejemplo cuente cuanto yo aún no he contado o todavía ignoro de Ewart o De Wet o Gawsworth, o del Deán bandido Rojo o de los Manera.

No sería grato quizá, pero no lo temo, y además esos 'personajes', al ser reales, no son justamente de nadie, y si yo los siento algo míos es sólo porque me fijé en ellos cuando escribía novelas o maquinaba cuentos y apenas los recordaban los vivos: tal vez sólo Hugh Cecil y Anthony Edkins, y Steve Eng y Roger Dobson y Jon Wynne-Tyson, y mi señor padre y yo mismo respectivamente, quiero decir en tiempos recientes. O puede que sean más bien esos personajes quienes conmigo se han cruzado. Tampoco quisiera saberlo todo, ni acerca de ellos ni acerca de nadie y menos aún de mí mismo. Y si llegara a saberlo todo tampoco sé si lo contaría, uno está siempre eligiendo y está descartando, saber o no saber a menudo poco importa. O a veces el saber verdadero resulta indiferente, y entonces puede inventarse.

Ya he dicho antes en todo caso que carezco de espíritu investigador y de espíritu periodístico, y que nunca me precipitaría a las hemerotecas y bibliotecas ni a ese Internet que no tengo porque sigo escribiendo a máquina y corrigiendo a mano, ni correría a visitar a testigos o herederos o supervivientes ni a grabar el despojo de sus recuerdos para averiguar nada que, por así decir, no me venga o encuentre de manera espontánea y por su propia cuenta, sin que yo me esfuerce ni me mueva de aquí, de mi sitio, desde el que puedo encargar rarezas a los libreros de Oxford y York y Londres o desafiar a don Juan Benet a demostrar su sapiencia. Es como si despreciara cualquier conocimiento forzado o arrebatado y activo y ansioso y dependiente de las voluntades, desde luego de la mía; o cualquiera que no merezca. Esta actitud sería sin duda incompetente e imperdonable en un erudito o en un reportero o en un científico, pero yo no soy ninguna de esas tres cosas ni pienso convertirme en ninguna de ellas para contar lo que a mí me pasa o me interesa o me afecta, o lo que he ido sabiendo sin que me pasara, y así recuerdo.

No sería del todo improbable ni extraño que algún ladrón o saqueador o plagiario o aprovechado, que también abundan con silencio y máscaras en la tempestad literaria, saliera disparado a leerse entero *Cardboard Crucifix* si lo encontrase (pero Ben Bass ha desaparecido), y cuanto publicaron en sus cortas vidas Wilfrid Ewart y James Denham y en la suya larga Stephen Graham, y alguna biografía del bandido Deán de Canterbury si es que eso existe, y todas las novelitas desconocidas de Enrique Manera mi bisabuelo antillano. O que fuera a sonsacar a los parientes vivos o a los resentidos amores o a los papeles callados que aguardan sin impaciencia. En todo caso ese no es mi trabajo. Lo más que podría contar ese alguien son los hechos, y los hechos en sí no son nada, la lengua no puede reproducirlos como tampoco pueden las repeticiones reproducir con su filo el tiempo pasado o perdido ni resucitar al muerto que ya pasó y se perdió en ese tiempo. Quién sabe además a estas alturas lo que se ha hecho real y lo que se ha hecho ficticio.

Quién puede decir si es real o ficticia la inverosímil noticia a la que ahora atiendo, sobre una hija española de Matthew Phipps Shiel, nativo de Montserrat la de las altas sierras y primer rey de Redonda (pero acaso no es más increíble que sus derechos de autor sean míos ahora): una niña nacida el 26 de julio de 1900 en Londres de su efímera mujer Carolina o Lina, inscrita en el registro el 30 de agosto como Dolores Katherine Shiel, única descendiente legítima conocida de Felipe I, a la que sus padres —y así sucede siempre con las de su nombre— llamaban Lola como mi abuela o Lolita como mi madre. Shiel y Lina se casaron en la iglesia italiana de St Peter del distrito de Holborn en Londres el 3 de noviembre de 1898, va a hacer un siglo, en presencia de la suegra o madre que también era otra Lola y del amigo Arthur Machen, Archiduque de Redonda. Él tenía treinta y tres años y ella sólo dieciocho.

No son necesariamente los textos los que hacen más reales las cosas, pero vale la pena escuchar un instante la voz de Shiel al hablar de sí mismo cuando estaba en París y aún era joven, no es difícil imaginarla si se miran sus ojos brillantes y un poco magnéticos que desazonan y su reluciente pelo negro y su piel tan tersa, quizá de mulato por parte de madre: 'En medio de todo esto', así dice, 'mi destino me lleva a entrar una tarde en el Palais de la Glace en la rue de Madrid' (y en qué otra calle), 'donde veo a una muchacha de dieci-

séis años patinando, una española de París. Claro que había visto muchachas preciosas, en Cuba, en Andalucía, en La Martinica; pero nunca antes había visto *una beldad;* y se parecía a una chica que yo había amado a los siete años, a otra chica que había amado a los trece, y a mi madre. Bien, hacía mucho que había dejado de "rezar" como mis padres, por considerarlo impropio; pero aquella tarde volví corriendo a mi aposento en un coche, y, postrándome, recé. "¡Dios! ¡Dámela!" Y el buen Dios lo hizo. Para empezar no sabía su nombre, pero tras forcejear y rastrear a unas veinte, la cacé, la obtuve. Después de esto se me hizo natural rezar por las chicas, y puedo decir que, cada vez que recé por una, de Dios la he obtenido. Ella, Lina, fue la "Laura" de mi *Cold Steel'* (o *Acero frío,* una de sus mejores novelas), 'al menos su rostro y su forma de ser; por las calles de Londres no había criatura que no volviera la cabeza para mirarla, y observar la destreza de su Progenitor. Pero a ella Londres no le parecía "bonita" ("Londres n'est pas jolie"), y fue así como adquirí la costumbre de vivir en París largas temporadas. Ella no era fuerte, sin embargo: murió al cabo de cinco años, dejándome una hija; y unos quince pasaron hasta que volví a casarme, cuando conocí en una conferencia a Lydia, que se parece a Lina y a mi madre.'

'Dejándome una hija'. Así que la noticia que recibí hace ya tiempo pero a la que sólo ahora atiendo debe ser cierta, a pesar de todo. Quizá no fue Shiel sin embargo enteramente sincero, porque cuenta también la noticia que antes de la muerte de Lina él la había repudiado en carta del 12 de junio de 1903, para regresar poco después a Londres abandonándola en París con su hija. Al parecer Carolina murió a finales de ese año con tan sólo veintitrés cumplidos, quién sabe cuánto tuvieron que ver el repudio y el abandono de quien había rezado para conseguirla. Una hermana mayor, Salva, y quizá una menor, Micaela, las tías, se llevaron a Madrid a la pequeña Lola, una niña de tres años entonces que tal vez nunca recordó a su padre, si nunca más volvió a verlo: una niña madrileña que seguramente estará muerta ahora o tendrá nada menos que noventa y siete, acerca de la cual y de su historia española me pide esa noticia lejana —llegó desde Dayton, Ohio— que indague en nuestra ciudad, mía natal y suya de orfandad y exilio; que forcejee y rastree para averiguar su vida y saber de su descendencia, si es que la tuvo. Quizá debería intentarlo esta vez, pese a mi falta de espíritu periodístico y no digamos de biógrafo, convertido este último espíritu con demasiada frecuencia en uno de los más viles y difamatorios de nuestra época. O bien, como siempre, habré de esperar a que sean Lola Shiel o su fantasma o sus vástagos quienes vengan hasta mí a contarme.

Esa niña o anciana o muerta debe de haber transitado también, desde sus tres años, por el revés o negra espalda del tiempo, por lo que a la vez es real y ficticio, esto es, por lo que desaparece o ni siquiera aparece y sin embargo es conocido porque ha llegado a contarse. No lo sé, todo es posible. Puede que aún viva esa niña hoy decrépita, o que muriera hace mucho y acaso durante la guerra, ametrallada por el Nieuport de Hugh Oloff de Wet o bombardeada por un Junker de la Legión Cóndor al servicio del almirante falso; fusilada por los milicianos como el hermano menor de mi madre mi tío Emilio o como pudo serlo mi padre y lo fueron tantos por los franquistas triunfantes con sus delatores y esbirros, todavía impunes con sus nombres ocultos. O puede que no, y que le diera tiempo de sobra a ver crecer a una hija que sea ahora una venerable matrona, una de tantas que vemos a la media tarde adueñándose de nuestras calles. Y ya que el linaje de Shiel era de mujeres sin duda (quizá venía de Madaninó, él fue el primer varón tras sus ocho o nueve hermanas), puede que esa hija tuviera a su vez la suya, y entonces el apellido irlandés de Shiel que llevaba la niña Lola se habría ido quedando cada vez más atrás y rezagado, y de esa posible nieta de treinta y tantos posibles años sería tan sólo el cuarto, como es Manera el cuarto mío. Puede que me haya cruzado con esa nieta en Madrid durante mis paseos, porque puede ser cualquiera si existe, y quien quiera que sea a lo mejor hasta ignora que tuvo un bisabuelo antillano que fue monarca real de lo imaginario, y de cuyas novelas me toca cuidar a mí y ocuparme ahora, como inverosímil sucesor suyo.

Puede ser esa mujer que veo desde mis ventanas en este amanecer que me encuentra despierto, esa mujer no muy joven que espera el autobús con su temprano cansancio y a la que hoy se ve sonreír levemente como si estuviera ensoñada o aún no hubiera podido olvidarse del que dejó entre las sábanas convertido ya en alguien a quien se va acostumbrando sin darse cuenta y lo peligroso es entonces, cuando más empieza a temerse la marcha que la permanencia de ese objeto de nuestra costumbre o constancia. Levanta un pie bien calzado con su zapato de tacón que realza el efecto de silueta de sus medias negras, y luego levanta el otro como una zancuda mientras espera ese autobús que no se divisa ni en lontananza, yo lo sé porque miro y domino desde mi piso más alto, no he de alzarme de puntillas como debe hacer ella envuelta en la luz del día que avanza cegando o dejando tuertos a los trece faroles aún encendidos como testimonio o recordatorio de la noche ya pasada y perdida: aunque todavía la noche nos impregne a todos y no sea fácil sacudírsela siempre, como tampoco es fácil sacudirse el tiempo desaparecido, sea nuestro o de otros o el que ni siquiera ha aparecido nunca.

O puede que esa nieta de Lolita Shiel sea la mujer que aguarda en la cama con hastío y sin impaciencia al hombre con grandes entradas en su cabello que parece de músico cuando se lo azota el viento, ese hombre de barba azulada incipiente y nudo de la corbata flojo que busca saldar sus deudas y que aún no recibió el navajazo que creyó asegurado para más tarde o más temprano. También él se empina con ansiedad llamando en voz baja al autobús que no llega y yo sé que ni se aproxima ('Ven, ven'), quizá esté pensando que cuanto más tarde en volver a casa más tiempo habrá ella tenido para preparar y meditar su cuento, o para abandonarlo en su ausencia dejándole una nota de repudio tan sólo en un papel amarillo pegado al espejo. Le asoma y baila la corbata al erguirse, y lleva prendido en ella un alfiler antiguo con un esmalte que milagrosamente no ha perdido en sus timbas, sin duda porque se resistió a apostarlo pese a las insistencias de los toreros, que primero son codiciosos para ser luego desprendidos. Tiene los ojos orientalizados y como pinceladas los labios —'boca de pico, boca de pico'—; el mentón casi partido, las manos anchas y en la izquierda un cigarrillo. Pero todo sigue siendo cuestión de tiempo y el navajazo lo fija, ese tiempo.

Queda por contar todavía tanto reciente y lo venidero, y yo necesito tiempo. Pero sé que cuando quiera que sea y aunque no conozca eso venidero, seguiré contándolo como hasta ahora, sin motivo ni apenas orden y sin trazar dibujo ni buscar coherencia; sin que a lo contado lo guíe ningún autor en el fondo aunque sea yo quien lo cuente; sin que responda a ningún plan ni se rija por ninguna brújula, ni tenga por qué formar un sentido ni constituir un argumento o trama ni obedecer a una armonía oculta, ni tan siquiera componer una historia con su principio y su espera y su silencio final. No creo que esto vaya a ser una historia, aunque puede que me equivoque, al no conocer su fin que quizá no llegará a la escritura nunca porque coincidirá con el mío, dentro de algunos años, o así lo espero. O también puede que me sobreviva. Ahora que voy a parar y a no contar más durante algún tiempo, me acuerdo de lo que dije hace mucho, al hablar del narrador y el autor que tienen aquí el mismo nombre: ya no sé si somos uno o si somos dos, al menos mientras escribo. Ahora sé que de esos dos posibles tendría uno que ser ficticio.

Aparto la vista un momento de los balcones para sacudirme la noche larga y también la duda y acaso ser de nuevo uno solo; y al volver a mirar el autobús ha llegado y se ha llevado a sus pasajeros. Miro las incongruentes luces todavía encendidas bajo el sol que avanza haciéndolas insignificantes; y sin embargo son ellas el tiempo respetuoso y benigno que quiere dejar constancia de lo que ya ha cesado: hasta que la soñolienta mano de algún funcionario repara en el despilfarro y apaga la luz, y luego la apaga. Y aun así los pasajeros ahí siguen, y aun así la luz no se ha apagado.

Marzo de 1998

Este libro
se terminó de imprimir
en los Talleres Gráficos
de Unigraf, S. L.
Móstoles, Madrid (España)
en el mes de mayo de 1998